Über dieses Buch Die Erzählungssammlung ›Etwas Kindliches, aber sehr Natürliches‹ erschien erstmals 1924, nach dem Tod Katherine Mansfields. Die erste Erzählung dieser Sammlung, ›Rosabels Müdigkeit‹, ist die erste überlieferte Story der Autorin, sie entstand 1908, wurde allerdings erst posthum 1924 veröffentlicht. Die letzte Erzählung dieses Bandes, ›Mutige Liebe‹, ist gleichzeitig die letzte vollständige Erzählung Katherine Mansfields, sie wurde 1974 veröffentlicht. Die Sinnlosigkeit des Krieges, Träume und wieder die Heimat in New Zealand sind einige der Themen dieser Sammlung.
Das Werk, das Katherine Mansfield hinterließ, könnte man schmal nennen: ein unregelmäßig geführtes Tagebuch, Briefe, 73 vollendete Erzählungen sowie 15 Erzählfragmente. Dennoch wird sie, wenn man von dem Genre der short story spricht, mit Guy de Maupassant, Anton Tschechow und Edgar Allan Poe in einem Atemzug genannt. William Somerset Maugham schrieb in seinem Buch ›Point of View‹ über sie: »Wenn die Technik unserer heutigen englischen Kurzgeschichtenschreiber sich von jener der Meister des 19. Jahrhunderts unterscheidet, dann geht das, glaube ich, zumindest bis zu einem gewissen Grade auf ihren Einfluß zurück.«

Über die Autorin Katherine Mansfield, 1888 als Kathleen Beauchamps, Tochter eines englischen Bankiers, in Wellington, New Zealand, geboren. 1908 verließ sie endgültig die als provinziell empfundene überseeische Heimat und siedelte nach London um. Ein unstetes Leben begann, es war die Zeit des ›fin de siècle‹, dessen verführerisches Leben sie anzog: »O, ich will die Dinge auf die Spitze treiben!«, wie sie schon 1906 in ihr Tagebuch schrieb. Durch eine unglückliche Heirat fand dieses Leben ein Ende. Nach der Scheidung heiratete sie 1918 den Schriftsteller John Middleton Murry. Paris, London, Cornwall, die Provence waren Stationen eines unruhigen, ›unbürgerlichen‹ Daseins. Unheilbar an Tuberkulose erkrankt, suchte sie 1922 in Frankreich Hilfe, wo sie 1923 in der Nähe von Fontainebleau starb.
Die vollständige Ausgabe ihrer Erzählungen erscheint im Fischer Taschenbuch Verlag: ›Das Gartenfest‹ (Bd. 9269); ›Glück‹ (Bd. 9270); ›Das Taubennest‹ (Bd. 9271); ›In einer deutschen Pension‹ (Bd. 9273); ›Das Leben sollte sein wie ein stetiges, sichtbares Licht‹. Briefe, Tagebücher, Kritiken. Mit einer biographischen Notiz von Elisabeth Schnack. Herausgegeben von Christel Schütz (Bd. 5739).

Katherine Mansfield
Etwas Kindliches, aber sehr Natürliches

Erzählungen

Herausgegeben und übersetzt
von Elisabeth Schnack

Fischer
Taschenbuch
Verlag

Originaltitel: The Collected Stories of Katherine Mansfield
Verlag Constable, London 1945

11.–18. Tausend: September 1988

Ungekürzte Ausgabe
Veröffentlicht im Fischer Taschenbuch Verlag GmbH,
Frankfurt am Main, Januar 1983

Lizenzausgabe mit freundlicher Genehmigung der
Büchergilde Gutenberg, Frankfurt am Main

Die Originalausgabe erschien unter dem Titel
›The Collected Stories of Katherine Mansfield‹
im Verlag Constable, London 1945
Umschlaggestaltung: Buchholz/Hinsch/Hensinger
unter Verwendung des Gemäldes ›Le Déjeuner‹
von Pierre Bonnard
(Musée du Petit Palais, Paris)

Druck und Bindung: Clausen & Bosse, Leck
Printed in Germany
ISBN 3-596-29272-7

Inhalt

Rosabels Müdigkeit

An der Ecke Oxford Circus kaufte sich Rosabel einen Veilchenstrauß, und der war eigentlich schuld daran, daß sie sich nur eine klägliche Abendmahlzeit leisten konnte – denn ein Brötchen, ein gekochtes Ei und eine Tasse Kakao bei Lyons' sind nach einem langen Arbeitstag in einem Hutgeschäft keineswegs ausreichend. Während sie sich auf das Trittbrett vom Atlasbus schwang, mit der einen Hand ihren Rock hochraffte und sich mit der andern an die Stange klammerte, dachte Rosabel, wie freudig sie ihre Seele für ein gutes Abendessen hingegeben hätte – für etwas Heißes und Kräftiges und Sättigendes wie Entenbraten mit Kastanienfüllung und grünen Erbsen und Pudding mit Brandybutter. Sie setzte sich neben ein offensichtlich gleichaltriges Mädchen, das in einer billigen Taschenbuchausgabe *Anna Lombard* las; der Regen hatte die Seiten mit Tränen bespritzt. Rosabel schaute aus dem Fenster; die Straße draußen schien verwischt und dunstig, aber das auf die Scheiben fallende Licht verwandelte, was glanzlos war, in opalfarbenes und silbernes Glitzern, und die Juweliergeschäfte in wahre Feenschlösser. Rosabels Füße waren greulich naß, und sie wußte, daß ihr Rock und Unterrock am Saum mit schwarzem, klebrigem Schmutz besudelt waren. Der ganze Bus roch widerlich nach warmer Menschheit, ausgedünstet von jedermann, und jedermann zeigte den gleichen Ausdruck, saß still da und starrte vor sich hin. Wievielmal hatte sie nicht schon die Anzeigen gelesen: ›Sapolio spart Zeit und Arbeit‹ – und ›Heinz-Tomatensoße‹ – und das törichte, ärgerliche Zwiegespräch zwischen Arzt und Richter über die großartigen Vorzüge von ›Lamploughs Influenzamittel‹! Sie warf einen Blick auf das Buch, in dem das Mädchen so aufmerksam las, wobei der Mund die Worte formte und jedesmal vor dem Umblättern den Daumen und den Zeigefinger anleckte – eine Manier, die Rosabel verabscheute. Sie konnte den Text nicht sehr gut erkennen – es hatte etwas mit einer warmen, wollüstigen Nacht und einer Musikkapelle und einem Mädchen mit schönen weißen Schultern zu tun. Lieber Himmel! Rosabel mußte plötzlich ihre beiden obersten Mantelknöpfe öffnen – ihr war zum Ersticken zumute. Vor ihren halbgeschlossenen Augen schien sich die ganze Gesichterreihe ihr gegenüber in ein einziges, dumm starrendes Gesicht aufzulösen ...

Und dann war ihre Haltestelle da. Beim Aufstehen schwankte sie ein wenig und taumelte gegen das neben ihr sitzende Mädchen.

»Verzeihung!« sagte Rosabel, aber das Mädchen blickte überhaupt nicht auf. Sie lächelte beim Lesen, wie Rosabel bemerkte.

Westbourne Grove sah so aus, wie sie sich immer Venedig bei Nacht vorgestellt hatte, geheimnisvoll und dunkel, sogar die Droschken wie auf- und abtanzende Gondeln, Flammenzungen, die nasse Straße beleckend, wie zaubrische Fische im Canale Grande. Als sie Richmond Road erreicht hatte, war sie schrecklich froh, aber von der Straßenecke an, und bis sie zur Nummer 26 kam, mußte sie an die vier Treppen denken. Oh, warum vier Treppen! Es war wirklich gemein, den Leuten zuzumuten, daß sie so hoch oben wohnten! Jedes Haus sollte einen Lift haben, etwas Einfaches, Billiges, oder sonst eine Rolltreppe wie die in Earl's Court – aber vier Treppen! Als sie im Hausflur stand und vor sich die erste Treppe und auf dem Treppenabsatz den ausgestopften Albatroskopf sah, der im Licht der kleinen Gasflamme gespenstig flimmerte, hätte sie fast geweint. Aber sie mußte es auf sich nehmen: es glich sehr dem Bergaufradeln auf eine steile Anhöhe, nur hatte man nicht die Genugtuung, auf der andern Seite bergab zu sausen ...

Endlich hatte sie es bis zu ihrem Zimmer geschafft! Sie schloß die Tür, zündete das Gas an, legte Hut und Mantel und Rock und Bluse ab, holte ihren alten Flanellmorgenrock vom Haken hinter der Tür, zog ihn an und schnürte sich die Stiefel auf, wobei sie feststellte, daß die Strümpfe nicht naß genug waren, um gewechselt zu werden. Sie ging zum Waschtisch. Der Krug war heute wieder nicht gefüllt worden. Es war nur soviel Wasser drin, um den Schwamm vollzusau-

gen, und da die Emaille vom Waschbecken abplatzte, zerkratzte sie sich wieder das Kinn – schon zum zweitenmal!
Es war erst sieben Uhr. Wenn sie die Markise hochzog und die Gasflamme abstellte, war es viel ausruhsamer – und lesen mochte sie nicht. Sie kniete sich also auf den Fußboden und stützte die Arme aufs Fensterbrett – nur eine dünne Glasscheibe war nun zwischen ihr und der großen, nassen Welt draußen!
Sie dachte an alles, was im Laufe des Tages geschehen war. Nie würde sie die gräßliche Frau im grauen Regenmantel vergessen, die eine garnierte Autokappe verlangt hatte, ›etwas Violettes, mit ein bißchen Rosa auf den Seiten‹, oder das Mädchen, das jeden Hut im Laden aufprobiert und dann gesagt hatte, sie würde ›morgen vorbeikommen und sich endgültig entscheiden‹. Rosabel verzog die Mundwinkel: es war eine zu fadenscheinige Ausrede . . .
Aber dann die andere – ein Mädchen mit herrlichen roten Haaren und weißer Haut und Augen vom gleichen Grün wie das grüne, mit Gold durchwebte Band, das sie vorige Woche aus Paris bekommen hatten. Rosabel hatte ihr elektrisches Coupé vor der Tür gesehen; ein Herr hatte sie begleitet, noch ziemlich jung und sehr gut angezogen.
»Was brauche ich eigentlich genau, Harry?« hatte sie gefragt, als Rosabel die Nadeln aus ihrem Hut zog, den Schleier abknüpfte und ihr einen Handspiegel gab.
»Du mußt einen schwarzen Hut haben«, hatte er erwidert, »einen schwarzen Hut mit einer Feder, die ringsherum und auch noch um den Hals geht und unter dem Kinn mit einer Schleife zugebunden wird, deren Enden in deinen Gürtel gesteckt werden – also eine gehörig lange Feder!«
Das Mädchen blickte Rosabel lachend an: »Führen Sie derartige Hüte?«
Es war sehr schwierig gewesen, sie zufriedenzustellen; Harry verlangte Unmögliches, und Rosabel war der Verzweiflung nahe gewesen. Dann war ihr die große, noch nicht angerührte Schachtel im ersten Stock eingefallen.
»Oh, einen Augenblick, Madam«, hatte sie gesagt. »Ich kann Ihnen, glaube ich, etwas zeigen, was Ihnen bestimmt gefallen

wird!« Atemlos war sie hinaufgerannt und hatte die Schnur durchgeschnitten und das Seidenpapier fortgeschleudert — ja, da war er, der richtige Hut: ziemlich groß, weich, mit einer langen, gebogenen Feder und einer schwarzen Samtrose—nichts weiter. Beide waren entzückt. Das Mädchen hatte ihn aufgesetzt und ihn dann Rosabel gegeben.
»Zeigen Sie mal, wie er an Ihnen aussieht!« sagte sie sehr ernst und runzelte die Stirn.
Rosabel stellte sich vor den Spiegel, setzte den Hut auf ihre braunen Haare und drehte sich zu ihnen um.
»Oh, Harry, ist er nicht hinreißend?« rief das Mädchen; »den muß ich haben!« Sie lächelte Rosabel wieder an. »Er steht Ihnen ausgezeichnet!«
Rosabel wurde von einem jähen, lächerlichen Zorn gepackt. Am liebsten hätte sie dem Mädchen das schöne, vergängliche Gebilde ins Gesicht geworfen; sie wurde rot und beugte sich über den Hut.
»Innen ist er wunderbar ausgearbeitet, Madam«, sagte sie.
Das Mädchen rauschte zum Wagen hinaus und überließ es Harry, die Rechnung zu begleichen und ihr die Schachtel zu bringen.
»Ich fahre gleich nach Hause und setze ihn auf, ehe ich mit dir zum Lunch gehe«, hörte Rosabel sie sagen.
Als Rosabel die Rechnung ausstellte, neigte sich der Herr über sie, und als er ihr das Geld in die Hand zählte, fragte er sie: »Schon mal gemalt worden?«
»Nein«, antwortete Rosabel schroff, denn sie hörte sehr wohl den raschen Wechsel in seiner Stimme und den leichten Anklang an Dreistigkeit und Vertraulichkeit.
»Oh — das sollten Sie aber!« sagte Harry. »Sie haben eine verdammt hübsche, zierliche Figur!«
Rosabel war nicht darauf eingegangen, nicht die Spur! Aber wie hübsch er doch gewesen war! Sie hatte den ganzen Tag an niemand anders gedacht; sein Gesicht bezauberte sie; alles sah sie deutlich vor sich: die feinen, geraden Augenbrauen, die aus der Stirn gestrichenen Haare, die nur die leiseste Andeutung einer Welle aufwiesen, und den lachenden, geringschätzigen Mund. Sie sah wieder die schlanken Hände,

die ihr das Geld in die Hand zählten ... Rosabel schob sich plötzlich das Haar aus dem Gesicht, ihre Stirn war heiß ... wenn diese schlanken Hände doch einen Augenblick auf ... Das Mädchen war ein Glückspilz!

Angenommen, sie tauschten die Rollen! Rosabel würde mit ihm nach Hause fahren – natürlich waren sie verliebt, jedoch nicht verlobt, aber beinah, und sie würde sagen: ›Bin gleich wieder unten!‹ Er würde solange im Wagen warten, während die Kammerzofe die Hutschachtel trug und Rosabel nach oben folgte. Dann das große, in Weiß und Rosa gehaltene Schlafzimmer, und überall Rosen in mattsilbernen Vasen. Sie würde sich vor den Spiegel setzen, und die kleine französische Zofe würde ihr den Hut feststecken und einen dünnen, zarten Schleier bringen, auch noch ein frisches Paar weißer Wildlederhandschuhe, denn von denen, die sie am Vormittag getragen hatte, war ein Knopf abgesprungen. Sie hatte Parfüm über ihren Pelz, die Handschuhe und das Taschentuch gesprüht und einen großen Muff genommen und war hinuntergelaufen. Der Butler öffnete ihr die Tür, Harry wartete, und sie fuhren zusammen weg ... So sah das wahre Leben aus, dachte Rosabel. Auf der Fahrt zum Carlton hielten sie bei Gerrard, Harry kaufte ganze Sträuße Parmaveilchen und füllte ihr die Hände.

›Oh, wie süß sie sind!‹ rief sie und hielt sie sich ans Gesicht.

›So solltest du immer sein‹, sagte Harry, ›immer die Hände voller Veilchen!‹

(Rosabel merkte, daß ihre Knie steif wurden; sie setzte sich auf den Fußboden und lehnte den Kopf an die Wand.) Oh, was für ein Lunch! Ein mit Blumen bedeckter Tisch; hinter einer Palmengruppe versteckt die Musikkapelle, Melodien spielend, die ihr Blut wie Wein berauschten, und dann Suppe und Austern und Tauben und Kartoffelpüree und Champagner natürlich, und hinterher Kaffee und Zigaretten. Sie würde sich über den Tisch beugen, mit ihrem Glas spielen und mit dem betörenden Frohsinn plaudern, den Harry so liebte. Danach eine Matinee, etwas, das sie beide fesselte, und dann Tee im Cottage.

›Zucker? Milch? Sahne?‹ Die anheimelnden kleinen Fragen

schienen eine fröhliche Vertrautheit zu verraten. Und dann in der Dämmerung nach Hause, und der Duft der Parmaveilchen durchtränkte die Luft mit ihrem Wohlgeruch.
›Um neun hole ich dich ab‹, sagte er, als sie sich trennten. In ihrem Boudoir war das Kaminfeuer angezündet worden, die Vorhänge waren zugezogen, ein großer Stoß Briefe wartete auf sie – Einladungen in die Oper, zu Abendessen und Bällen, ein Wochenende auf dem Fluß, eine Autotour –, sie überflog sie gleichgültig, während sie hinaufging, um sich umzukleiden. Auch in ihrem Schlafzimmer brannte Feuer im Kamin, ihr schönes, glitzerndes Kleid lag ausgebreitet auf dem Bett: weißer Tüll über Silberbrokat, dazu silberne Schuhe, ein silberner Schal und ein kleiner silberner Fächer. Rosabel wußte, daß sie am Abend beim Ball die begehrteste Frau sein würde; die Herren schmeichelten ihr, und ein ausländischer Prinz wünschte diesem englischen Wunder vorgestellt zu werden. Ja, es war eine wollüstige Nacht, eine Musikkapelle spielte, und ihre schönen weißen Schultern... Doch sie wurde sehr müde. Harry brachte sie nach Hause und kam für einen kurzen Moment mit ihr in den Salon. Das Feuer war ausgegangen, aber im Boudoir wartete die schläfrige Zofe auf sie. Rosabel nahm ihren Umhang ab, entließ die Zofe und trat an den Kamin, wo sie sich die Handschuhe abstreifte. Der Flammenschein spielte über ihre Haare, und Harry eilte durchs Zimmer und nahm sie in die Arme – ›Rosabel, Rosabel, Rosabel . . .‹ Oh, welche Zuflucht in seinen Armen – und sie war sehr müde!
(Die wirkliche Rosabel – das auf dem Boden kauernde Mädchen – lachte hellauf und fuhr mit der Hand über ihren heißen Mund.)
Natürlich ritten sie am nächsten Morgen durch den Park, die Verlobung war im *Court Circular* bekanntgegeben worden, alle Welt wußte es, alle Welt gratulierte ihr . . .
Bald danach wurden sie in der St.-Georgs-Kirche am Hanover Square getraut und fuhren für die Flitterwochen zu Harrys angestammten Besitztümern; die Bauern im Dorf knicksten, als sie an ihnen vorbeifuhren; unter den Falten der Reisedecke drückte er ihre Hände . . . Und am Abend trug

sie wieder ihr silberweißes Kleid. Die Reise hatte sie ermüdet, und sie gingen hinauf und zu Bett . . . ziemlich früh.
Die wirkliche Rosabel erhob sich, zog sich langsam aus und legte ihre Sachen ordentlich über die Stuhllehne. Sie zog sich das grobe Baumwollhemd über den Kopf und nahm die Nadeln aus dem Haar: weich und warm umhüllte sie die braune Haarflut. Dann blies sie die Kerze aus und tastete sich ins Bett, zerrte die Wolldecken und die schmuddlige Steppdecke mit dem Waffelmuster bis an den Hals hinauf und schmiegte sich wohlig ins Dunkel . . .
So schlief und träumte sie und lächelte im Schlaf, und einmal streckte sie den Arm aus, um, noch immer träumend, etwas zu ertasten, das nicht da war.
Und die Nacht verging. Dann umschlossen die kalten Finger der Dämmerung ihre nicht zugedeckte Hand; graues Licht sickerte in das öde Zimmer. Rosabel schauderte zusammen, schnappte ein bißchen erschrocken nach Luft und richtete sich auf. Und da ihr Erbe jener tragische Optimismus war, der allzuoft das einzige Erbrecht der Jugend bildet, lächelte sie, noch halb im Schlaf, mit einem leicht nervösen Zittern um den Mund.

Wie Pearl Button gekidnappt wurde

Pearl Button schwang sich auf dem kleinen Gartentor des ›Buchsbaumhauses‹ hin und her. Es war am frühen Nachmittag – ein sonniger Tag mit kleinen, sich haschenden Lüftchen. Sie wehten Pearl Button den Volant an ihrer Schürze in den Mund, und sie wehten den Straßenstaub über das ganze Buchsbaumhaus. Pearl sah es mit an – es war wie eine Wolke: etwa so, wie wenn ihre Mutter Pfeffer auf den Fisch streuen wollte und der Deckel der Pfefferbüchse abfiel. Ganz allein schwang sie auf dem kleinen Gartentor hin und her und sang sich ein kleines Lied. Zwei große Frauen kamen die Straße einher. Die eine trug ein rotes Kleid, die andre war gelb und grün gekleidet. Um den Kopf hatten sie sich rote Tücher gebunden, und jede hatte am Arm einen Bastkorb mit Farnkraut. Sie trugen weder Strümpfe noch Schuhe, und weil sie so dick waren, kamen sie nur langsam einher und schwatzten miteinander und lachten immerzu. Pearl hörte auf zu schwingen, und als sie sie erblickten, blieben sie stehen. Sie schauten und schauten, und dann sprachen sie miteinander und schwenkten die Arme und klatschten in die Hände. Pearl mußte lachen.
Die beiden Frauen kamen auf sie zu, hielten sich dicht an der Hecke und spähten ängstlich zum Buchsbaumhaus hinüber.
»Hallo, kleines Mädchen!« sagte die eine.
Pearl antwortete: »Hallo!«
»Bist du so ganz allein?«
Pearl nickte.
»Wo ist deine Mutter?«
»In der Küche – sie muß bügeln, weil's Dienstag ist!«
Die Frauen lächelten ihr zu, und Pearl lächelte auch. »Oh«, rief sie, »was Sie für weiße Zähne haben! Lachen Sie noch mal!«
Die beiden dunkelhäutigen Frauen lachten, und wieder unterhielten sie sich in einer komischen Sprache und schwenkten die Hände. »Wie heißt du?« fragten sie sie.
»Pearl Button.«

»Willst du mitkommen, Pearl Button?« flüsterte die eine Frau. »Wir haben schöne Sachen, die zeigen wir dir!« Pearl stieg also vom Gartentor herunter und trat auf die Straße. Sie ging zwischen den beiden dunkelhäutigen Frauen die zugige Straße entlang und mußte kleine Hopser einschalten, um mit ihnen Schritt zu halten. Sie war neugierig, was sie wohl in *ihrem* Buchsbaumhaus haben mochten.

Es war ein weiter Weg. »Bist du müde?« fragte die eine Frau und beugte sich über Pearl. Pearl schüttelte den Kopf. Sie gingen noch viel weiter. »Du bist ja nicht müde, nicht wahr?« fragte die andere Frau. Und Pearl schüttelte den Kopf, doch gleichzeitig stürzten ihr die Tränen aus den Augen, und ihre Lippen zitterten. Die eine Frau gab der andern ihren Bastkorb mit Farnkraut, nahm Pearl Button auf den Arm und ging weiter, Pearl Buttons Kopf an ihrer Schulter, während die staubigen Beinchen herunterbaumelten. Die Frau war weicher als ein Bett und roch so gut – so gut, daß Pearl ihren Kopf an sie schmiegte und immerzu den guten Geruch einatmen wollte ...

In einer Bretterbude mit vielen andern Leuten, die alle die gleiche dunkle Haut hatten, wurde Pearl auf die Beinchen gestellt – und all diese Leute drängten sich um sie und staunten sie an, nickten und lachten und verdrehten die Augen. Die Frau, die Pearl Button getragen hatte, öffnete die Haarschleife des kleinen Mädchens und breitete ihre Locken aus. Da stießen die andern Frauen laute Rufe aus und drängten sich ganz nah heran, und manche fuhren mit dem Finger durch Pearls blonde Haare, aber sehr sachte, und eine von ihnen, eine junge Frau, hob Pearls Haare auf und küßte sie auf ihren kleinen weißen Nacken. Pearl war eingeschüchtert, aber gleichzeitig glücklich. Auch Männer standen herum; sie rauchten und hatten sich Decken und Schals aus Federn um die Schultern gelegt. Der eine machte ein ulkiges Gesicht und holte einen großen dicken Pfirsich aus der Tasche, legte ihn auf den Fußboden und schnippte ihn mit den Fingern weg, als wär's eine Murmel. Er rollte geradewegs auf Pearl zu. Pearl hob ihn auf. »Darf ich ihn essen?« fragte sie. Darüber mußten alle lachen und in die Hände klatschen, und der

Mann mit dem ulkigen Gesicht schnitt wieder eine Fratze und holte eine Birne aus der Tasche und ließ sie über den Fußboden hüpfen. Pearl lachte. Die Frauen setzten sich auf den Boden, und Pearl setzte sich auch hin. Der Fußboden war sehr staubig. Sorgfältig hob sie ihre Schürze und ihr Kleid auf und setzte sich auf den Unterrock, denn man hatte ihr beigebracht, sich so hinzusetzen, wenn es irgendwo schmutzig war. Sie aß das Obst, und der Saft rann ihr vorne übers Kleid.

»Oh«, sagte sie sehr erschrocken zu einer der Frauen, »ich habe mich mit dem Saft bekleckert!«

»Das macht gar nichts!« erwiderte die Frau und tätschelte ihr die Wange. Ein Mann mit einer langen Peitsche in der Hand trat ins Zimmer. Er schrie etwas. Lachend und schreiend standen sie alle auf und hüllten sich in Tücher und Dekken und Federschals. Pearl wurde wieder getragen, diesmal zu einem großen Wagen, und dort nahm eine ihrer beiden Frauen sie auf den Schoß, und daneben saß der Kutscher. Es war ein grüner Wagen mit einem roten und einem schwarzen Pony davor. Er fuhr sehr schnell zur Stadt hinaus. Der Kutscher war aufgestanden und schwenkte die Peitsche um seinen Kopf. Pearl spähte über die Schulter ihrer Frau. Hinter ihnen waren noch mehr Wagen – es war wie ein Festzug. Sie winkte ihnen zu. Dann waren sie auf dem Lande. Zuerst kamen Felder mit niedrigem Gras und Schafen und kleinen Büschen mit weißen Blumen und Gestrüpp mit rosa Heckenrosen – dann hohe Bäume zu beiden Seiten der Straße, und nichts zu sehen außer den hohen Bäumen. Pearl versuchte hindurchzuschauen, aber es war ganz dunkel. Die Vögel sangen. Sie kuschelte sich tiefer in den breiten Frauenschoß. Die Frau war so warm wie eine Katze, und wenn sie atmete, hob und senkte sich alles, als ob sie gleich schnurren wollte. Pearl spielte mit einem grünen Schmuck, der ihr am Hals hing, und die Frau nahm die kleine Hand und küßte jeden Finger einzeln, und dann drehte sie die Hand um und küßte die Grübchen.

Noch nie war Pearl so glücklich gewesen. Zuoberst auf einem hohen Hügel hielten sie.

Der Kutscher drehte sich zu Pearl um und sagte: »Da! Da!« und zeigte mit seiner Peitsche.

Unten am Fuß des Hügels war etwas völlig anderes: ein riesengroßes blaues Wasser kroch über die Erde. Pearl schrie und klammerte sich an die dicke Frau. »Was ist das? Was ist das?«

»Ach«, sagte die Frau, »das ist doch das Meer!«

»Will es uns weh tun – kommt es her?«

»Ai-e, nein, es kommt nicht her! Es ist sehr schön! Schau ruhig hin!«

Pearl machte die Augen wieder auf. »Kommt es auch ganz bestimmt nicht her?« fragte sie.

»Ai-e, nein! Es bleibt, wo es ist«, sagte die dicke Frau. Wellen mit weißen Mützen kamen über das Blau gehüpft. Pearl sah, wie sie sich auf einem langen Streifen Land überkugelten, der ganz mit Gartenwegmuscheln bedeckt war. Sie fuhren um die nächste Straßenbiegung.

Unten, ganz nah am Meer, standen ein paar kleine Häuser, von Holzzäunen eingeschlossen, hinter denen Gärtchen waren. Das beruhigte sie. Auf den Zäunen hing Wäsche, rosa und rote und blaue Wäsche, und als sie sich näherten, kamen aus den Häusern Leute und fünf gelbe Hunde mit langen, dünnen Schwänzen. Die Leute waren alle dick und lachten, und kleine nackte Babies hatten ihre Hände gefaßt oder kollerten wie Hündchen über den Rasen. Pearl wurde vom Kutschbock heruntergehoben und in ein winziges Haus mit nur einem Zimmer und einer Veranda geführt. Drin war ein Mädchen mit zwei langen schwarzen Zöpfen, die ihr bis auf die Füße hingen. Sie stellte das Abendbrot auf den Fußboden. »Das ist aber komisch hier!« sagte Pearl und betrachtete das hübsche Mädchen, während die Frau ihr das Höschen aufknöpfte. Pearl war sehr hungrig. Sie aß Fleisch und Obst und Gemüse, und die Frau gab ihr Milch aus einem grünen Becher zu trinken. Und es war ganz still – bis auf das Meer draußen und auf das Lachen der beiden Frauen, die ihr zuschauten. »Habt ihr denn hier kein Buchsbaumhaus?« fragte Pearl. »Wohnt ihr alle in einer langen Reihe? Gehen die Männer gar nicht ins Büro? Gibt's gar nichts Ekliges bei euch?«

Sie zogen ihr die Schuhe und Strümpfe und ihr Kleid und die Schürze aus. Sie ging in ihrem Unterrock herum, und dann spazierte sie hinaus, wo ihr das Gras zwischen die Zehen kam. Die beiden Frauen erschienen mit zwei ungleichen Körben. Sie nahmen Pearl bei der Hand. Über eine kleine Koppel, durch einen Zaun und dann auf warmem Sand mit braunem Gras gingen sie zum Meer hinunter. Pearl zauderte, als der Sand feucht wurde, aber die Frauen lockten sie weiter: »Nichts tut weh! Alles sehr schön! Komm du nur!« Sie gruben im Sand herum und fanden Muscheln, die sie in die Körbe warfen. Der Sand war so naß wie Sandkuchen. Pearl vergaß ihre Furcht und fing auch an zu graben. Sie war erhitzt und wurde naß, und plötzlich spülte eine kleine Schaumwelle über ihre Füße. »Uh, uh!« schrie sie und planschte mit den Füßen. »Lustig! Lustig!« Sie patschte im seichten Wasser herum. Es war warm. Sie machte aus ihren Händen einen Becher und schöpfte Wasser damit. Aber in ihren Händen sah es nicht mehr blau aus. Sie war so aufgeregt, daß sie zu ihrer Frau rannte und ihre dünnen kleinen Ärmchen um den Hals der Frau schlang und sie küßte und küßte . . .
Plötzlich stieß das Mädchen einen furchtbaren Schrei aus. Die Frau richtete sich auf, und Pearl glitt auf den Sand hinunter und blickte aufs Land zurück. Kleine Männer in blauen Jacken, kleine blaue Männer kamen angerannt und rannten schreiend und pfeifend auf Pearl zu – und eine Menge kleiner blauer Männer brachte sie ins Buchsbaumhaus zurück.

»Sie haben eine Dreiviertelstunde«, sagte der Gepäckträger. »Sie haben fast eine Stunde, meine Dame. Geben Sie ihn in die Gepäckaufbewahrung!«
Eine deutsche Familie, deren Gepäckstücke säuberlich in eine Art seltsamer Hosenbeinlinge aus Segeltuch eingeknöpft waren, nahm den ganzen Platz vor der Theke ein, und ein homöopathischer junger Geistlicher, dessen schwarze Krawatte über sein Hemd baumelte, stand dicht neben mir. Wir warteten und warteten, denn der Mann in der Gepäckaufbewahrung konnte die deutsche Familie nicht loswerden, die ihm – aus ihrer Begeisterung und ihren Gesten zu schließen – anscheinend die Vorteile so vieler Knöpfe erklärte. Endlich ergriff die deutsche Familienmutter die ihr gehörende Segeltuchtasche und begann sie zu öffnen. Der Mann in der Aufbewahrung zuckte die Achseln und wandte sich mir zu.
»Wohin?« fragte er.
»Nach Ostende.«
»Warum woll'n Sie'n hier einstellen?«
Ich sagte: »Weil ich lange warten muß.«
Er brüllte: »Der Zug läuft zwei Uhr zwanzig ein. Blödsinn, ihn herzubringen! He, du da! Hau ab!«
Mein Träger verzog sich. Der junge Geistliche, der zugehört und zugeschaut hatte, lächelte mich strahlend an. »Der Zug steht schon da«, sagte er. »Er ist schon eingelaufen! Sie haben nur noch ein paar Minuten!« In meiner Nervosität glaubte ich ein Zwinkern in seinem Blick wahrzunehmen. Aber ich rannte zum Zeitungsstand. Als ich zurückkam, hatte ich meinen Träger verloren. In der qualvollen Hitze rannte ich den Bahnsteig auf und ab. Die ganze reisende Menschheit schien einen Träger zu besitzen und sich seiner zu erfreuen – ausgenommen ich. Wütend und elend sah ich, wie sie mit der Schadenfreude von Erhitzten mich beobachteten, die noch sehr viel erhitzter war. »Man kann einen Hitzschlag bekommen, wenn man bei solchem Wetter rennt«, sagte eine dicke

Dame, die ihre Weintrauben schnabulierte, ein Abschiedsgeschenk. Dann erfuhr ich, daß der Zug doch noch nicht eingelaufen war. Ich war am Folkestone-Expreß entlanggerannt. Auf einem höheren Bahnsteig entdeckte ich meinen Träger, der auf meinem Koffer saß.

»Ich hab' gewußt, daß Sie so was machen würden«, erklärte er überlegen. »Beinah wär' ich gekommen und hätt' Sie geholt. Ich hab' Sie von hier aus gesehen!«

Ich sank in ein Raucherabteil zu vier jungen Männern, deren zwei sich von einem blassen Jüngling mit Spazierstock verabschiedeten. »Also dann leb wohl, alter Junge! Furchtbar nett, daß du aufgekreuzt bist. Hab' dich gleich erkannt. Hab' den gleichen schlaksigen Gang wiedererkannt. Und jetzt hör mal: wenn wir wiederkommen, machen wir uns einen lustigen Abend. Was? Großartig von dir, daß du gekommen bist, alter Junge!« Letzteres von einem Schmeichler, der sich eine Zigarre anzündete, als der Zug abfuhr, und, zu seinem Kameraden gewandt, sagte: »Furchtbar netter Knabe, aber – lieber Himmel – was für ein Langweiler!« Sein Kamerad, der ganz in Maulwurfsfarbe auftrat, Pelz, Socken und Haar, lächelte sanft. Ich nehme an, daß sein Gehirn die gleiche Farbe hatte, da er sich als ein so sanfter und teilnahmsvoller Zuhörer erwies. In der Ecke mir gegenüber saß ein schöner junger Franzose mit krausem Haar und einer Uhrkette, von der ein silberner Fisch, ein Ring, ein silberner Schuh und eine Medaille herunterbaumelten. Er blickte die ganze Zeit aus dem Fenster und zuckte dabei leicht mit der Nase. Von dem vierten Mitreisenden war hinter seinem Gepäck nichts zu sehen als ein Paar brauner Schuhe und eine Nummer vom *Snark's Summer Annual.*

»Hör mal, mein Alter«, begann der Schmeichler, »ich möchte all unsre Unterkünfte ändern. Verstehst du – die Abmachungen, die du getroffen hast, die möchte ich alle unter den Tisch fegen. Macht's dir was aus?«

»Nein«, sagte der Maulwurf mit matter Stimme. »Aber warum?«

»Ach, ich hab's mir gestern abend im Bett überlegt, und ich lass mich hängen, wenn ich einsehe, warum wir fünfzehn

Shilling zahlen sollen, obwohl wir nicht mögen. Begreifst du?« Der Maulwurf nahm seinen Kneifer ab und behauchte die Gläser. »Ich will dich natürlich keinesfalls verunsichern«, fuhr der Schmeichler fort, »weil es ja schließlich dein Plan war — du hast mich aufgefordert, und ich will ihn nicht um die Welt in Unordnung bringen, aber — ich meine nur — du begreifst — ja?«
Der Maulwurf gab etwas anderes zu bedenken: »Ich fürchte, man wird mir Vorwürfe machen, weil ich dich ins Ausland verschleppt habe!«
Sofort erzählte ihm der Schmeichler, wie begehrt er gewesen sei. Von nah und fern hätten Leute, die den ganzen Monat August besetzt waren, ihm geschrieben und ihn gebeten, zu ihnen zu kommen. Er bearbeitete das Herz des Maulwurfs, indem er die über ganz England verstreuten, sehnsüchtig seiner harrenden Familien und leeren Stühle aufzählte, bis dem Maulwurf nur noch die Wahl zwischen Weinen und Schlafen blieb. Er wählte das zweite.
Alle schickten sich an, einzunicken, ausgenommen der junge Franzose, der ein Taschentuch aus seiner Jacke holte und es liebevoll auf den Knien festhielt, während er auf das heiße, staubige Land hinausstarrte. In Shorncliffe hielt der Zug. Totenstille. Nichts war zu sehen als ein großer weißer Friedhof. In der späten Nachmittagssonne sah er phantastisch aus: Marmorengel in voller Lebensgröße schienen in dem braunen Gelände über einem trübseligen Picknick der Dahingeschiedenen aus Shorncliffe die Aufsicht zu führen. Ein weißer Schmetterling flog über die Schienen. Als der Zug aus dem Bahnhof schlich, sah ich ein Plakat, das die Zeitschrift *Athenaeum* anzeigte. Der Schmeichler grunzte und gähnte und schüttelte sich in die Wirklichkeit zurück, indem er mit dem Geld in seiner Hosentasche klimperte. Er gab dem Maulwurf einen Rippenstoß. »Hör mal, wir sind gleich da! Kannst du mir die widerlichen Golfschläger aus dem Gepäcknetz langen?« Mein Herz war betrübt ob der nächsten Zukunft des Maulwurfs, doch er war fröhlich; er erbot sich, mir in Dover einen Träger zu besorgen, und schnallte meinen Sonnenschirm in meine Plaidrolle ein. Wir sahen das Meer. »Es

wird widerlich stürmisch sein«, sagte der Schmeichler. »Dir wird's übel, was? Hör mal, ich weiß einen Tip gegen Seekrankheit: du mußt dich auf den Rücken legen, platt, verstehst du, und dein Gesicht zudecken und nichts als Kekse essen.«

»Dover!« schrie ein Schaffner.

Mit dem Betreten des Laufstegs kehrten wir England den Rücken. Ein weibliches Wesen, dem man meilenweit die Engländerin ansah, ließ ihr Französisch hören, und wir ›*s'il-vous-plâit*‹-en gemeinsam an Deck, ›*merci*‹-ten einander auf den Treppen und ›*pardon*‹-ten uns nach Herzenslust im Salon. Die Stewardeß stand am Fuß der Treppe, ein stämmiges, abschreckendes Geschöpf mit Pockennarben im Gesicht, die Hände unter einer geschäftstüchtig aussehenden Schürze verborgen. Unsre Grüße erwiderte sie mit einstudierter Gleichgültigkeit und hakte im Geist bereits ihre Opfer ab. Ich ging in die Kajüte hinunter, um meinen Hut abzunehmen. Eine alte Dame hatte sich bereits häuslich eingerichtet.

Sie lag auf einer weißrosa Couch, war ringsherum in einen schwarzen Schal eingehüllt und fächelte sich mit einem schwarzen Federfächer. Ihr graues Haar war zur Hälfte mit einem Spitzenhäubchen bedeckt, und aus dem schwarzen Faltenwurf und den rosa Kissen schimmerte ihr Gesicht mit reizender, zeitloser Würde hervor. Ein leises Rascheln und Düfte von Kampfer und Lavendel rahmten sie ein. Während ich sie ansah und an Rembrandt und aus irgendeinem Grund an Anatole France dachte, platzte die Stewardeß herein und stellte ein Klappstühlchen ans Kopfende, breitete eine Zeitung aus und knallte ein Gefäß hin, das ziemlich genau einer blechernen Backform glich ...

Ich ging an Deck. Das Meer war leuchtend grün – mit rollenden Wogen. Frankreichs Schönheit und künstliche Blüte hatte die Hüte abgenommen und das Haar in Schleier gehüllt. Eine Anzahl junger deutscher Männer stellte, in hellen, wie Pyjamas zugeschnittenen Anzügen promenierend, ihren charakteristischen Leibesumfang zur Schau. Franzosen in Familiengruppen – das weibliche Element auf Liegestühlen, die Herren in anmutiger Haltung an die Reling gelehnt –

unterhielten sich bereits mit einer Leidenschaft, die ein Vorbote von Spannungen ist. In einer geschützten Ecke fand ich einen Stuhl vor einer Trennwand, in die unglücklicherweise ein Fenster eingelassen war, das den hindurchspähenden Neugierigen ein endloses Vergnügen verschaffte, da sie die kühnen und tapferen Gemüter beobachten konnten, die bugwärts strebten und von den Wellen durchnäßt und ausgepeitscht wurden. In der ersten halben Stunde nahm das aufregende Spiel, naß zu werden und sich zu behaupten, an gefährliche Stellen zu stürzen und umzukehren und sich abtrocknen zu lassen, sie restlos in Anspruch. Dann verblaßte der Reiz, und die Grüppchen zerstreuten sich schweigend. Man konnte sie beobachten, wie sie gespannt auf den Ozean starrten – und gähnten. Sie fröstelten und wurden schnippisch. Plötzlich rappelte sich eine junge Dame in weißwollenem Cape mit kirschroten Schleifen aus ihrem Liegestuhl hoch und schwankte zur Reling hinüber. Wir beobachteten sie mit leiser Anteilnahme. Der junge Mann, neben dem sie gesessen hatte, rief ihr nach: »Fühlst du dich besser?« Verneinende Geste.
Er richtete sich auf: »Soll ich dir den Kopf halten?«
»Nein!« zuckten die Schultern.
»Soll ich dir eine Jacke umhängen? ... Ist es vorbei? ... Willst du dort stehenbleiben? ...« Er sah sie mit unendlichem Zartgefühl an. Ich beschloß bei mir, Männer nie wieder als teilnahmslos zu bezeichnen und bis zu meinem Tode an die alles besiegende Macht der Liebe zu glauben – habe es jedoch nie auf eine Probe ankommen lassen. Ich ging hinunter, um zu schlafen.
Ich lag gegenüber von der alten Dame und beobachtete die Lichter, die über die Decke spielten, und die Wellenspritzer, die auf den Bullaugen funkelten.
Selbst bei der kürzesten Seereise verliert man alles Zeitgefühl. In der Kajüte unten ist man stundenlang oder tagelang oder jahrelang. Niemand weiß es oder kümmert sich drum. Man kennt alle Passagiere bis zur Abgestumpftheit. Man glaubt nicht mehr an Land unter den Füßen. Das Pendel hat dich erwischt und, träge hin- und herschwingend, festgehalten. Das Licht verblaßt.

Ich schlief ein und erwachte erst, als die Stewardeß an mir rüttelte: »In zwei Minuten sind wir da«, sagte sie. Hilflose Damen, aus Neptuns Umarmung entlassen, knieten auf dem Fußboden und suchten ihre Schuhe und Haarnadeln — nur die würdevolle Greisin blieb tatenlos liegen und fächerte sich. Sie sah mich an und lächelte.

»Grâce de Dieu, c'est fini«, zitterte ein Stimmchen — so fein, daß es an einem Faden aus Spitze zu hängen schien.

Ich hob die Augen. *»Oui, c'est fini!«*

»Vous allez à Strasbourg, Madame?«

»Nein«, antwortete ich, »Bruges!«

»Wie schade!« sagte sie und schloß ihren Fächer und das Gespräch. Ich konnte mir nicht vorstellen, weshalb, aber ich hatte Visionen von ihr und mir, wie wir im gleichen Bahnabteil reisten und ich sie in ihren schwarzen Schal hüllte, wie sie sich in mich verliebte und mir ungeahnte Mengen an Geld und Spitzen hinterließ ... Diese Traumgedanken verfolgten mich, bis ich an Deck stand.

Der Himmel war tintenblau, und sehr viele Sterne funkelten: unser kleines Schiff zeichnete sich in der klaren Luft in scharfen Umrissen ab. »Haben Sie Ihre Fahrkarte? ... Ja, die Fahrkarte wird verlangt! ... Fahrkarte vorweisen!« ... Wir wurden über den Laufsteg gequetscht und ins Zollgebäude gegängelt, wo Träger unser Gepäck auf lange Holztische hievten. Ein alter Mann mit Hornbrille prüfte es schweigend. »Mitkommen!« schrie der gaunermäßig aussehende Mensch, dem ich meine irdische Habe anvertraut hatte. Er sprang auf einen Schienenstrang, und ich sprang ihm nach. Er stürmte einen Bahnsteig entlang und wich den Reisenden und den Obstständen mit der Sicherheit eines Filmhelden aus. Ich belegte einen Platz und ging hinaus, um mir Obst an einem kleinen Stand zu kaufen, wo es Weintrauben und Reineclauden gab. Die alte Dame war auch da und stützte sich auf den Arm eines großen blonden Mannes in Weiß mit flatternder Krawatte. Wir nickten uns zu.

Mit ihrer zarten Stimme sagte sie: »Kauf mir drei Schinkenbrote, *mon cher!«*

»Und etwas Kuchen?« fragte er.

»Ja, und vielleicht eine Flasche Limonade.«
›Die Romantik hat mich genasführt!‹ dachte ich und kletterte in den Wagen. Der Zug glitt aus dem Bahnhof; die Luft, die durch das offene Fenster hereinblies, duftete nach jungen Blättern. In der Finsternis erschienen plötzlich Teiche aus Licht. Als ich in Brügge eintraf, läuteten die Glokken, und weiß und geheimnisvoll schien der Mond auf die Grand' Place.

›Vor den Augen des wißbegierigen Reisenden liegt das Städtchen wie ein verblaßter Teppich hingebreitet, der von den Silberfäden seiner Kanäle durchwebt und vom harmonischen Geläut seines Glockenturms berieselt wird. In Bruges ist das Leben längst schlafen gegangen, nur noch bizarre Träume schweben um Türme und mittelalterliche Häuserfronten, entzücken das Auge und erfüllen den Geist mit williger Hingabe an das Schöne.‹
Ich las diesen Satz im Reiseführer, während ich im Hotelsalon auf Madame wartete. Es klang äußerst vielversprechend, und mein müdes Herz, das ich mit tausenderlei grauen Großstadtbüchern zugedeckt hatte, erwachte und frohlockte in mir . . . Ich überlegte, ob ich genug Kleider bei mir hatte, die mindestens einen Monat gereicht hätten. ›Ich will ganze Tage verträumen‹, dachte ich, ›und mir ein Boot mieten und mich auf den Kanälen treiben lassen oder es an einem grünen Busch festmachen, der sich übers Ufer neigt, und die mittelalterlichen Häuserfronten in mich aufnehmen! In der Vesperstunde werde ich im hohen Gras des Beginenhofs liegen und zu den Ulmen aufblicken, deren Blätter, in der blauen Luft erzitternd, von goldenem Licht überhaucht sind, und eine Weile dem Gesang der Nonnen lauschen, die in der kleinen Kapelle zum Gebet versammelt sind, und so an Gnade zunehmen, daß es mir für den ganzen Winter reicht.‹
Während ich mich auf diesen sehr neuen Schwingen prächtig in die Lüfte erhob, erschien Madame und sagte mir, daß es im Hotel kein bißchen Platz für mich gäbe – kein Bett und keinen Winkel. Sie war sehr freundlich und schien in dieser Tatsache eine Quelle diebischer Freude zu erblicken: sie sah mich an, als erwarte sie, daß ich in begeistertes Gelächter ausbräche. »Morgen«, meinte sie, »ist es vielleicht möglich. Ich rechne damit, daß ein junger Herr, der plötzlich krank wurde, aus Nummer elf auszieht. Er ist jetzt gerade in der Apotheke – möchten Sie sich das Zimmer ansehen?«

»Bestimmt nicht!« rief ich. »Und morgen will ich auch nicht im Zimmer eines kranken jungen Mannes schlafen!«
»Aber er ist ja dann weg!« rief die Madame, riß ihre blauen Augen auf und lachte mit all ihrer französischen Herzlichkeit, die den englischen Ohren so bezaubernd klingt. Ich war zu müde und zu hungrig, um verständnisvoll oder streitsüchtig zu sein. »Vielleicht können Sie mir ein anderes Hotel empfehlen?«
»Unmöglich!« Sie schüttelte den Kopf und verdrehte die Augen, als zählte sie im Geist die blauen Schleifchen, die auf die Decke gemalt waren. »Wir haben Saison in Brügge, verstehen Sie, und da vermieten die Leute ihre Zimmer nicht gern für sehr kurze Zeit.« Sie gönnte meinem kleinen, zwischen uns liegenden Koffer keinen Blick, und ich betrachtete ihn finster; vor meinem verzweifelten Blick schien er zusammenzuschrumpfen und so klein zu werden, daß er nichts als eine zusammenklappbare Zahnbürste aufnehmen konnte.
»Mein großer Koffer ist auf dem Bahnhof«, sagte ich kühl und knöpfte meine Handschuhe zu.
Madame zuckte zusammen. »Sie haben noch mehr Gepäck?... Dann wollen Sie vielleicht längere Zeit in Brügge bleiben?«
»Mindestens zwei Wochen ... vielleicht einen Monat.« Ich zuckte die Achseln.
»Einen Augenblick«, sagte Madame. »Ich werde sehen, was ich tun kann.« Sie ging weg – bestimmt nicht weiter als bis hinter die Tür, denn sie erschien sofort wieder und sagte mir, sie habe ein Zimmer in ihrer Privatwohnung – »gleich um die Ecke, und verwaltet von einer alten Dienerin, die seit fünfzehn Jahren in unsrer Familie ist, obwohl sie ein Glasauge hat. Der Portier wird Sie hinführen, und Sie können zu Abend essen, bevor Sie ausgehen«.
Ich war der einzige Gast im Speisezimmer. Ein müder Kellner versorgte mich mit einer Omelette und einer Kanne Kaffee und lehnte sich dann gegen die Anrichte und sah mir beim Essen zu; die schlaffe Serviette unter seinem Arm war ein Sinnbild für den ganzen Mann. Die Wände waren mit Spiegeln bedeckt, die unzählige leere Tische widerspiegelten – und unzählige wachsame Kellner und einsame Damen,

die einen traurigen Trost an Omeletten fanden und Kaffee zur Begleitung von Mendelssohns Frühlingslied nippten, das der Glockenturm dreimal hintereinander spielte.
»Sind Sie fertig, Madame?« fragte der Kellner. »Ich bringe nämlich Ihr Gepäck hinüber.«
»Ja, ich bin fertig.«
Er lud sich den Koffer auf die Schulter und schritt vor mir her — an den kleinen Straßencafés vorbei, wo Männer und Frauen, wenn sie unser Näherkommen gewahrten, ihr Bier abstellten und ihre Postkarten hinlegten, um uns nachzustarren, eine enge Straße mit dichtgemachten Fensterläden an den Häusern hinab und über die Place van Eyck zu einem roten Backsteinhaus. Die Tür wurde von dem glasäugigen Familienjuwel geöffnet: in der Hand hielt sie einen Leuchter in der Form einer Miniaturbratpfanne. Sie verweigerte uns den Einlaß, bis wir beide die ganze Geschichte erzählt hatten.
»C'est ça, c'est ça«, sagte sie. »Jean, Nummer fünf!«
Sie schusselte die Treppe hinauf, schloß eine Tür auf und zündete einen weiteren Miniaturbratpfannenleuchter auf dem Nachttisch an. Das Zimmer war rosa tapeziert, hatte ein rosa Bett, eine rosa Tür und einen rosa Stuhl. Auf rosa Kamindeckchen platzten fette junge Cherubim trompetenblasend aus rosa Eierschalen. Eine Kanne heißes Wasser wurde mir gebracht, ich schloß und verriegelte die Tür. ›Endlich in Brügge‹, dachte ich, als ich ins Bett stieg, das so schlüpfrig mit feinstem Linnen überzogen war, daß ich mir wie ein Fisch vorkam, der über einen vereisten Teich zu schwimmen versucht, dazu dieses stille Haus mit der ›typischen‹ alten Bedienerin, die Place van Eyck mit dem weißen, von dunklen und wuchtigen Bäumen umgebenen Denkmal — fast ein Hauch Verlaine hing über dem Ganzen ...
›Peng!‹ knallte die Tür zu. Ich fuhr erschrocken hoch und griff nach der Bratpfanne, aber es war das Nebenzimmer, das plötzlich heimgesucht wurde. »Oh, endlich zu Hause!« rief eine weibliche Stimme. *»Mon Dieu*, meine Füße! Würdest du bitte zu Marie hinuntergehen, *mon cher*, und sie um die Zinkbadewanne und etwas heißes Wasser bitten?«

»Nein, das ist zuviel!« kam die dröhnende Antwort. »Du hast sie dir heute schon dreimal gewaschen!«
»Aber du weißt nicht, was für Schmerzen ich ausstehe! Sie sind ganz entzündet! Sieh sie dir bloß mal an!«
»Ich habe sie schon dreimal angesehen. Ich bin müde. Komm bitte ins Bett!«
»Das ist sinnlos – ich könnte nicht schlafen. *Mon Dieu, mon Dieu,* was eine Frau erdulden muß!« – Ein männliches Schnaufen, begleitet von Auskleidegeräuschen.
»Wenn ich nun bis morgen früh warte, versprichst du mir dann, mich nicht in ein Museum zu schleppen?«
»Ja, ja, ich verspreche es.«
»Ganz ehrlich?«
»Hab's doch gesagt!«
»Aber kann ich dir glauben?«
Ein langes Ächzen.
»Es ist überflüssig, solche Leute auszustoßen! Du weißt genau, daß gestern abend und heute früh dieselbe Sache passiert ist . . .«
Es blieb mir nur eins zu tun. Ich hustete und räusperte mich auf jene unfreundliche und aufdringliche Art, mit der sich fremde Menschen in Nebenzimmern benehmen. Es half wie ein Wundermittel. Die Unterhaltung versickerte zu einem Geflüster der weiblichen Stimme allein! Ich schlief ein.

›Boote zu vermieten! Besuchen Sie das Venedig des Nordens im Boot! Entdecken Sie die unbekannten und interessanten kleinen Seitenkanäle!‹ Da mir der Reiseführer noch im Gedächtnis haftete, ging ich ins Geschäft und verlangte ein Boot. »Haben Sie ein kleines Kanu?«
»Nein, Madame, aber ein kleines Boot, sehr geeignet!«
»Ich möchte allein fahren und zurückkommen, wann es mir paßt.«
»Dann sind Sie also schon mal hiergewesen?«
»Nein!«
Der Bootsverleiher sah verblüfft aus. »Es ist für Mademoiselle nicht sicher, das erstemal allein zu fahren – ohne Führer.«

»Dann nehme ich einen unter der Bedingung, daß er schweigt und mich nicht auf die Schönheiten aufmerksam macht!«

»Aber die Namen der Brücken?« rief der Bootsverleiher. »Und die berühmten Häuserfronten?«

Ich lief zum Landesteg hinunter. »Pierre? Pierre!« rief der Bootsmann. Ein vierschrötiger junger Belgier, der sich die Arme mit Teppichläufern und roten Samtkissen beladen hatte, erschien und warf seine Ausbeute in ein riesengroßes Boot. Auf der Brücke über dem Landesteg versammelten sich Zuschauer und beobachteten den Vorgang, und gerade, als ich meinen Platz einnahm, stürzte ein dickes Ehepaar, das sich über das Geländer gelehnt hatte, die Treppe hinunter und erklärte, sie müßten mitfahren. »Sicher, sicher«, sagte Pierre und half der Dame mit reizender Bereitwilligkeit beim Einsteigen. »Mademoiselle hat bestimmt nichts dagegen!« Sie saßen im Heck, der Herr hielt die Hand der Dame, und wir wanden uns durch die ›Silberfäden‹, während Pierre sich in die Brust warf und die Schönheiten Brügges mit der triumphierenden Hemmungslosigkeit eines südländischen Liebhabers pries. »Wenden Sie den Blick hierhin – nach links – nach rechts – so, einen Moment – und blicken Sie zur Brükke auf – beachten Sie die Hausfront! Mademoiselle, möchten Sie den Lac d'Amour sehen?«

Ich sah unschlüssig aus; statt meiner antwortete das dicke Ehepaar.

»Dann wollen wir aussteigen!«

Wir ruderten in eine enge kleine Brustwehr hinein und packten einen Busch, und ich sprang hinaus. »Jetzt Monsieur«, dem es ebenfalls gelang. Er kniete sich aufs Ufer und hielt Madame die Krücke seines Spazierstocks als Stütze hin. Sie stand lächelnd und energisch auf, packte den Spazierstock, stemmte sich gegen die Bootswand und war im nächsten Augenblick der Länge nach ins Wasser gefallen. »Oh! Was ist passiert! Was ist passiert!« schrie Monsieur und umklammerte ihren Arm, denn das Wasser war nicht tief, es reichte ihr nur bis zum Gürtel. Irgendwie brachten wir es fertig, sie herauszufischen. Ächzend saß sie auf dem Ufer und wrang ihren schwarzen Alpakarock aus.

»Ist schon wieder gut – ein kleiner Zwischenfall!« erklärte sie verblüffend fröhlich.
Aber Pierre war wütend. »Es ist alles die Schuld von Mademoiselle, die den Lac d'Amour sehen wollte«, sagte er. »Madame sollte lieber durch die Wiese zum gegenüberliegenden kleinen Café gehen und etwas Heißes trinken!«
»Nein, nein!« sagte sie, aber Monsieur unterstützte Pierre. »Warten Sie hier, bis wir wieder zurückkommen«, sagte Pierre mit giftigen Blicken zu mir. Ich nickte und kehrte ihnen den Rücken, denn der Anblick der Madame, die wie eine dicke, ungeschickte Ente durch die Wiese watschelte, war mehr, als ich ertragen konnte. Man kann nicht erwarten, in gepolsterten Booten mit Leuten zu reisen, die gescheit genug sind, um Gelächter zu verstehen, das seinen Ursprung in Anteilnahme hat. Als sie außer Sehweite waren, rannte ich, so schnell ich konnte, über die Wiese, kroch durch einen Zaun und ging nie wieder in die Nähe des Lac d'Amour. ›Meinetwegen sollen sie glauben, daß ich ertrunken bin‹, dachte ich, ›von Kanälen habe ich zeit meines Lebens genug.‹

Um die Vesperstunde ist das Gras im Beginenhof mit kleinen Gruppen von Malern und ihren spindelbeinigen Staffeleien gesprenkelt, die selber eine eigene Individualität zu besitzen scheinen, denn sie stehen unhöflich da, widersetzen sich den Bemühungen ihrer Herren und erwidern deren ewig langes Anstarren mit unfertigen Blicken. Junge Engländerinnen mit blumenbekränzten Hüten und junge Männer, die Verheißung amerikanischer Mannesblüte, verleihen ihren Gefühlen mit einer fröhlichen Ungezwungenheit und ›camaraderie‹ Ausdruck, ganz im Geiste von ›Die Welt ist unser schöner Spielplatz‹ – was theoretisch gewiß entzückend ist. Sie rufen einander zu und bewerfen sich in jugendlicher Unbefangenheit mit Zigaretten und Obst und Schokolade, während Touristengruppen, die den Klauen einer alten, im Schatten der Kapellentür auf sie lauernden Frau entronnen sind, nachdenklich vor den Staffeleien stehenbleiben, um sie zu betrachten und Bemerkungen zu machen und zu sagen, wer der Maler ist.

Ich lag unter einem Baum – mit schlechtem Gewissen, weil ich kein Skizzenbuch bei mir hatte – und sah den Schwalben zu, die durch die lichte Luft kreisten und tauchten, und fragte mich, ob all die braunen, im Gras herumliegenden Hunde den jungen Malern gehörten, als zwei Leute an mir vorübergingen, ein Herr und eine junge Frau, die in ein Buch vertieft waren. In ihrem Gang lag etwas undeutlich Bekanntes. Plötzlich sahen sie auf mich nieder – wir starrten uns an und rissen den Mund auf. Sie fiel über mich her, und er zog seinen makellosen Strohhut vom Kopf und klemmte ihn unter seinen linken Arm.

»Katherine! Wie seltsam! Wie unglaublich nach all den Jahren!« rief sie. Dann wandte sie sich an den Mann: »Guy, kannst du's dir vorstellen? Das ist Katherine – und ausgerechnet in Brügge!«

»Warum nicht?« sagte ich, machte ein gescheites Gesicht und versuchte, mich ihres Namens zu entsinnen.

»Aber Liebes, zuletzt waren wir in Neuseeland zusammen – denk doch, wie meilenweit weg!«

Natürlich, sie hieß Betty Sinclair; ich war mit ihr in die Schule gegangen.

»Wo wohnst du? Bist du schon lange hier? Oh, du hast dich keine Spur verändert, keine Spur! Ich hätte dich überall erkannt!«

Sie zog den jungen Mann näher heran und sagte errötend, als müsse sie sich der Tatsache schämen, ihr jedoch ins Auge sehen: »Das ist mein Mann!« Wir reichten uns die Hand. Er setzte sich und kaute an einem Grashalm. Dann entstand eine Pause, während der Betty wieder zu sich kam und meine Hand quetschte.

»Ich wußte nicht, daß du verheiratet bist«, sagte ich dümmlich.

»Aber so etwas! Wir haben ein Baby!« sagte Betty. »Wir leben jetzt in England. Wir setzen uns sehr für das Frauenstimmrecht ein, denk dir!«

Guy nahm den Grashalm aus dem Mund.

»Sind Sie auf unsrer Seite?« fragte er gespannt.

Ich schüttelte den Kopf. Er steckte den Grashalm wieder

zwischen die Zähne und kniff die Augen etwas zusammen.
»Dann ist das hier eine Gelegenheit«, sagte Betty. »Liebes, wie lange bleibst du noch? Wir müssen zusammen ausgehen und uns ausführlich unterhalten. Guy und ich sind nämlich kein Hochzeitsreisepärchen. Wir sind gern mit andern Leuten zusammen.«
Der Glockenturm rasselte los: »Seht, da kommt der Siegesheld!«
»Leider muß ich sehr bald nach Hause. Ich habe einen Eilbrief bekommen.«
»Wie enttäuschend! Brügge ist nämlich mit Kunststätten und Kirchen und Gemälden randvoll gepackt! Heute abend ist auf der Grand'Place ein Konzert im Freien, und ab morgen findet ein Wettbewerb von Glockenläutern statt – die ganze Woche hindurch!«
»Ich muß abreisen«, sagte ich so entschlossen, daß meine Seele, angespornt vom Glockenturm, einen gebieterischen Marschbefehl verspürte.
»Aber die altertümlichen Gassen und die fremdländischen Gerüche und die Spitzenklöpplerinnen – ach, wenn wir doch einfach zu dritt herumschlendern und alles genießen könnten!« Ich seufzte und biß mir auf die Unterlippe.
»Was haben Sie gegen das Frauenstimmrecht?« fragte Guy und blickte auf die Nonnen, die sich in reizender Prozession unter den Bäumen entlangschlängelten.
»Ich habe mir immer eingebildet, du wärst so furchtbar versessen auf die Zukunftsaussichten der Frauen!« sagte Betty. »Komm heute abend zu uns zum Essen – dann können wir das ganze Thema durchdreschen. Nach dem anstrengenden Londoner Leben scheint man nämlich hier in diesem altertümlichen Städtchen die Dinge in einem so andern Licht zu sehen!«
»O ja, in einem ganz andern Licht!« bestätigte ich und schüttelte beim Anblick des bekannten Reiseführers, der aus Guys Rocktasche hervorschaute, den Kopf.

Neue Kleider

Mrs. Carsfield und ihre Mutter saßen am Eßzimmertisch und legten die letzte Hand an zwei grüne Kaschmirkleider. Am folgenden Tag sollten sie in der Kirche von den beiden Carsfield-Töchtern getragen werden – mit apfelgrünen Schärpen und Strohhüten mit flatternden Bändern. Mrs. Carsfield hatte ihr Herz daran gehängt, und weil es einer von Henrys späten Abenden war, an denen er an einer Versammlung der Politischen Liga teilnahm, hatten sie und ihre alte Mutter das Eßzimmer für sich und konnten eine ›friedliche Unordnung‹ anrichten, wie sie es nannten. Die rote Decke lag nicht mehr auf dem Tisch, denn dort standen jetzt die Nähmaschine (ein Hochzeitsgeschenk) und ein brauner Nähkorb, und das ›Material‹ samt einigen Modeheften lag daneben. Mrs. Carsfield saß an der Maschine und nähte mit Bedacht, denn sie fürchtete, der grüne Faden würde ihr ausgehen; sie hegte eine Art müder Hoffnung, er könne länger reichen, wenn sie sich bemühte, nur wenig auf einmal zu benutzen. Die alte Frau saß im Schaukelstuhl, hatte den Rock hochgeschlagen und die Füße in Filzpantoffeln auf ein Fußkissen gestellt. Sie verfestigte die Nähmaschinenfäden und heftete schmale Spitzenborte um Hals und Manschetten. Die Gasflamme flackerte.

Hin und wieder warf die alte Frau einen Blick zum Gas auf und sagte: »Es muß Wasser im Rohr sein, Anne – das wird's sein!« Dann schwieg sie, jedoch nur, um einen Moment drauf zu sagen: »Sicher ist Wasser im Rohr, Anne!«, und schließlich mit gehörigem Nachdruck: »Jetzt wieder – da bin ich ganz sicher!«

Anne saß stirnrunzelnd an der Nähmaschine. ›Wie Mutter ewig auf etwas herumreitet‹, dachte sie, ›das geht mir schrecklich auf die Nerven. Und immer, wenn es nicht die leiseste Möglichkeit gibt, die Dinge zu ändern! ... Muß wohl das Alter sein – aber 's ist zermürbend!‹ Und laut sagte sie: »Mutter, ich nähe einen tüchtigen Saum in Roses Kleid – in letzter Zeit schießt sie so in die Länge! – Und nähe bitte keine Spitze auf Helens Manschetten: dann kann man sie gleich unterscheiden, und außerdem gibt Helen nie acht, ob sie mit den Händen an irgendwelchen Schmutz fährt!«

»Oh, es ist reichlich vorhanden«, erwiderte die alte Frau. »Ich kann sie ja ein bißchen weiter hinaufsetzen.« Sie wunderte sich, weshalb Anne immer auf Helen herumtrampelte – und Henry übrigens auch. Anscheinend wollten sie Helen kränken – die Sache mit dem Unterscheiden war nur ein Vorwand.

»Du hast eben Helens Kleider nicht gesehen«, sagte Mrs. Carsfield, »als ich sie ihr heute abend ausgezogen habe. Schwarz von Kopf bis Fuß – und das nach einer Woche! Und als ich sie vor ihren Augen mit Roses Kleidern verglich, hat sie bloß die Achseln gezuckt, du kennst ja ihre Art, und hat zu stottern angefangen. Wegen des Stotterns muß ich wirklich mal mit Dr. Malcolm sprechen – wenn's auch nur wäre, um ihr einen Schreck einzujagen. Ich glaube, es ist nur eine Ziererei, die sie in der Schule aufgegriffen hat. Sie kann auch anders!«

»Aber Anne, du weißt doch, daß sie immer gestottert hat! Du hast's genauso gemacht, als du so alt warst wie sie. Sie ist furchtbar sensibel!« Die alte Frau nahm die Brille ab, hauchte auf die Gläser und putzte sie mit einem Zipfel ihrer Nähschürze.

»Das wäre also das letzte in der Welt, was ihr guttun würde, wenn man ihr solche Raupen in den Kopf setzte!« erwiderte Anne, schüttelte eins von den grünen Kleidchen aus und stach mit der Nadel in die Falten. »Sie wird genauso wie Rose behandelt, und Boy hat erst recht keine Nerven. Hast du ihn gesehen, als ich ihn heute zum erstenmal aufs Schaukelpferd gesetzt habe? Er hat einfach gejauchzt vor Freude. Von Tag zu Tag wird er seinem Vater ähnlicher.«

»Ja, Boy ist bestimmt ein richtiger Carsfield!« bestätigte die alte Frau und nickte mit dem Kopf.

»Und dann ist da noch eine andre Sache mit Helen«, sagte Anne, »nämlich die seltsame Art, wie sie Boy behandelt und ihn anstarrt und erschreckt. Erinnerst du dich – als er noch ein Baby war, wie sie ihm immer die Flasche weggenommen

hat, um zu sehen, was er tun würde? Rose ist reizend mit Boy, aber Helen . . .«
Die alte Frau legte ihre Näherei auf den Tisch. Sie schwieg ein Weilchen, und durch die Stille tickte laut die Eßzimmeruhr. Sie wollte Anne einmal gründlich die Meinung sagen über die Art, wie sie und Henry sich zu Helen einstellten, sie falsch behandelten und ihr schadeten, doch das laute Tikken irritierte sie. Sie konnte ihre Gedanken nicht in die richtigen Worte fassen und saß betäubt da, während ihr Gehirn im Takt mit der Eßzimmeruhr tickte.
»Wie laut die Uhr tickt!« war alles, was sie hervorbringen konnte.
›O je, typisch Mutter!‹ dachte Anne. ›Sie weicht wieder aus, anstatt mir beizustehen und mich zu ermutigen!‹ Dann warf sie einen Blick auf die Uhr.
»Mutter, wenn du fertig bist mit dem Kleid, geh doch bitte in die Küche, mach den Kaffee warm und schneide etwas Schinken auf. Henry muß gleich kommen. Ich bin mit dem zweiten Kleid auch beinah fertig.« Sie hielt es hoch, um es besser betrachten zu können. »Sind sie nicht reizend? Sie können den Kindern gut zwei Jahre dienen, und dann taugen sie wahrscheinlich noch für die Schule – verlängert und vielleicht gefärbt.«
»Ich bin froh, daß wir uns für das teurere Material entschieden haben«, sagte die alte Frau.
Sobald Anne allein im Eßzimmer war, vertieften sich ihre Falten. Ihre Mundwinkel sanken herab, und von der Nase zum Kinn zeichnete sich eine scharfe Furche ab. Sie seufzte tief und schob sich das Haar aus der Stirn. Im Zimmer schien keine Luft zu sein, es war so dumpf und stickig. Daß sie sich hier mit der feinen Näherei für Helen abmühte, kam ihr so sinnlos vor. Mit Kindern nahm die Arbeit nie ein Ende, und Dankbarkeit durfte man nicht erwarten – abgesehen von Rose, die eine Ausnahme war. Das war auch ein Alterszeichen bei Mutter, daß sie so verrückte Ansichten über Helen hatte und so leicht beleidigt war, was das Thema betraf. Eins stand jedenfalls fest, sagte sich Mrs. Carsfield: sie würde Helen nicht an Boy heranlassen! Auf unfreundliches Ver-

halten reagierte er genauso empfindlich wie sein Vater. Ein Segen, daß die beiden Mädchen den ganzen Tag in der Schule waren!
Endlich waren die Kleider fertig: zusammengefaltet hingen sie über der Stuhllehne. Sie trug die Nähmaschine zum Büchergestell hinüber, legte die Tischdecke auf und trat ans Fenster. Die Markise war noch nicht heruntergezogen; sie konnte alles im Garten deutlich erkennen. Wahrscheinlich stand irgendwo der Mond. Dann erblickte sie etwas Helles auf der Gartenbank. War es ein Buch? Ja, es mußte ein Buch sein, das dort liegengeblieben war und jetzt vom Tau aufgeweicht wurde. Sie ging in die Halle, zog ihre Überschuhe an, raffte den Rock hoch und lief in den Garten. Es war tatsächlich ein Buch. Sie hob es vorsichtig auf. Es war schon feucht, und der Deckel war verbogen. Sie zuckte die Achseln – auf eine Art, die ihre kleine Tochter ihr bereits nachmachte. Im dämmerigen Garten, der nach Gras und Rosenblättern duftete, verhärtete sich ihr Herz. Dann knarrte das Gartentor, und sie sah Henry den Weg heraufkommen.
»Henry!« rief sie.
»Anne«, rief er, »um Himmels willen, was tust du denn hier? Bist du mondsüchtig?« Sie lief auf ihn zu und küßte ihn.
»Ach, Henry, sieh dir das Buch an!« rief sie. »Helen hat es wieder herumliegen lassen! – Aber wie du nach Zigarren riechst!«
»Wenn man mit den andern Männern zusammensitzt, muß man unbedingt eine anständige Zigarre rauchen!« erklärte Henry. »Es sieht schlecht aus, wenn man's nicht tut. Aber komm ins Haus, Anne, du hast nicht genug an! Laß doch das dumme Buch! Du frierst ja, Kind! Du zitterst schon!« Er legte ihr den Arm um die Schulter. »Siehst du den Mond da oben neben dem Schornstein? Es ist eine schöne Nacht! Ich hab' die Männer heute abend weiß Gott zum Lachen gebracht – hab' eine furchtbar witzige Bemerkung gemacht! Der eine sagte nämlich: ›Das Leben ist ein Kartenspiel‹, und ohne lange zu überlegen, ist mir's rausgefahren ...« Henry blieb vor der Tür stehen und hielt den Finger an die Stirn. »Ich hab' gesagt ... na, den genauen Wortlaut hab' ich also

vergessen, aber sie haben gebrüllt vor Lachen, mein Schatz, regelrecht gebrüllt. Jedenfalls wird's mir heut abend im Bett wieder einfallen, was ich gesagt habe—du weißt ja, daß mir dann alles einfällt.«

»Ich möchte das Buch in die Küche bringen, damit es auf dem Handtuchständer trocknet«, sagte Anne. Als sie die Seiten ärgerlich umblätterte, dachte sie: ›Henry hat wieder Bier getrunken, das bedeutet Magenverstimmung für morgen. Und Helen heute zu erwähnen, hat keinen Sinn.‹

Als Henry fertig gegessen hatte, lehnte er sich in seinen Sessel zurück, stocherte in den Zähnen herum und klopfte auf sein Knie, damit Anne kommen und sich draufsetzen sollte. Er schäkerte mit ihr herum und fragte dann: »Was für grüne Kinkerlitzchen sind das da auf der Stuhllehne? Habt ihr wieder was angestellt, Mutter und du?«

Anne warf einen völlig gleichgültigen Blick auf die grünen Kleider und sagte kühl: »Kleidchen für die Kinder. Aus Resten zusammengeschustert — für sonntags.«

Die alte Frau räumte Henrys Teller und Tasse und Untertasse zusammen und zündete eine Kerze an.

»Ich glaube, ich geh' jetzt zu Bett«, sagte sie heiter.

›Lieber Himmel, wie ungeschickt von Mutter‹, dachte Anne. ›Wenn sie weggeht, macht sie Henry wieder mißtrauisch — wie immer, wenn sich etwas Unerfreuliches zusammenbraut!‹

»Nein, geh noch nicht, Mutter!« rief Henry gutgelaunt. »Laß mich doch mal die Dinger anschauen!« Sie zeigte ihm die Kleider und lächelte leise. Henry rieb den Stoff prüfend zwischen seinen Fingern.

»Das sind also die Reste, Anne? Die fühlen sich aber nicht wie die Sonntagshose an, die mir meine Mutter aus 'ner alten Bügeldecke machte! Wieviel hast du für einen Yard bezahlt?« Anne nahm ihm die Kleider weg und spielte mit einem Knopf an seiner Weste.

»Laß doch den genauen Preis, Schatz! Mutter und ich haben ihn noch ziemlich heruntergedrückt, obwohl es schon billig war. Und warum kümmern sich große, starke Männer um Kinderkleidchen? Erzähl mir, ob Lumley heute abend da war!«

»Ja, er hat gesagt, ihr Junge wär' auch ein bißchen O-beinig gewesen, als er so alt wie unsrer war. Er hat mir von einem neuen Kinderstuhl erzählt, der jetzt in Claytons Laden zu haben ist und in dem sie mit geraden Beinen sitzen müssen. Dabei fällt mir ein: hat Clayton noch nicht die Monatsrechnung geschickt?«

Sie war auf seine Frage gefaßt – hatte gewußt, daß sie kommen würde.

Gähnend glitt sie von seinen Knien.

»O je!« sagte sie. »Ich glaube, ich mach's wie Mutter. Ich muß ins Bett!« Sie sah Henry geistesabwesend an. »Hast du was von Rechnung gesagt, Schatz? Ach, die such' ich morgen raus!«

»Nein, warte doch, Anne!« Henry stand auf und ging zum Geschirrschrank, wo sie die Mappe mit den Rechnungen aufhoben. »Morgen geht's nicht, weil Sonntag ist. Muß das in Ordnung bringen, eh' ich in die Klappe gehe! Setz dich mal dorthin – in den Schaukelstuhl! Brauchst ja nicht zu stehen!«

Sie ließ sich in den Stuhl sinken und summte vor sich hin, doch ihre Gedanken flogen kühl und geschäftig umher, während sie die Blicke auf den breiten Rücken ihres Mannes heftete, der sich über die Schranktür beugte. Er vertrödelte viel Zeit mit dem Suchen der Mappe.

›Er läßt mich absichtlich so lange warten‹, dachte sie. ›Wir können's uns doch leisten – hätte ich's sonst getan? Ich kenne unser Einkommen und unsre Ausgaben – bin doch kein Dummkopf! Der Teufel soll's holen – jeden Monat die Rechnungen durchsehen!‹ Und sie dachte an ihr Bett oben und sehnte sich danach. Sie bildete sich ein, daß sie noch nie im Leben so müde gewesen wäre.

»Da haben wir sie ja!« sagte Henry und schleuderte die Mappe auf den Tisch.

»Hol mal deinen Stuhl ran!«

»Hier ist Clayton: sieben Yards grünen Kaschmir zu fünf Shilling der Yard – macht fünfunddreißig Shilling!« Er las den Posten zweimal – dann kniff er die Rechnung zusammen und beugte sich zu Anne hinüber. Er hatte einen roten Kopf, und sein Atem roch nach Bier. Sie wußte genau, wie

er alles hinnahm, wenn er so gelaunt war. Deshalb zog sie nur die Brauen hoch und nickte.
»Du willst also wirklich behaupten, das Zeugs kostet fünfunddreißig Shilling?« tobte Henry los. »Das Zeugs, das du für die Kinder zusammengeschustert hast? Großer Gott! Jeder würde glauben, du hättest einen Millionär geheiratet! Mit dem Geld kannst du deiner Mutter 'ne Ausstattung kaufen! Du machst dich vor der ganzen Stadt lächerlich! Und was glaubst du, wie ich dem Kleinen jetzt ein Kinderstühlchen kaufen kann, wenn du meinen Verdienst so zum Fenster rauswirfst? Dauernd liegst du mir in den Ohren, daß man Helen nicht nett und sauber halten kann — und dann gehst du hin und behängst sie mit grünem Kaschmir für fünfunddreißig Shilling . . .«
Die Stimme tobte immer weiter.
›Bis morgen früh hat er sich beruhigt‹, dachte Anne, ›sowie das Bier verraucht ist!‹ Und später, als sie sich ins Bett hinaufschleppte, kam ihr noch ein Gedanke: ›Wenn er sieht, wie lange der Stoff hält, wird er's verstehen . . .‹

Der Sonntagmorgen war strahlend schön. Henry und Anne saßen ausgesöhnt im Eßzimmer und warteten auf das Glokkenläuten zum Kirchgang, während Carsfield junior die Begleitmusik machte: unermüdlich hämmerte Boy mit einem Soßenlöffel, den sein Vater ihm vom Frühstückstisch geholt hatte, auf das Schutzbrett seines Kinderstühlchens.
»Der Bengel hat Muskeln!« sagte Henry voller Stolz. »Ich hab's mit der Uhr kontrolliert: fünf Minuten ohne aufzuhören hält er das schon durch!«
»Wunderbar!« sagte Anne und knöpfte ihre Handschuhe zu. »Aber ich finde, den Löffel hat Boy jetzt lange genug gehabt, du nicht auch, Schatz? Ich habe Angst, daß er ihn in den Mund steckt!«
»Ach, ich behalte ihn schon im Auge!« Henry beugte sich über seinen kleinen Sohn. »Immer feste, mein Junge! Beweise deiner Mutter, daß Jungen gern Krach machen!«
Anne schwieg beharrlich. Wenigstens lenkte es ihn von den Mädchen ab, wenn die in ihrer Kaschmirpracht herunterkä-

men. Hoffentlich hatte sie ihnen genügend eingehämmert, wie furchtbar wichtig es war, sich in acht zu nehmen und die Kleider gleich nach der Kirche und noch vor dem Mittagessen wieder auszuziehen. Aber warum stellte sich Helen überhaupt so an, wenn man sie zurechtmachte? Doch da ging die Tür auf, und die alte Frau schob die Kinder ins Zimmer, mit Kleidern und Strohhüten und flatternden Hutbändern. Anne zitterte vor Freude – sie konnte einfach nicht anders! Wie vornehm sahen die Kinder aus! Und Rose hatte obendrein ihr Gebetbuch in der Hand, das sie in einer weißen, mit einem rotwollenen Kreuz bestickten Hülle trug! Doch rasch tat sie wieder gleichgültig und drängte, es sei schon spät. Von Henry hörte sie kein weiteres Wort zum Thema, obwohl die fünfunddreißig Shilling ›in Ware‹ den ganzen Weg zur Kirche Hand in Hand vor ihm hergingen. Anne fand es hochanständig und großzügig von ihm. Sie blickte zu ihm auf, wie er – Schultern zurück, Brust heraus – neben ihr einherschritt. Wie gut er in dem langen schwarzen Gehrock wirkte, aus dem die weiße Seidenkrawatte noch eben hervorschaute! Und die Kinder waren seiner würdig. In der Kirche drückte sie seine Hand und gab ihm durch das stumme Zeichen zu verstehen: ›Nur um deinetwillen habe ich die teuren Kleider gekauft, Henry! Du wirst es zwar nicht einsehen, aber es ist bestimmt so!‹ Sie war sogar selbst davon überzeugt.

Auf dem Nachhauseweg begegnete die Familie Carsfield dem Doktor Malcolm auf einem Spaziergang mit seinem schwarzen Hund, der in der Schnauze den Stock des Doktors trug. Der Arzt blieb stehen und erkundigte sich so eingehend nach dem Befinden des kleinen Jungen, daß Henry ihn zum Mittagessen einlud.

»Kommen Sie auf einen Löffel Suppe zu uns«, sagte er, »dann können Sie Boy selbst sehen!«

Doktor Malcolm nahm dankend an.

Er ging neben Henry und rief Helen über die Schulter zu: »Gib bitte acht auf *meinen* Boy und paß auf, daß er den Spazierstock nicht verschluckt! Sonst würde ihm nämlich ein Baum aus der Schnauze wachsen! Oder er würde in seinen

Schwanz wandern und den so hart machen, daß er dich beim kleinsten Wedeln halb tot schlägt!«
»Aber nein, Doktor Malcolm!« lachte Helen und bückte sich über den Hund. »Komm, Wauwau, gib mir den Stock! Sei ein lieber Wauwau!«
»Helen, dein Kleid!« warnte Anne.
»Ja, wirklich«, sagte Doktor Malcolm, »sie sehen heute prima aus, die kleinen Damen!«
»Es ist so richtig Roses Farbe«, sagte Anne. »Ihr Teint ist viel kräftiger als Helens . . .«
Rose errötete. Der Doktor zwinkerte ihr zu und mußte sich beherrschen, um nicht zu erklären, sie sähe wie eine Tomate auf grünem Salat aus.
›Das Kind braucht unbedingt einen Dämpfer‹, dachte er bei sich. ›Helen ist mir tausendmal lieber. Na, sie wird sich allmählich durchsetzen und ihnen zeigen, was 'ne Harke ist!‹
Als sie zu Hause eintrafen, hielt Boy noch sein Mittagsschläfchen, und der Doktor bat, ob Helen ihm den Garten zeigen dürfe. Henry willigte gerne ein – seine gastfreundliche Geste bereute er schon –, und Anne ging in die Küche, um mit dem Mädchen zu sprechen.
»Mumma, laß mich mitkommen und die Soße kosten!« bettelte Rose.
»Ha, die wären wir los!« brummte Doktor Malcolm.
Er machte sich's auf der Gartenbank gemütlich – zog die Füße herauf und nahm seinen Hut ab, um der Sonne Gelegenheit zu geben, ›noch eine Ernte hervorzulocken‹, wie er Helen sagte.
Sie fragte ihn ernst: »Doktor Malcolm, gefällt Ihnen mein Kleid wirklich?«
»Natürlich, mein Herzchen. Dir nicht?«
»Doch, sehr: ich möcht's nie mehr ausziehen. Aber das Theater mit dem Anproben und Herumzupfen und tu dies nicht und tu das nicht! Ich glaube, Mutter würde mich umbringen, wenn mit dem Kleid was passiert. In der Kirche mußte ich die ganze Zeit auf dem Unterrock knien, weil das Fußkissen staubig ist.«
»Was – so schlimm steht es?«

Der Doktor riß die Augen auf.
»Noch viel, viel schlimmer!« lachte Helen und tanzte über den Rasen. »Verrückt schlimm!«
»Paß auf, daß sie dich nicht hören, Helen!«
»Pah! Geschieht ihnen recht! Ist ja bloß dummer alter Kaschmir. Wenn sie nicht hier sind, können sie mich auch nicht sehen, also ist's egal. Aber wenn sie da sind, dann ist mir gar nicht wohl zumute!«
»Mußt du deinen Staat nicht vor dem Mittagessen ausziehen?«
»Nein – weil Sie hier sind!«
»O je, mir schwant Unheil!« ächzte der Doktor.
Der Kaffee wurde im Garten gereicht. Das Mädchen stellte ein paar Korbstühle auf den Rasen und breitete eine Reisedecke für den kleinen Jungen aus. Die Töchter durften weggehen, um zu spielen.
»Hör auf, Doktor Malcolm zu plagen, Helen!« mahnte Henry. »Leute, die nicht zur Familie gehören, muß man nicht belästigen!« Helen schmollte und ging fort, um sich mit Schaukeln zu trösten. Sie schwang sich sehr hoch und dachte, Doktor Malcolm sei ein sehr schöner Mann. Dann fragte sie sich, ob sein Hund die Knochen aufgefressen habe, die er auf dem Hof in einem Teller bekommen hatte. Da mußte sie doch gleich mal nachsehen! Sie schaukelte langsamer und wagte einen tollen Sprung: ihr enger Rock blieb an einem Nagel hängen – sie hörte, wie es ratschte, und schaute schnell zu den andern hinüber – die hatten nichts bemerkt – und dann auf ihr Kleid: das Loch war so groß, daß man die Hand hindurchstecken konnte! Sie bekam keinen Schreck – und es tat ihr auch nicht leid. ›Ich zieh' mich einfach um‹, dachte sie.
»Helen, wohin gehst du?« rief Anne.
»Bloß ins Haus, ein Buch holen«, sagte Helen.
Der alten Frau war es aufgefallen, daß Helen ihr Röckchen so eigenartig gerafft hatte. Vielleicht war das Band an ihrem Unterrock aufgegangen. Aber sie machte keine Bemerkung. Sowie Helen im Schlafzimmer war, knöpfte sie das Kleid auf, schlüpfte heraus und überlegte, wohin damit? Irgendwo mußte sie es verstecken. Sie sah sich im ganzen Zim-

mer um – kein Fleck war sicher vor ihnen, höchstens auf dem Schrank oben. Aber auch wenn sie sich auf einen Stuhl stellte, konnte sie nicht so hoch hinaufwerfen – es fiel ihr jedesmal wieder auf den Kopf, das greuliche, verhaßte Ding! Dann fiel ihr Blick auf den Schulranzen, der am Bettpfosten hing. Es wurde in die Schulschürze gewickelt und in den Ranzen gesteckt, und obendrauf das Federetui! Dort würden sie es nie suchen. Im Alltagskleid kehrte sie in den Garten zurück – vergaß aber das Buch.

»Ooooh!« rief Anne und lächelte spöttisch. »Doktor Malcolm zu Ehren hat sie eine neue Seite aufgeschlagen! Sieh bloß, Mutter, Helen hat sich umgezogen, ohne daß man's ihr gesagt hat! Komm her, Liebling, laß dich fertig anziehen!« Dann flüsterte sie Helen ins Ohr: »Wo hast du dein Kleid gelassen?«

»Am Bett! Wo ich's ausgezogen habe«, säuselte Helen.

Doktor Malcolm unterhielt sich mit Henry über die Vorteile der Internatserziehung für Söhne von Geschäftsleuten, nahm aber auch auf, was sich zwischen Mutter und Tochter abspielte. Als er Helen beobachtete, roch er Lunte: die Sache kam ihm sehr verdächtig vor.

Im ganzen Haus herrschte Verwirrung und Bestürzung. Das eine der beiden Kaschmirkleider war verschwunden, war spurlos vom Erdboden weggezaubert worden – in der kurzen Zeit, als Helen es auszog und die Kinder sich zum Tee setzten!

»Zeig mir genau die Stelle!« befahl Mrs. Carsfield zum zwanzigstenmal. »Sag mir die Wahrheit, Helen!« schalt sie.

»Mumma, ich schwör's dir, ich hab's auf dem Boden liegenlassen!«

»Wenn's nicht da ist, nützt alles Schwören nichts! Es kann nicht gestohlen worden sein!«

»Aber als ich nach oben ging, um mich umzuziehen, hab' ich einen sehr komischen Mann in einer weißen Mütze gesehen, der ist die Straße auf und ab gegangen und hat auf die Fenster gestarrt!«

Anne blickte ihre Tochter scharf an. »Jetzt *weiß* ich, daß du

lügst!« sagte sie. Dann drehte sie sich zu der alten Frau um, und in ihrer Stimme schwangen Triumph und innige Genugtuung mit: »Hast du die Räubergeschichte gehört, Mutter?«
Als sie sich dem Fußende des Bettes näherten, wurde Helen rot und kehrte ihnen den Rücken zu. Manchmal hätte sie am liebsten geschrien: ›Ich hab's zerrissen! Ich hab's zerrissen!‹, und dann bildete sie sich ein, daß sie's gesagt und ihre Gesichter gesehen hätte – so wie sie manchmal träumte, sie sei aufgestanden und habe sich angezogen. Aber je später es wurde, desto gleichgültiger wurde sie und freute sich schließlich nur auf eins: daß alle Menschen einmal schlafen gehen mußten. Wütend starrte sie auf die Sonne, die noch immer durchs Fenster schien und ein Muster auf den kahlen Fußboden des Kinderzimmers zeichnete. Und dann blickte sie auf Rose, die am Tisch saß, einen Bibelspruch ausmalte und einen ganzen Eierbecher voll Wasser für sich allein hatte...
Henry war es gewohnt, als letztes einen Blick ins Kinderzimmer zu werfen. Helen hörte, wie die Dielen unter seinem Schritt knarrten, und verkroch sich unter der Bettdecke.
»Helen schläft nicht!« piepste Rose.
Henry setzte sich ans Bett und zupfte an seinem Schnurrbart.
»Wenn's nicht Sonntag wäre, Helen, würde ich dich auspeitschen, aber so und weil ich morgen ganz früh ins Büro muß, werde ich dir morgen nach dem Tee eine tüchtige Tracht Prügel geben ... Hast du mich gehört?«
Sie stöhnte.
»Du liebst doch deine Eltern, nicht wahr?«
Es kam keine Antwort.
Rose stieß Helen mit dem Fuß an.
Henry seufzte schwer.
»Jedenfalls liebst du Jesus, nicht wahr?«
»Rose hat mich mit dem Zehennagel am Bein gekratzt!« antwortete Helen.
Henry stampfte aus dem Zimmer und warf sich auf sein Bett und, wie Anne feststellte, mit den Straßenstiefeln auf die gestärkte Schlummerrolle, aber sie wagte nicht, Einspruch zu erheben, denn er war wirklich überwältigt. Die alte Frau

war auch gerade im Schlafzimmer und kämmte gemächlich die Haare aus Annes Haarbürste. Henry erzählte ihnen, was er eben mit Helen erlebt hatte, und war befriedigt, als er Annes Tränen gewahrte.

»Rose ist tatsächlich nach dem Bad am nächsten Samstag mit ihren Zehennägeln an der Reihe«, erläuterte die alte Frau.

Mitten in der Nacht stieß Henry seine Frau mit dem Ellbogen an.

»Eben ist mir etwas eingefallen«, sagte er. »Malcolm steckt hinter dem Ganzen!«

»Wer? . . . Wieso? . . . Wo dahinter?«

»Hinter den verdammten grünen Kleidern!«

»Es würde mich nicht wundern«, brachte sie heraus – und dachte dann: ›Wenn *ich* ihn mitten in der Nacht geweckt hätte, um ihm so etwas Verrücktes zu sagen, wär' er geplatzt vor Wut!‹

»Ist Mrs. Carsfield zu Hause?« fragte Doktor Malcolm.

»Nein, Sir, sie ist ausgegangen, einen Besuch machen.«

»Ist Mr. Carsfield irgendwo im Haus oder Garten?«

»O nein, Sir, mittags ist er nie zu Hause.«

»Führen Sie mich ins Wohnzimmer!«

Das Mädchen öffnete die Wohnzimmertür und schielte auf die Arzttasche. Sie wünschte, er ließe sie auf dem Flur stehen, auch wenn sie nur die Außenseite befühlen könnte, ohne sie aufzumachen. Aber der Arzt behielt sie in der Hand.

Die alte Frau saß im Wohnzimmer und hatte ihr Strickzeug auf dem Schoß. Ihr Kopf war hintenüber gesunken – der Mund stand leicht offen, sie schlief und schnarchte leise. Als sie die Schritte des Arztes hörte, schrak sie zusammen und richtete ihre Haube.

»Oh, Doktor Malcolm, wie Sie mich erschreckt haben! Ich hatte gerade geträumt, daß Henry für Anne fünf Kanarienvögel gekauft hat. Bitte setzen Sie sich doch!«

»Nein, danke! Ich kam nur auf gut Glück vorbei, ob ich Sie hier allein antreffen würde . . . Sehen Sie meine Ledertasche?«

Die alte Frau nickte.

»Verstehen Sie, wie man solche Taschen öffnet?«

»Eigentlich war's mein Mann, der viel gereist ist – aber ich hab' auch schon mal eine ganze Nacht in einem Eisenbahnabteil zugebracht!«
»Dann versuchen Sie mal, die hier zu öffnen!«
Die alte Frau kniete sich auf den Boden, und ihre Finger zitterten.
»Es ist hoffentlich nichts zum Fürchten drin?« fragte sie.
»Nein, beißen tut's nicht«, sagte Doktor Malcolm.
Das Schloß sprang auf – die Tasche gähnte wie ein zahnloser Rachen – und auf dem Grunde sah sie, zusammengefaltet, grünen Kaschmir mit schmalem Spitzenbesatz an Hals und Ärmeln.
»Sieh einer an!« sagte die alte Frau gemütlich. »Darf ich's rausnehmen?« Sie war weder verblüfft noch erfreut – und der Doktor war enttäuscht.
»Helens Kleid!« sagte er, beugte sich näher an ihr Ohr und hob die Stimme. »Der Sonntagsstaat der kleinen Range!«
»Ich bin nicht taub, Doktor Malcolm«, wehrte sich die alte Frau. »Ja, es kam mir auch so vor. Hab' noch gerade heute früh zu Anne gesagt, irgendwo wird es sicher auftauchen.« Sie schüttelte das Kleidchen auf und musterte es. »So geht's immer, wenn man den Dingen Zeit läßt. Ich hab's oft erlebt. Es ist ein Segen.«
»Sie kennen doch den Briefträger Lindsay? Er leidet an Magengeschwüren – mußte heute früh dort Visite machen ... und sah, wie Lena das Kleid anbrachte. Helen hat's ihr auf dem Weg zur Schule gegeben. Sie hatte es aus dem Schulranzen gefischt, wo's in eine Schürze eingewickelt lag, und hatte behauptet, ihre Mutter habe gesagt, sie soll's wegschenken, weil's ihr nicht passe. Als ich das Loch sah, habe ich begriffen, was das für 'ne ›neue Seite‹ an der Kleinen war, wie's Mrs. Carsfield gestern ausgedrückt hat. Hab' die Sache gleich durchschaut, hab' bei Claytons etwas von dem Stoff gekauft, hab's von meiner Schwester Bertha ausbessern lassen, während ich beim Mittagessen war. Ich konnte mir denken, was hier passieren sollte – und hab' gehofft, daß Sie Helen durchschummeln würden, schon, um's Henry heimzuzahlen!«
»Sehr aufmerksam von Ihnen«, sagte die alte Frau. »Ich wer-

de Anne erzählen, ich hätt's unter meinem Mantel entdeckt.«
»Das ist jetzt Ihre Sache!« sagte Doktor Malcolm.
»Aber natürlich würde Helen die Prügel bis morgen wieder vergessen haben – und ich hatte ihr zum Trost eine neue Puppe versprochen ...« Die alte Frau sagte es mit leisem Bedauern.
Doktor Malcolm ließ seine Tasche zuschnappen. ›Hat ja keinen Sinn, mit der Alten zu reden‹, dachte er. ›Sie versteht bloß die Hälfte von dem, was ich sage. Anscheinend habe ich nicht viel mehr erreicht, als Helen um eine neue Puppe zu bringen!‹

— — — — — — — — — — — — — — —

Den ganzen Tag war die Hitze entsetzlich gewesen. Der Wind wehte dicht am Boden hin; er wühlte im Blütengras und stöberte die Landstraße entlang, so daß uns der weiße Bimssteinstaub ins Gesicht wirbelte, absackte und auf uns niederrieselte und wie juckender Schorf liegenblieb. Die Pferde stolperten hustend und schnaubend weiter. Das Packpferd war krank – es hatte eine große, offene, aufgeriebene Wunde am Bauch. Hin und wieder blieb es plötzlich stehen und warf den Kopf auf, sah uns an, als wolle es weinen, und wieherte. Die Lerchen tirilierten zu Hunderten. Der Himmel war von einem schieferfarbenen Grau, und der schrille Lerchenlaut erinnerte mich an Griffel, die auf Schultafeln herumkratzten.
Nichts war zu sehen als wogendes Blütengras, betupft mit rötlichen Orchideen und dick mit Spinnweb überzogenen Manukasträuchern.
Jo ritt vorneweg. Er trug ein gestreiftes blaues Drellhemd, Kordhosen und Reitstiefel. Um den Hals hatte er sich ein weißes Tuch mit roten Klecksen gebunden – es sah aus, als hätte er Nasenbluten gehabt. Unter seinem Schlapphut hing das weiße Haar in Strähnen herunter, Schnurrbart und Augenbrauen waren beinah weiß; schlaksig und mürrisch saß er im Sattel. An jenem Tag hatte er kein einzigesmal gesungen:

›Mich kümmert's alles einen Dreck,
denn Schwiegermama reitet vorneweg!‹

Es war seit einem Monat der erste Tag, an dem wir es nicht genossen hatten, und jetzt schien uns sein Schweigen nicht ganz geheuer. Jim ritt neben mir, weiß wie ein Clown. Seine schwarzen Augen glitzerten, und dauernd schnellte seine Zunge vor, um die Lippen zu befeuchten. Er trug nur ein Unterhemd und eine blaue Drellhose, die von einem geflochtenen Ledergürtel gehalten wurde. Seit dem Morgengrauen hatten wir kaum miteinander gesprochen. Unsern Lunch in

Form von fliegenumschwärmten Keksen und Aprikosen hatten wir neben einem morastigen Bach eingenommen.
»Mein Magen fühlt sich wie'n Hühnerkropf an«, sagte Jo. »Nun laß mal sehen, Jim – du bist ja der Neumalkluge hier: wo ist denn der Kaufladen, von dem du dauernd quasselst? ›Oho‹, hast du gesagt, ›ich weiß einen feinen Laden mit einer Koppel für die Pferde, wo ein Bach durchläuft – gehört einem Freund von mir, der gibt euch 'ne Flasche Whisky, noch ehe er euch die Hand gibt!‹ Den Laden möcht' ich jetzt gern mal sehen, bloß aus Neugier, denn ich glaub' dir aufs Wort, wie du weißt ... *aber* ...«
Jim lachte. »Vergiß nicht, Jo, da ist auch noch 'ne Frau, mit blauen Augen und blonden Haaren, die verspricht dir noch ganz was andres, ehe sie dir die Hand gibt. Da versuch mal, mit fertig zu werden!«
»Bist schon bekloppt von der Hitze, was?« sagte Jo. Aber er drückte dem Pferd die Knie in die Flanken. Wir holperten weiter. Ich ritt wie im Halbschlaf und hatte einen beängstigenden Traum, daß die Pferde überhaupt nicht mehr weiterkämen, und dann, daß ich auf einem Schaukelpferd ritt und meine Mutter mich auszankte, weil ich so furchtbar viel Staub vom Wohnzimmerteppich aufwirbelte. ›Du hast schon das ganze Muster vom Teppich abgewetzt‹, hörte ich sie sagen, und dabei zerrte sie am Zügel. Ich schniefte und wachte auf und sah Jim, der sich boshaft lächelnd zu mir herüberbeugte.
»In den vorletzten Minute!« sagte er. »Hab' dich gerade noch erwischt! Was ist denn? Heia-heia gemacht?«
»Nein!« Ich hob den Kopf. »Gott sei Dank – wir landen irgendwo!«
Wir waren auf einer Hügelkuppe, und unter uns sah ich eine Hütte mit einem Wellblechdach. Sie stand ziemlich abseits der Straße in einem Garten, gegenüber von einer großen Koppel und einem Bach mit einer Gruppe junger Weidenbäumchen. Ein blauer Rauchfaden stieg senkrecht aus dem Schornstein der Hütte, und während ich noch hinsah, trat eine Frau heraus, hinter ihr ein Kind und ein Hund; die Frau hatte etwas in der Hand, was mir wie ein schwarzer

Stecken vorkam. Sie machte uns Zeichen. Die Pferde setzten zu einem Endspurt an. Jo riß sich den Schlapphut vom Kopf, johlte, warf sich in die Brust und sang: »Mich kümmert's alles einen Dreck ...« Die Sonne brach durch bleiche Wolken und warf ein kräftiges Licht auf das Bild. Sie glomm im blonden Haar der Frau, auf ihrer flatternden Schürze und der Flinte in ihrer Hand. Das Kind versteckte sich hinter ihrem Rock, und der lohfarbene Hund, ein räudiger Köter, trottete mit eingezogenem Schwanz in die Hütte zurück. Wir zogen die Zügel an und stiegen ab.

»Hallo«, kreischte die Frau, »hab' geglaubt, ihr seid drei Bussarde! Meine Kleine kommt zu mir gerannt: ›Mumma‹, schreit sie, ›da kommen drei Braune über die Kuppe!‹ Und ich wie der Blitz raus, kann ich euch sagen. ›Sicher sind's Bussarde‹, sag' ich zu ihr. Und ihr würdet's nicht glauben, was für Bussarde es hierherum gibt!«

Die ›Kleine‹ wagte sich mit einem Auge hinter der Schürze ihrer Mutter hervor – und zog sich wieder zurück.

»Wo ist dein Alter?« fragte Jim.

Die Frau blinzelte ein paarmal und verzog das Gesicht.

»Fort. Schafscheren! Schon seit einem Monat. Ihr wollt hoffentlich nicht bleiben? Ein Unwetter zieht rauf.«

»Klar woll'n wir bleiben«, sagte Jo. »Sie sind also ganz allein, Missus?«

Sie stand da, strich über die Rüsche ihrer Schürze und musterte uns nacheinander wie ein hungriger Vogel. Ich mußte lachen, wenn ich dran dachte, was Jim uns über sie vorerzählt hatte. Ihre Augen waren zwar blau, und das bißchen Haar, das sie hatte, war blond, aber es war häßlich. Sie war die reinste Karikatur. Wenn man sie ansah, meinte man, unter der Schürze wäre nichts als Stöcke und Drähte; die Vorderzähne waren eingeschlagen, die Hände waren rot und aufgequollen, und an den Füßen trug sie schmutzige Halbschuhe.

»Ich will mal erst die Pferde auf die Koppel lassen«, sagte Jim. »Hast du was zum Einreiben? Poi hat sich verdammt wund gerieben!«

»Halt! Warte mal!« Die Frau stand einen Augenblick still, aber sie atmete so heftig, daß sich ihre Nasenflügel blähten.

Dann brüllte sie wie wild: »Ich möcht' nicht, daß ihr bleibt... Ihr könnt nicht, und damit Schluß! Die Koppel vermiete ich schon lang nicht mehr. Ihr müßt weiter; ich hab' nix für euch!«
»Das soll doch der Teufel holen!« ärgerte sich Jo. Er nahm mich auf die Seite. »Hat ein paar Schrauben locker!« flüsterte er bedeutsam. »Zuviel allein, verstehst du! Man muß das freundliche Register ziehen, dann wird sie sich's überlegen.« Aber es war nicht mehr nötig – sie hatte sich's schon überlegt.
»Dann bleibt meinetwegen«, murrte sie und zuckte die Achsel. Zu mir gewandt: »Ich gebe Ihnen das Mittel zum Einreiben, wenn Sie mitkommen.«
»Fein, dann bring' ich's denen auf die Koppel!« Wir gingen zusammen den Gartenweg entlang. Er war auf beiden Seiten mit Kohl bepflanzt. Er roch wie abgestandenes Spülwasser. Blumen waren auch ein paar da: gefüllter Mohn und Bartnelken. Ein kleiner Fleck war mit Palmwedeln abgeteilt – wahrscheinlich gehörte er der Kleinen, denn sie trennte sich von der Mutter und begann die Erde mit einer zerbrochenen Wäscheklammer umzugraben. Der lohfarbene Hund lag auf der Schwelle und flöhte sich. Die Frau gab ihm einen Fußtritt.
»Scht! Scher dich, du Vieh! ... Alles ist unordentlich. Hab' heut noch keine Zeit zum Aufräumen gehabt – mußte bügeln. Kommen Sie nur mit!«
Es war ein großer Raum. Die Wände waren mit Bildern aus alten englischen Zeitschriften beklebt. Die neueste Nummer war anscheinend das Regierungsjubiläum der Königin Victoria. Ein Tisch mit einem Bügelbrett und einem Waschzuber darauf, ein paar Holzbänke, ein schwarzes Roßhaarsofa und ein paar an die Wand geschobene, zerbrochene Korbstühle. Der Sims über dem Kamin war mit rosa Papier ausgeschlagen und außerdem mit getrockneten Gräsern und Farnkraut und einem Buntdruck von Richard Seldon geschmückt. Vier Türen waren da: eine führte, dem Geruch nach zu schließen, in den ›Laden‹, eine auf den Hof, und durch eine dritte sah ich ins Schlafzimmer. Fliegen sirrten in Kreisen unter der Decke herum, und Streifen mit Fliegen-

leim und Büschel getrockneten Klees waren an die Fenstervorhänge geheftet.
Ich war allein im Zimmer; sie war in den Laden gegangen und suchte das Mittel zum Einreiben. Ich hörte sie herumstapfen und vor sich hinbrummen: »Ich hatte welche – wo hab' ich die Flasche hingestellt? Hinter die Gewürzgurken? Nein, da ist sie auch nicht!« Ich machte eine Ecke auf dem Tisch frei, setzte mich und ließ die Beine baumeln. In der Koppel unten konnte ich Jo singen hören und die Hammerschläge, mit denen er die Zeltpflöcke in den Boden trieb. Die Sonne ging schon unter. In unserm Neuseelandklima gibt es keine Dämmerung, nur eine sonderbare halbe Stunde, in der alles grotesk und furchterregend wirkt – als wanderte der wilde Geist des Landes umher und hohnlachte über das, was er sah. Als ich so allein in dem häßlichen Zimmer saß, wurde mir bange. Die Frau nebenan brauchte viel Zeit, um das Zeugs zu finden. Was tat sie bloß da drin? Einmal war mir so, als hörte ich sie mit der Faust auf den Ladentisch schlagen, und einmal fing sie an zu stöhnen, verbarg es aber unter Husten und Räuspern. Ich wollte ihr zurufen: ›Mach dalli!‹, aber ich blieb stumm.
›Großer Gott, was für ein Leben!‹ dachte ich. ›Wenn man sich vorstellt: tagein tagaus hier mit dieser Ratte von Kind und dem räudigen Hund zu hausen! Und sich da noch mit Bügeln abmühen! Klar ist sie verrückt! Wie lange mag sie schon hier sein? Ob ich sie zum Reden bringen kann?‹
Endlich steckte sie den Kopf durch den Türspalt.
»Was hatten Sie haben wollen?«
»Was zum Einreiben!«
»Ach, ich hab's vergessen! Hab's ja schon – hat vor den Gurkengläsern gestanden.« Sie gab mir die Flasche.
»Meine Güte, Sie sehen aber müde aus! Soll ich Ihnen zum Abendbrot ein paar Grützkuchen aufwärmen? Im Laden ist auch noch 'ne Pökelzunge, und wenn Sie wollen, kann ich Ihnen Kohl kochen!«
»Prima!« Ich lächelte ihr zu. »Kommen Sie zum Teetrinken in die Koppel runter, und bringen Sie die Kleine mit!«
Sie schüttelte den Kopf und verzog den Mund.

»Nein, nein! Dazu hab' ich keine Lust. Ich schick' aber die Kleine mit den Sachen runter – und mit 'ner Kanne Milch. Soll ich ein paar Grützkuchen extra machen, die ihr morgen mitnehmen könnt?«
»Ja, bitte!«
Sie blieb in der Tür stehen.
»Wie alt ist die Kleine?«
»Sechs – nächste Weihnachten. Hab' ein bißchen Mühe mit ihr gehabt, mal dies, mal das. Hab' zuerst keine Milch für sie gehabt, den ganzen ersten Monat nicht, und sie hat so hingekränkelt wie 'n Kalb.«
»Sie gleicht Ihnen gar nicht – schlägt wohl dem Vater nach, was?« So wie die Frau uns vorhin wütend abgewiesen hatte, schrie sie mich jetzt wieder an.
»Keine Spur! Sie ist mir aus den Augen geschnitten! Das sieht doch jeder Doofkopp! Komm jetzt rein, Else, und hör auf, im Dreck rumzumanschen!«
Ich traf Jo, als er über den Zaun der Koppel kletterte.
»Was hat die alte Ziege denn alles in ihrem Laden?«
»Weiß nicht – hab' nicht nachgeschaut!«
»Na, so dumm! Jim schimpft auf dich! Was hast du denn die ganze Zeit gemacht?«
»Gewartet – sie konnte das Zeugs nicht finden. Lieber Himmel, siehst du aber flott aus!«
Jo hatte sich gewaschen, das nasse Haar über der Stirn in eine gerade Linie gekämmt und eine Jacke über sein Hemd geknöpft. Er grinste.
Jim riß mir die Flasche aus der Hand. Ich ging ans untere Ende der Koppel, wo die Weiden wuchsen, und badete im Bach. Das Wasser war klar und so weich wie Öl. Weißer Schaum kreiste und sprudelte längs der mit Gras und Binsen bestandenen Ufer. Ich lag im Wasser und blickte in die Bäume hinauf, die einen Augenblick still waren, dann leise zitterten und wieder still waren. Die Luft roch nach Regen. Ich vergaß die Frau und das Kind, bis ich wieder zum Zelt kam. Jim lag vor dem Feuer und beobachtete, wie der Blechkessel kochte. Ich fragte ihn, wo Jo war, und ob das Kind unser Abendbrot gebracht hätte.

»Pah!« sagte Jim, rollte sich herum und starrte in den Himmel. »Hast du nicht gesehen, wie Jo sich aufgedonnert hat? Bevor er zur Hütte rauf ist, hat er zu mir gesagt: ›Verdammt noch eins, bei Abendbeleuchtung wird sie schon besser aussehen – und es ist Weiberfleisch, mein Junge!«
»Du hast Jo schön angeführt mit ihrem Aussehen – und mich auch!«
»Nein – hör mal her! Ich kann's nicht begreifen! Vor vier Jahren bin ich zuletzt hier vorbeigekommen und bin zwei Tage geblieben. Ihr Mann war mal ein guter Freund von mir, unten an der Westküste, ein feiner, großer Bursche mit einer Stimme wie 'ne Posaune. Und sie war Barmaid unten an der Küste – und hübsch wie 'ne Porzellanpuppe! Damals kam die Postkutsche alle vierzehn Tage hier durch, das war, bevor sie die Bahnlinie nach Napier rauf gebaut haben, und da hatte sie einen Mordsbetrieb! Hat mir mal in einem vertraulichen Augenblick erzählt, daß sie hundertfünfundzwanzig Arten von Küssen kennt!«
»Ach, hör auf, Jim! Das ist doch nicht dieselbe Frau!«
»Bestimmt ist sie's! Ich kann's nicht begreifen! Kann mir nur vorstellen, daß der Mann abgehauen ist und sie sitzengelassen hat: das mit dem Schafscheren ist geflunkert! Herrje, was für'n Leben! Die einzigen Leute, die jetzt hier vorbeikommen, sind Maori und Landstreicher.«
Durch die Finsternis sahen wir die Schürze der Kleinen schimmern. Sie kam angezottelt, in der einen Hand den Korb, in der andern die Milchkanne. Ich packte den Korb aus, und das Kind stand herum.
»Komm mal her!« sagte Jim und schnalzte mit den Fingern. Sie kam näher. Die Lampe vom Zelt innen warf einen hellen Lichtschein auf sie. Ein mickeriges, zurückgebliebenes Gör mit weißlichem Haar und schwachen Augen. Breitbeinig stand sie da und streckte den Bauch vor.
»Was machst du so den ganzen Tag?« fragte Jim.
Sie bohrte mit dem kleinen Finger im Ohr, betrachtete das Ergebnis und antwortete: »Ich male!«
»Oho! Was malst du denn? Laß mal dein Ohr in Ruhe!«
»Bilder!«

»Wo drauf?«
»Auf Einwickelpapier und mit 'n Bleistift von meiner Mumma!«
»Was – soviel Worte auf einmal?« Jim riß die Augen auf. »Wohl Mähschäfchen und Muhkühe?«
»Nein – alles! Ich mal' euch alle, wenn ihr weg seid, und eure Pferde und das Zelt und die da« – sie zeigte auf mich – »mit keinen Kleidern an, im Bach unten. Hab' sie betrachtet, von wo sie mich nicht gesehen hat!«
»Besten Dank! Bist 'ne tolle Motte!« sagte Jim. »Wo ist dein Papa?«
Die Kleine schmollte.
»Das sag' ich dir nicht, weil ich dein Gesicht nicht leiden kann!« Sie nahm sich das andre Ohr vor.
»Komm«, sagte ich, »nimm den Korb und geh nach Hause und sag dem andern Mann, das Abendbrot ist fertig.«
»Will ich aber nicht!«
»Ich geb' dir eins hinter die Ohren, wenn du's nicht tust!« sagte Jim aufgebracht.
»Ihhh! Das sag' ich Mumma! Das sag' ich Mumma!« Damit riß sie aus.
Wir aßen, bis wir platzten, und waren bei den Zigaretten angelangt, ehe Jo zurückkam – puterrot und fidel, in der Hand eine Whiskyflasche.
»Hier – trinkt mal, ihr beiden!« rief er und tat großherrlich. »Her mit den Bechern!«
»Hundertfünfundzwanzig verschiedene Arten«, raunte ich Jim zu.
»Was war das? Ach, hört doch auf!« murrte Jo. »Warum müßt ihr immer auf mir rumhacken? Du quasselst wie'n Kind beim Kindergottesdienst! Sie möchte, daß wir heut abend raufkommen und gemütlich schwatzen!« Er winkte großartig mit der Hand. »Ich hab' sie rumgekriegt!«
»Das trau' ich dir glatt zu!« lachte Jim. »Aber hat sie dir auch gesagt, wo ihr Alter abgeblieben ist?«
Jo blickte auf.
»Schafscheren! Hast es doch gehört, Dummkopf!«

Die Frau hatte das Zimmer jetzt aufgeräumt und sogar einen kleinen Strauß Bartnelken auf den Tisch gestellt. Sie und ich saßen an der einen Tischseite, Jo und Jim an der andern. Zwischen uns stand die Petroleumlampe, die Whiskyflasche mit den Gläsern und ein Krug Wasser. Die Kleine kniete vor der einen Bank und malte auf Einwickelpapier; ich fragte mich ergrimmt, ob sie sich an der Bachepisode versuchte. Jo hatte recht gehabt mit dem Aussehen bei Abendbeleuchtung. Das Haar der Frau war ein bißchen wirr, zwei rote Flecke brannten ihr auf den Wangen, ihre Augen leuchteten, und wir wußten, daß die beiden unter dem Tisch füßelten. Die Schürze hatte sie gegen eine weiße Morgenjacke und einen schwarzen Rock vertauscht – und sogar das Kind war herausgeputzt, wenn auch bloß mit einem blauseidenen Haarband. In dem stickigen Zimmer, in dem die Fliegen gegen die Decke prallten und auf den Tisch fielen, wurden wir allmählich betrunken.
»Jetzt hört mir mal zu!« schrie die Frau und schlug mit der Faust auf den Tisch. »Sechs Jahre bin ich jetzt verheiratet – und vier Fehlgeburten! Ich sag' zu ihm: ›Was glaubst du eigentlich‹, sag' ich, ›zu was ich hier bin? Wenn du wieder an der Küste unten wärst, würd' ich dich lynchen lassen wegen Kindermord!‹ Immer wieder und wieder hab' ich's ihm gesagt: ›Du hast mir allen Mut genommen und mein Aussehen ruiniert, und wofür?‹ Und wofür – darauf wollt' ich hinaus.« Sie griff sich mit beiden Händen an den Kopf und starrte uns reihum an. Rasch sprach sie weiter: »Oh, manche Tage – aber monatelang – hör' ich das Wort dauernd in mir klopfen: ›Wofür?‹, und manchmal, wenn ich Kartoffeln koche und hebe den Deckel ab, um reinzustechen, dann hör' ich's plötzlich ganz deutlich: ›Wofür?‹ Oh, ich meine ja nicht bloß die Kartoffeln und das Kind, ich meine – ich meine«, sie rülpste –, »na, Sie wissen wohl, was ich meine, Mr. Jo!«
»Ich weiß«, sagte Jo und kratzte sich den Kopf.
»Das Schlimme für mich war, daß er mich zuviel allein gelassen hat!« Sie beugte sich über den Tisch. »Als die Postkutsche nicht mehr hier durchfuhr, ist er manchmal tagelang und manchmal wochenlang weggegangen und hat's mir über-

lassen, mich um den Laden zu kümmern. Dann kam er wieder – quietschvergnügt. ›Oh, hallo!‹ ruft er. ›Wie geht's, wie steht's? Komm, gib mir'n Kuß!‹ Manchmal bin ich 'n bißchen eklig geworden, und da ist er gleich weg, und wenn ich's mir hab' gefallen lassen, hat er gewartet, bis er mich um den Finger wickeln konnte, und dann hat er gesagt: ›Na, leb schön wohl, ich muß jetzt weg!‹ Und glauben Sie, ich hätt' ihn halten können? Ausgeschlossen!«

»Mumma«, quäkte das Kind, »ich hab' ein Bild von den dreien auf der Kuppe gemalt, und von dir und mir und dem Hund hier unten!«

»Halt die Klappe!« sagte die Frau.

Ein greller Blitz züngelte durchs Zimmer, und wir hörten den Donner murren.

»Gut, daß es ausgebrochen ist«, sagte Jo. »Ich hab's seit drei Tagen in meinem Kopf gespürt!«

»Wo ist Ihr Mann jetzt?« fragte Jim langsam.

Die Frau schluchzte auf und ließ den Kopf auf den Tisch fallen: »Jim, er ist auf die Schur und hat mich wieder allein gelassen!« jammerte sie.

»Heda, aufgepaßt mit den Gläsern!« sagte Jo. »Prosit! Nehmen Sie noch einen Schluck! Es nützt nichts, über fortgelaufene Männer zu weinen! Jim, du bist ein elender Blödmann!«

»Mr. Jo«, sagte die Frau und trocknete sich die Augen an der Rüsche ihrer Jacke, »Sie sind ein Gent, und wenn ich 'ne Frau wäre, die Geheimnisse hat – mein ganzes Vertrauen würde ich auf Sie setzen! Und da drauf will ich gern noch einen trinken!«

Von Minute zu Minute wurden die Blitze greller, und der Donner kam immer näher. Jim und ich schwiegen. Die Kleine rührte sich nicht von der Bank weg – während sie zeichnete, steckte sie die Zungenspitze heraus und schnaufte übers Papier.

»Es kommt von der Einsamkeit«, sagte die Frau zu Jo, der sie verliebt anglotzte, »und daß man hier wie 'ne Gluckhenne eingesperrt ist!« Er reichte ihr über den Tisch hinweg seine Hand und hielt ihre Hand fest, und obwohl diese Stellung furchtbar unbequem schien, wenn sie Wasser oder Whisy

weiterreichen wollten, blieben ihre Hände doch wie geleimt ineinander liegen. Ich schob meinen Stuhl zurück und ging zu der Kleinen hinüber, die sich sofort auf ihre künstlerischen Heldentaten setzte und mir eine Fratze schnitt.
»Du darfst es nicht anschauen!« sagte sie.
»Ach was, sei nicht eklig!« Jim war zu uns gekommen, und wir waren beide so betrunken, daß es uns gelang, die Kleine zu beschwatzen, bis sie uns die Bilder zeigte. Sie waren ganz ungewöhnlich und abstoßend ordinär. Schöpfungen einer Verrückten, ausgeführt mit der Abgefeimtheit einer Verrückten. Der Geist der Kleinen war krank, daran konnte man nicht zweifeln. Und während sie uns die Bilder zeigte, steigerte sie sich in eine tolle Erregung hinein und lachte und zitterte und fuchtelte mit den Armen.
»Mumma«, kreischte sie, »jetzt will ich ihnen das malen, wovon du gesagt hast, ich darf's niemals tun! Jetzt tu' ich's!«
Die Frau stürzte vom Tisch herüber und schlug das Kind mit der flachen Hand auf den Kopf.
»Ich hau' dich auf den nackten Hintern, wenn du dich unterstehst und das noch mal sagst!« schrie sie. Jo war zu betrunken, um etwas zu begreifen, aber Jim fiel ihr in den Arm. Das Kind ließ keinen Mucks hören. Es lief zum Fenster und begann, Fliegen vom Fliegenfänger abzuzupfen.
Wir gingen an den Tisch zurück – Jim und ich saßen auf der einen Seite, die Frau und Jo saßen Schulter an Schulter auf der andern Seite. Wir lauschten auf den Donner, sagten dümmlich: »Das war ganz nah«, oder »Wieder einer!«, und Jo ulkte bei einem schweren Schlag: »Abfahrt! Festhalten!«, bis endlich der Regen scharf wie Gewehrfeuer auf das Blechdach prasselte.
»Sie sollten lieber hier oben übernachten!« sagte die Frau.
»Ja, wirklich«, sagte Jo, der offensichtlich über diese Wendung schon im Bilde war.
»Holt eure Sachen vom Zelt rauf! Ihr beide könnt im Laden schlafen – bei der Kleinen –, sie ist's gewöhnt, dort zu schlafen und stört sich nicht an euch!«
»Oh, Mumma«, wurde sie vom Kind unterbrochen, »noch nie habe ich im Laden geschlafen!«

»Halt den Mund und lüge nicht! Und Mr. Jo kann das Zimmer hier haben!«
Die Verteilung kam uns lächerlich vor, aber es hatte keinen Sinn, ihnen zu widersprechen, sie waren zu betrunken. Während die Frau den Schlachtplan entwarf, saß Jo hochrot und ungewöhnlich ernst mit hervorquellenden Augen da und zupfte an seinem Schnurrbart.
»Gib mir eine Laterne«, sagte Jim, »ich geh zur Koppel runter.« Wir zwei gingen zusammen. Der Regen peitschte uns ins Gesicht, die Gegend war hell, als wütete ein Buschfeuer. Wir benahmen uns wie zwei Kinder, die mitten im schönsten Abenteuer steckten, lachten und überschrien uns, und als wir wieder bei der Hütte anlangten, war das Kind schon auf dem Ladentisch zu Bett gebracht worden. Die Frau gab uns eine Lampe. Jo nahm sein Bündel von Jim in Empfang, und die Tür wurde geschlossen.
»Allerseits gute Nacht!« brüllte Jo.
Jim und ich saßen auf zwei Kartoffelsäcken. Nicht ums liebe Leben hätten wir aufhören können zu lachen. Von der Decke baumelten Zwiebelschnüre und Räucherwaren, und wohin wir auch schauten, überall waren Plakate für ›Campkaffee‹ und Büchsenfleisch. Wir deuteten darauf und versuchten sie uns vorzulesen, doch Gelächter und Schluckauf überwältigten uns. Die Kleine auf dem Ladentisch starrte uns an. Sie warf die Decke beiseite, kletterte auf den Fußboden hinunter und stand in ihrem grauen Flanellhemd da, ein Bein gegen das andre reibend. Wir beachteten sie nicht.
»Worüber lacht ihr?« fragte sie unsicher.
»Über dich!« schrie Jim. »Über das ganze Lumpenpack!«
Sie wurde fuchsteufelswild und schlug mit den Fäusten um sich. »Ich laß mich nicht auslachen von euch – euch Kötern!«
Jim stürzte sich auf sie und schwenkte sie auf den Ladentisch.
»Schlaf endlich, du Frechdachs! Oder mal uns ein Bild! Da hast du einen Bleistift – kannst in Mamas Kontobuch malen!«
Trotz des Regens hörten wir, wie Jo über die knarrenden Dielen des Nebenzimmers schlich – wie eine Tür geöffnet wurde – und ins Schloß fiel.

»Das kommt von der Einsamkeit«, tuschelte Jim.
»Hundertfünfundzwanzig verschiedene Arten – ach du liebe Güte!«
Die Kleine riß eine Seite aus dem Kontobuch und warf sie mir zu.
»Da habt ihr's«, sagte sie. »Jetzt hab' ich's doch gemalt – Mumma zum Trotz, weil sie mich mit euch beiden hier eingesperrt hat. Ich hab' das eine gemalt, wovon sie gesagt hat, ich darf's niemals tun. Ich hab' das eine gemalt, wovon sie gesagt hat, sie erschießt mich, wenn ich's tu'. Mir egal! Mir egal!«
Die Kleine hatte ein Bild von der Frau gezeichnet, wie sie einen Mann mit einer Krähenflinte erschießt und dann ein Loch buddelt, um ihn darin zu vergraben.
Sie sprang vom Ladentisch herunter, krümmte sich auf dem Fußboden und biß sich die Nägel.
Jim und ich saßen bis zum Morgengrauen auf, neben uns die Zeichnung. Es hörte auf zu regnen, die Kleine schlief ein und atmete laut. Wir erhoben uns, stahlen uns aus der Hütte und liefen zur Koppel hinunter. Weiße Wolken zogen über den rötlichen Himmel – ein kühler Wind wehte; die Luft roch nach feuchtem Gras. Im Moment, als wir uns in den Sattel schwangen, trat Jo aus der Hütte: er winkte uns, loszureiten.
»Ich hole euch später ein!« schrie er.
Dann eine Wegbiegung – und der Ort war verschwunden.

Ole Underwood *(Für Anne Estelle Rice)*

Ole Underwood stelzte den windumbrausten Hügel hinab. In der einen Hand trug er einen schwarzen Schirm, in der andern ein rotes, weiß getupftes Taschentuch, das zu einem Klumpen verknotet war. Auf dem Kopf hatte er eine schwarze Schirmmütze, wie sie die Lotsen haben; goldene Ringe blinkten an seinen Ohren, und seine kleinen Augen fuhren wie Funken umher. Wie zwei Funken glommen sie in seinem düsteren, bärtigen Gesicht. Auf der einen Seite des Hügels zog sich ein Kiefernwald von der Landstraße bis ganz ans Meer hinunter. Auf der andern Seite wuchsen niedrige Grasschöpfe und kleine Sträucher der weiß blühenden Manuka. Die obersten Zweige der Kiefern heulten wie Meeresbrandung, die Stämme knarrten wie Schiffsmasten; die weißen Manukablüten flogen durch die stürmische Luft.
»He-ho!« schrie Ole Underwood, und mit seinem Schirm drohte er dem Wind, der über ihn herfiel und ihn peitschte und in seinem schwarzen Cape fast abwürgte. »He-ho!« schrie der Wind hundertmal so laut und jagte ihm Staub in Mund und Nase. In Ole Underwoods Brust pochte etwas wie ein Hammer. Ein-zwei, eins-zwei, nie hörte es auf, nie wurde es anders. Er konnte nichts dagegen tun. Es war nicht laut. Nein, es machte keinen Lärm. Es pochte bloß. Eins-zwei, eins-zwei, wie jemand, der in einem Gefängnis auf ein Eisen schlägt, jemand in einem verborgenen Winkel, bum-bum-bum, der freikommen will. Er mochte tun, was er wollte, an seinem Cape zerren, mit den Armen um sich schlagen, ausspucken, fluchen – aber das Geräusch konnte er nicht zum Verstummen bringen. Schluß! Schluß! Schluß! Schluß! Ole Underwood begann schneller zu schusseln und rannte schließlich.
Tief unten wogte das Meer gegen die Steindämme; knapp außerhalb seiner Reichweite lag das Städtchen und drängte sich dicht zusammen, um dem grauen Gewässer besser zu trotzen. Gegenüber, auf der andern Seite des Hügels, erhob sich weiter oben das Gefängnis mit seinen hohen roten Mau-

ern. Ein grauer Himmel mit schwarzen, zerflatternden Spinnwebwolken wölbte sich über allem.
Als er sich dem Städtchen näherte, verlangsamte Ole Underwood seine Schritte, und als er zum ersten Haus kam, schwenkte er seinen Schirm wie einen Heroldsstab und warf sich in die Brust, während sein Kopf sich rasch von rechts nach links drehte. Die in die Stadt führenden Häuschen waren häßlich, klein und nur aus Holz gebaut, mit zwei Fenstern und einer Tür, einer stummelbeinigen Veranda und einem Grasfleck davor. Unter der einen Veranda hatten sich braune Hühner hingekauert, um dem Wind zu entrinnen. »Schu-uh!« zischte Ole Underwood und lachte, als er sie wegflattern sah, und lachte erst recht über die Frau, die an die Tür kam und ihm mit ihrer seifigen roten Faust drohte. In einem andern Vorgarten stand ein kleines Mädchen und holte ein paar Lappen von der Wäscheleine. Als sie Ole Underwood erblickte, ließ sie den Klammerbeutel fallen, stürzte schreiend zur Haustür und hämmerte dagegen: »Mumma! Mumma!« Das setzte den Hammer in Ole Underwoods Herz wieder in Gang. Mum-ma! Mum-ma! Im Geiste sah er ein altes Gesicht mit zitterndem Kinn und grauem Haar aus einem Fenster nicken, als sie ihn abschleppten. Mum-ma! Mum-ma! Er blickte zum großen roten Gefängnis hinauf, das auf dem Abhang thronte, und verzog das Gesicht, als wollte er weinen.
Vor der Kneipe an der Ecke standen ein paar Wagen, und auf der Veranda saßen einige Männer, die tranken und schwatzten. Ole Underwood wollte auch trinken. Er schusselte in den Schankraum, der halb voll war von alten und jungen Männern in riesigen Mänteln und Schaftstiefeln, Peitschenstöcke in der Hand haltend. Hinter dem Schanktisch bediente ein großes, rothaariges Mädchen die Bierhähne und war keß zu den Männern. Ole Underwood drückte sich wie eine Katze auf die Seite. Niemand sah ihn an; die Männer wechselten nur einen kurzen Blick, und einer oder zwei stießen einander mit dem Ellbogen an. Das Mädchen nickte und zwinkerte dem Mann zu, den sie gerade bediente. Ole Underwood nahm ein paar Münzen aus seinem zusammenge-

knoteten Tuch und schob sie auf den Schanktisch. Seine Hand zitterte. Er sagte kein Wort. Das Mädchen beachtete ihn nicht; sie bediente jedermann und schwatzte immer weiter, und dann – wie aus Versehen – schob sie ihm ein Seidel hin. Eine große, schwere Vase mit roten Nelken stand auf dem Schanktisch. Ole Underwood starrte sie an, während er trank, starrte sie stirnrunzelnd an. Rot-rot-rot-rot! pochte der Hammer. Im Schankraum war es sehr warm und so still wie auf einem Teich – abgesehen vom Geschwätz und dem Mädchen. Sie lachte unentwegt. Ha! Ha! So etwas sahen die Männer gerne, denn sie warf den Kopf zurück, und bei ihrem Gelächter hoben sich ihre dicken Brüste und wackelten.
In einer Ecke saß ein Fremder. Er wies auf Ole Unterwood.
»Verrückt!« sagte einer der Männer. »Als er ein junger Bursche war, dreißig Jahre mag's her sein, hat ihm hier ein Mann seine Frau genommen, und er hat's entdeckt und hat sie umgebracht. Hat zwanzig Jahre dafür gesessen, im Kittchen oben am Berg. Als er rauskam, war er durchgedreht.«
»Wer hat sie genommen?« fragte der Fremde.
»Weiß ich nicht. Er auch nicht. Niemand weiß es. Er war Matrose, bis er sie geheiratet hat. Durchgedreht!« Der Mann spuckte aus, verschmierte den Speichel mit der Schuhspitze auf dem Fußboden und zuckte die Achsel. »Er ist ganz harmlos.«
Ole Underwood hörte es; er drehte sich nicht um, aber er streckte seine alte Klaue aus und zerquetschte die roten Nelken. »Uuuh! Uuuh! Du altes Biest! Uuuh! Du altes Schwein!« kreischte das Mädchen, beugte sich über den Schanktisch und schlug mit einer Blechkanne nach ihm. »Scher dich raus! Scher dich raus! Komm mir ja nie wieder her!« Jemand versetzte ihm einen Fußtritt: er flüchtete wie eine Ratte.
Er ging an den Chinesenläden vorbei. Obst und Gemüse waren in den Schaufenstern aufgehäuft. Der Bürgersteig war mit Splittern von Holzverschlägen und mit Stroh und alten Zeitungen übersät. Eine Frau riß eine Tür auf und kippte ihm einen Eimer Schmutzwasser über die Füße. Er spähte durch die Scheiben und sah sich die Chinesen an, die in kleinen Gruppen auf Fässern saßen und Karten spielten. Er mußte

grinsen über sie. Er glotzte und glotzte, preßte sein Gesicht ans Glas und kicherte. Mit ihren langen Zöpfen, die sie sich um den Kopf gelegt hatten, und den zitronengelben Gesichtern saßen sie ruhig da. Einige hatten Messer im Gürtel stecken, und ein alter Mann saß allein auf dem Boden und spielte mit seinen langen, krummen Zehen. Die Chinesen hatten nichts gegen Ole Underwood. Wenn sie ihn sahen, nickten sie ihm zu. Er ging zur Tür des einen Ladens und öffnete sie vorsichtig. Der Wind brauste mit ihm hinein und blies die Spielkarten umher. »Je-je! Je-je!« schrien die Chinesen; und Ole Underwood sauste weg, und der Hammer pochte laut und wild. Je-je! Er bog um eine Ecke, wo er nicht mehr zu sehen war. Er glaubte, einen der Chinesen hinter sich herlaufen zu hören, und schlüpfte auf einen Zimmerplatz. Dort warf er sich keuchend hin ...

Nicht weit von ihm lag unter einem andern Lattenstoß ein Haufen blonder Späne. Er schaute hin, und sie bewegten sich, und eine kleine graue Katze tauchte auf und kam mit aufgestelltem Schwanz heraus. Sie trippelte zierlich zu Ole Underwood und rieb sich an seinem Ärmel. Der Hammer in Ole Underwoods Herz pochte wie toll. Er hämmerte bis in seine Kehle hinauf. Und dann schien er ein bißchen nachzulassen und nur noch ganz, ganz leise zu klopfen. ›Pussi! Pussi! Pussi!‹ So hatte sie immer die kleine Katze gerufen, die er ihr vom Schiff mitgebracht hatte, ›Pussi! Pussi! Pussi!‹, und sich gebückt, die Untertasse in der Hand. »O mein Gott! Mein Gott!« Ole Underwood setzte sich hoch und nahm das Kätzchen auf den Arm, wiegte es hin und her und drückte es an sein Gesicht. Es war warm und weich und miaute leise. Er vergrub die Augen im Fell der Katze. Mein Gott! Mein Gott! Er steckte die kleine Katze unter sein Cape, schlich sich aus dem Zimmerplatz fort und schlenderte zu den Hafenanlagen hinunter. Als er in die Nähe des Meeres kam, blähten sich seine Nasenflügel. Der tolle Wind roch nach Teer und Tauen und Schlick und Salz. Er überquerte das Bahngleis, glitt hinter den Lagerschuppen und einen beschotterten Weg entlang, der zwischen einem Gewucher wilden Fenchels zu ein paar Betonrohren führte, aus denen das

Abwasser ins Meer floß. Dort blieb er stehen, starrte zu den Verladeplätzen und den Schiffen mit ihren flatternden Wimpeln, und plötzlich überfiel ihn wieder der alte Drang. »Ich tu's! Ich tu's! Ich tu's!« murrte er.
Er zerrte die kleine Katze unter seinem Cape hervor, packte sie beim Schwanz und schleuderte sie zu den Abwässeröffnungen hinaus. Der Hammer pochte laut und heftig. Er warf den Kopf in den Nacken – er war wieder jung! Er ging zu den Verladeplätzen, vorbei an den Ballen mit Wolle und vorbei an Bummlern und Tagedieben, bis ans äußerste Ende des Hafens. Das Meer saugte an den Kaibohlen, als lutsche es etwas vom Land weg. Ein Schiff lud Wolle ein. Er hörte einen Ladebaum rasseln und das schrille Pfeifen der Dampfwinde. Allmählich kam er zu dem kleinen Boot, das ganz für sich allein lag, nur mit einer Planke als Laufsteg, und keine Menschenseele in Sicht – gar niemand. Ole Underwood warf einen einzigen Blick zurück – auf die Stadt – auf das wie ein roter Vogel auf dem Abhang hockende Gefängnis – und auf die schwarzen, zerflatternden Spinnwebwolken. Dann ging er über den Laufsteg und trat auf das schlüpfrige Deck. Er grinste und schwankte beim Gehen und hielt das weiße, rot getupfte Taschentuch hoch in der Hand. Sein Schiff war es! – Mein! Mein! Mein! pochte der Hammer. Auf der Leeseite war eine Tür nur eingehängt: ›Luxus-Kabine‹ stand oben drüber. Er spähte hinein. Ein Mann lag in einer Koje – seiner Koje! – und schlief, ein großer, breitschultriger Mann in einem Seemannsrock mit einem langen, blonden Bart und blonden Haaren – auf einem roten Kopfkissen. Und von der Wand über ihm leuchtete *ihr* Bild auf ihn herab – das Bild *seiner* Frau – und lächelte, lächelte auf den großen, schlafenden Mann herab.

Das kleine Töchterchen

Für das kleine Töchterchen war er eine furchteinflößende Gestalt, der man am besten aus dem Wege ging. Jeden Morgen, ehe er ins Geschäft ging, kam er ins Kinderzimmer und gab Kezia einen flüchtigen Kuß, und sie antwortete mit einem ›Wiedersehen, Vater!‹ Doch ach, wie wunderbar leicht wurde ihr ums Herz, wenn sie hörte, wie das Geräusch seines davonrollenden Buggys auf der langen Straße leiser und leiser wurde!

Und abends, wenn er nach Hause gekommen war und sie sich über das Treppengeländer lehnte, konnte sie seine laute Stimme unten auf dem Flur hören: »Bring mir meinen Tee ins Rauchzimmer ... Ist die Zeitung noch nicht gekommen? Haben sie sie wieder in die Küche verschleppt? Mutter, sieh doch mal nach, ob meine Zeitung draußen ist – und bring mir meine Pantoffeln!«

»Kezia«, pflegte ihre Mutter ihr dann zuzurufen, »wenn du ein braves Kind bist, darfst du nach unten kommen und deinem Vater die Stiefel ausziehen!« Langsam schlich Kezia die Treppe hinunter und hielt sich mit der einen Hand am Geländer fest, und noch langsamer ging sie über den Flur und stieß die Tür zum Rauchzimmer auf.

Er hatte inzwischen seine Brille aufgesetzt und blickte Kezia über die Ränder hinweg auf eine Art an, die das kleine Mädchen stets in Schrecken versetzte.

»Na endlich, Kezia! Beeil dich ein bißchen und zieh mir die Stiefel aus und bring sie in die Küche. Bist du heute ein braves Kind gewesen?«

»Ich w-w-w-w-weiß nicht, Vater.«

»Du w-w-w-w-weißt es nicht? Wenn du so stotterst, muß dich Mutter zum Doktor bringen!«

Sie stotterte nie vor andern Leuten – hatte es längst überwunden –, nur noch vor ihrem Vater, weil sie sich dann besonders anstrengte, die Worte richtig auszusprechen.

»Was ist denn los? Warum siehst du so unglücklich aus? Mutter, du könntest Kezia mal beibringen, nicht wie eine

Selbstmordkandidatin auszusehen!...Hier, komm mal her, Kezia, und trage meine Teetasse wieder auf den Tisch – aber vorsichtig! Deine Hände zittern ja wie Altweiberhände! Und versuch mal, dein Taschentuch in die Tasche zu stecken und nicht in den Ärmel!«

»Ja, V-v-vater!«

Sonntags saß sie bei ihm im Kirchenstuhl und hörte, wie er mit lauter, volltönender Stimme sang; dann sah sie, wie er sich während der Predigt mit einem blauen Bleistiftstummel kleine Notizen auf die Rückseite eines alten Briefumschlags machte, wobei sich seine Augen zu Schlitzen verengten und die Hand zwischendurch auf die Pultleiste trommelte. Seine Gebete sprach er so laut, sicher verstand Gott ihn besser als den Pfarrer, meinte sie.

Er war so groß – seine Hände und sein Hals, und ganz besonders sein Mund, wenn er gähnte. Wenn sie allein im Kinderzimmer an ihn dachte, kam er ihr wie ein Riese vor.

Sonntagnachmittags schickte die Großmutter sie in ihrem Braunsamtenen ins Wohnzimmer hinunter, ›um sich gemütlich mit Vater und Mutter zu unterhalten‹. Aber das kleine Töchterchen fand eine Mutter vor, die im *Sketch* las, und einen Vater, der lang ausgestreckt auf der Couch lag, über dem Gesicht ein Taschentuch, die Füße auf einem der besten Sofakissen: er schlief so fest, daß er schnarchte!

Sie kauerte auf dem Klavierhocker und beobachtete ihn ernst, bis er aufwachte, sich reckte und fragte, wie spät es sei. Und dann fiel sein Blick auf Kezia.

»Glotz nicht so her, Kezia! Du siehst wie eine kleine braune Eule aus!«

Eines Tages, als sie wegen einer Erkältung im Haus bleiben mußte, sagte ihr die Großmutter, daß Vater nächste Woche Geburtstag habe und daß sie ihm als Geschenk aus einem Stück schöner gelber Seide ein Nadelkissen machen könne. Mühsam und mit doppeltem Faden nähte sie die Seide auf drei Seiten zusammen. Aber womit sollte sie es füllen? Es war eine knifflige Frage, denn Großmutter war nicht da – sie war draußen im Garten. Auf der Suche nach ›Finzelchen‹ wanderte Kezia ins Elternschlafzimmer. Auf dem Nachttisch entdeckte sie viele dünne Papierblättchen, raffte sie zusammen und zerfetzte sie in winzige Schnipsel. Damit stopfte sie das Nadelkissen aus und nähte die vierte Seite zu.

Am Abend gab es im ganzen Haus ein Gezeter und Getöse. Vaters wunderbare Rede für die Hafenbehörde war verschwunden. Alle Zimmer wurden abgesucht und die Dienstboten ausgeforscht. Schließlich kam Mutter ins Kinderzimmer.

»Kezia, du hast wohl nicht in unserm Schlafzimmer eine Menge Papiere gesehen?«

»Doch, ja«, sagte das Töchterchen. »Ich hab' sie für Vaters Geschenk aufgebraucht!«

»Was?« schrie Mutter los. »Komm sofort ins Eßzimmer!«

Und sie wurde ins Eßzimmer geschleppt, wo Vater, die Hände auf dem Rücken, hin und her stapfte.

»Hat sie sie?« fragte er scharf.

Mutter erklärte es.

Er blieb stehen und starrte das Töchterchen entgeistert an.

»Das hast du getan?«

»N-n-nein!« flüsterte Kezia.

»Mutter, geh ins Kinderzimmer und hol mir das verdammte Ding – und dann bring das Kind sofort ins Bett!«

Sie weinte so sehr, daß sie es nicht erklären konnte, und dann lag sie im verdunkelten Zimmer und sah, wie die Abendsonne durch die Jalousien sickerte und ein trauriges Gittermuster auf den Fußboden warf.

Als der Vater ins Zimmer kam, hielt er ein Lineal in der Hand.

»Dafür mußt du Schläge bekommen!«

»Ach nein, nein!« bettelte sie und verkroch sich unter der Bettdecke.

Er riß sie weg.

»Setz dich hoch!« befahl er, »und streck die Hände aus! Ich will dir ein für allemal beibringen, daß du nichts anrühren darfst, was dir nicht gehört!«

»Aber es w-w-war für d-d-deinen Geburtstag!«

Das Lineal klatschte auf ihre kleinen rosa Handflächen.

Ein paar Stunden später, als die Großmutter das kleine Mädchen in einen Schal gewickelt und im Schaukelstuhl auf den Schoß genommen hatte, schmiegte sich Kezia fest an sie und schluchzte: »Wozu hat Jesus Väter gemacht?«

»Hier hast du ein frisches Taschentuch, Herzchen, mit ein paar Tropfen von meinem Lavendelwasser. Schlaf jetzt, mein Lämmchen! Morgen früh hast du alles vergessen. Ich hab's Vater nicht erklären können – er war zu aufgeregt!«

Aber sein Töchterchen vergaß es nie. Als sie ihn wiedersah, versteckte sie die Hände schnell auf dem Rücken und wurde glühend rot im Gesicht.

Im Haus nebenan wohnten die Macdonalds. Sie hatten fünf Kinder. Wenn das kleine Mädchen abends durch eine Lücke im Gartenzaun hinüberspähte, sah sie, wie alle zusammen ›Fangen‹ spielten. Der Vater hatte den jüngsten Mac auf dem Rücken, zwei kleine Mädchen hingen ihm an den Rockschößen, und so rannte er dauernd rund um die Gemüsebeete und schüttelte sich vor Lachen. Einmal sah sie sogar, wie die Jungen den Gartenschlauch auf ihn richteten – tatsächlich den Gartenschlauch! –, und er fing sie sich und kitzelte sie, bis sie den Schluckauf hatten.

Daraufhin war Kezia überzeugt, daß es zweierlei Sorten von Vätern geben müsse.

Eines Tages wurde ihre Mutter plötzlich krank und mußte in einem geschlossenen Wagen mit Großmutter in die Stadt fahren.

Das Töchterchen blieb mit Alice, dem ›Mädchen für alles‹, allein im Haus. Solange die Sonne schien, ging es ganz gut, aber als Alice sie zu Bett brachte, bekam Kezia Angst.

»Was soll ich denn machen, wenn ich schlecht träume?« fragte sie. »Ich habe oft schlechte Träume, und dann nimmt mich Großmama zu sich ins Bett – ich kann nicht allein im Dunkeln bleiben – überall fängt's an zu flüstern! . . . Was mach' ich dann?«

»Schlaf du nur, Kind«, sagte Alice, zog ihr die Söckchen aus und schlug sie gegen das Fußende vom Bett, »und laß dir nicht einfallen, deinen armen Papa zu wecken!«

Aber dann hatte sie wieder den furchtbaren alten Traum: ein Metzger mit einem Messer und einem Strick kam immer näher und lachte so gräßlich, und sie konnte sich nicht rühren, konnte nur stillstehen und ›Großmama!‹ rufen. Sie erwachte zitternd, und neben ihrem Bett stand ihr Vater mit einer Kerze in der Hand.

»Was ist denn los?« fragte er.

»Ein Metzger war da – mit einem Messer – wo ist Großmama?« Er blies die Kerze aus, bückte sich und nahm das Kind auf die Arme. So trug er es über den Flur ins Elternschlafzimmer. Auf dem Bett lag eine Zeitung, eine halbgerauchte Zigarre lehnte an der Leselampe. Er schob die Zeitung auf den Fußboden, warf die Zigarre in den Kamin und wickelte das Töchterchen sorgfältig in eine Decke. Dann legte er sich neben sie. Noch im Halbschlaf, und noch voller Angst vor dem grinsenden Metzger, rutschte sie näher an ihn heran, steckte den Kopf unter seinen Arm und hielt sich an seinem Schlafanzug fest.

So machte ihr die Finsternis nichts aus. Sie lag still.

»Reib mal deine Füße an meinen Beinen, damit sie warm werden«, sagte Vater.

Er war so übermüdet, daß er vor ihr einschlief. Wunderliche Gedanken hielten Kezia wach. Der arme Vater! Eigentlich war er doch nicht so riesengroß... Und er hatte niemand, der sich um ihn kümmerte . . . Er war härter als die Großmutter, aber es war eine angenehme Härte . . . Und jeden Tag hatte er soviel Arbeit und konnte nicht spielen wie Mr. Macdonald . . . All sein schönes Geschriebenes hatte sie ihm zerrissen . . . Sie bewegte sich und seufzte.

»Was ist los?« fragte der Vater. »Schon wieder schlecht geträumt?«

»Nein«, sagte das Töchterchen. »Mein Kopf liegt da, wo dein Herz ist. Ich kann's hören! Was für ein großes Herz hast du, lieber Vater!«

Millie stand an die Veranda gelehnt und wartete, daß die Männer außer Sichtweite kämen. Als sie schon sehr weit die Straße hinunter waren, drehte sich Willie Cox auf seinem Pferd um und winkte. Aber sie winkte nicht zurück. Sie nickte nur ein wenig mit dem Kopf und schnitt ein Gesicht. Kein übler junger Mensch, der Willie Cox, doch für ihren Geschmack ein bißchen zu zwanglos. Aber du lieber Himmel, wie heiß es war! Genug, einem das Haar zu braten!
Millie legte sich ihr Taschentuch auf den Kopf und hielt die Hand schützend über die Augen. In der Ferne konnte sie auf der staubigen Straße noch die Pferde als auf und ab tanzende, kleine braune Punkte erkennen, und wenn sie wegblickte – über die versengten Koppeln –, konnte sie sie auch noch sehen, dicht vor ihren Augen, wie Mücken tanzend. Es war halb drei. Die Sonne hing wie ein Brennspiegel am blaßblauen Himmel, und weit weg, jenseits der Koppeln, flimmerten und hüpften die Berge wie das Meer.
Sid konnte nicht vor halb elf zurück sein. Er war mit noch vier Männern zur Ortschaft hinübergeritten, um den jungen Burschen aufzuspüren, der Mr. Williamson ermordet hatte. War es nicht entsetzlich? Und die arme Mrs. Williamson saß nun allein mit all den kleinen Kindern da! Seltsam – sie konnte sich nicht vorstellen, daß Mr. Williamson tot war. Immer war er für einen Witz zu haben. Immer zu Späßen aufgelegt. Willie Cox hatte erzählt, sie hätten ihn in der Scheune gefunden, mitten in den Kopf geschossen, und der junge englische Heini, der auf der Schafstation das Farmen lernte, sei verschwunden. Seltsam – sie konnte sich nicht vorstellen, daß irgendwer Mr. Williamson hätte erschießen wollen, wo er doch so beliebt war. Meine Güte – wenn sie den jungen Mann erwischten! Aber so ein Bursche durfte einem nicht leid tun. Sid hatte es gleich gesagt: wenn so einer nicht aufgehängt würde, wo kämen wir da hin? Und so einer bleibt nicht bei dem einen Mal stehen. Und Willie Cox hatte erzählt, er sei so baff gewesen, daß er aus einer Blutlache ei-

ne Zigarette aufgehoben und geraucht hätte. Meine Güte – er muß ja halb verrückt gewesen sein!
Millie ging wieder in die Küche. Sie streute Asche auf die Glut im Herd und besprengte sie mit Wasser. Gleichgültig räumte sie das Eßgeschirr ab, während ihr der Schweiß übers Gesicht lief und von Nase und Kinn tropfte. Dann ging sie ins Schlafzimmer, musterte sich in dem mit Fliegenschmutz bekleckstem Spiegel und wischte sich Gesicht und Hals mit einem Handtuch ab. Sie wußte nicht, was heute mit ihr los war. Am liebsten hätte sie sich gründlich ausgeweint – bloß so, ohne Grund – und dann eine frische Bluse angezogen und eine ordentliche Tasse Tee getrunken. Ja, so war ihr zumute! Sie ließ sich auf die Bettkante fallen und stierte auf den Buntdruck an der gegenüberliegenden Wand, *Gartenfest auf Schloß Windsor*. Im Vordergrund smaragdgrüne Rasenflächen mit himmelhohen Eichen, und in ihrem freundlichen Schatten ein Durcheinander von Damen und Herren und Sonnenschirmen und kleinen Tischen. Den Hintergrund füllten die Türme von Schloß Windsor mit drei flatternden *Union Jacks* aus, und in der Mitte des Bildes war die alte Queen – genau wie ein Teewärmer mit einem Köpfchen obendrauf. ›Möcht' mal wissen, ob es wirklich so ausgesehen hat?‹ Millie starrte die blütenschönen Damen an, die ihr einfältig zulächelten. ›So was würde mir keinen Spaß machen! Zu affektiert! Und obendrein die Queen und alles Drum und Dran!‹
Über ihrem Frisiertisch (aus einer alten Packkiste) hing eine große Photographie von ihr mit Sid, an ihrem Hochzeitstag aufgenommen. Ein nettes Bild, wenn man so wollte. Sie saß in ihrem sahneweißen Kaschmirkleid mit den Atlasbändern in einem Korbstuhl, und Sid stand hinter ihr, hatte die eine Hand auf ihre Schulter gelegt und blickte auf ihren Brautstrauß. Und hinter ihnen waren Baumfarne und ein Wasserfall, und ganz in der Ferne der schneebedeckte Mount Cook. Sie hatte ihren Hochzeitstag fast vergessen; die Zeit verging so schnell, und wenn man niemanden hatte, mit dem man plaudern konnte, dann geriet alles bald in Vergessenheit. ›Möcht' mal wissen, weshalb wir keine Kinder gehabt haben ...‹ Sie zuckte die Achseln ... und gab's auf. ›Ach, *mir*

haben sie nie gefehlt. Aber mich sollt's gar nicht wundern, wenn sie Sid gefehlt hätten. Er ist weicher als ich.‹

Und dann saß sie ruhig da und dachte an gar nichts, hatte die roten, geschwollenen Hände in die Schürze gewickelt und die Füße von sich gestreckt, und der kleine Kopf mit der dicken Flechtenkrone dunkler Haare sank ihr auf die Brust. Ticktack, machte die Küchenuhr. Asche klickte durch den Rost, und die Jalousie klopfte gegen das Küchenfenster. Auf einmal fürchtete sich Millie. Ein seltsames Zittern befiel sie – inwendig, im Magen zuerst, und dann griff es auf die Knie und Hände über. ›Es ist jemand da!‹ Auf Zehenspitzen ging sie an die Tür und spähte in die Küche. Dort war niemand; die Verandatüren waren geschlossen, die Sonnenstores waren heruntergezogen; im dämmerigen Licht leuchtete das weiße Zifferblatt der Uhr, und die Möbel schienen sich zu spreizen und zu atmen ... und ebenfalls zu lauschen. Die Uhr – die Asche – die Jalousie – und dann wieder – noch etwas, wie Schritte auf dem Hof. ›Geh nachschauen, Millie Evans!‹

Sie sprang an die Hoftür und riß sie auf, und im selben Augenblick duckte sich jemand hinter den Holzstoß. »Wer ist da?« rief sie mit lauter, dreister Stimme. »Komm da raus! Ich seh dich! Ich weiß, wo du bist. Ich hab' meine Flinte hier! Komm hinterm Holzstoß vor!« Sie fürchtete sich überhaupt nicht mehr. Sie war schrecklich wütend. Ihr Herz klopfte wie eine Trommel. »Ich werd' dich lehren, einer Frau Streiche zu spielen!« kreischte sie, nahm eine Flinte aus der Küchenecke und rannte die Verandatreppe hinunter und über den grellen Hof zur Rückseite des Holzstoßes. Dort lag ein junger Mann auf dem Bauch, einen Arm vor dem Gesicht. »Steh auf! Du verstellst dich bloß!« Sie hielt die Flinte schußbereit, und gab ihm einen Fußtritt zwischen die Schulterblätter. Er rührte sich nicht. »O mein Gott, ich glaube, er ist tot!« Sie kniete nieder, packte ihn und drehte ihn auf den Rücken. Er rollte wie ein Sack herum. Sie hockte sich auf die Fersen und starrte ihn an; ihre Lippen und ihre Nasenflügel zitterten vor Entsetzen.

Er war noch der reinste Junge, mit blondem Haar und etwas

blondem Flaum auf der Lippe und dem Kinn. Seine Augen standen offen und ließen das Weiße sehen, und sein Gesicht war von Schweiß und Staub verkrustet. Er trug ein baumwollenes Hemd, eine Drellhose und Leinenschuhe. Der eine Hosenbeinling klebte mit dunklem Blut am Bein fest. ›Nein, *das* kann ich nicht‹, dachte Millie. Und dann: ›Du mußt!‹ Sie beugte sich über ihn und fühlte nach seinem Herzen. »Warte, warte!« stammelte sie und rannte ins Haus, um Brandy und einen Eimer Wasser zu holen. ›Was machst du bloß, Millie Evans? Ach, ich weiß nicht! Ich hab' noch nie einen ganz Bewußtlosen gesehen!‹ Sie kniete nieder, legte den Arm unter den Kopf des Jungen und goß ihm etwas Brandy zwischen die Lippen. Er floß zu beiden Seiten seines Mundes herunter. Sie tauchte einen Zipfel ihrer Schürze ins Wasser und wischte ihm mit zitternden Fingern über das Gesicht und das Haar und den Hals. Unter dem Staub und Schweiß war sein Gesicht so weiß wie ihre Schürze, und abgezehrt und verkrampft. Ein fremdes, schreckliches Gefühl griff Millie Evans ans Herz – eine Saat ging auf, die dort niemals geblüht hatte, schlug tief Wurzel und entfaltete schmerzende Blätter. »Kommst du zu dir? Fühlst dich besser?« Der Junge atmete stöhnend und halb erstickt, seine Lider zitterten, und er drehte den Kopf hin und her. »Jetzt geht's schon besser«, sagte Millie und strich ihm das Haar aus der Stirn. »Jetzt fühlst du dich wieder gut, was?« Der Schmerz in ihrer Brust erstickte sie fast. ›Weinen nützt jetzt nichts, Millie Evans! Darfst nicht den Kopf verlieren!‹ Plötzlich richtete er sich auf und lehnte sich an den Holzstoß, weg von ihr, und blickte auf den Boden. »Gut so!« sagte Millie Evans mit einer unbekannten, bebenden Stimme.

Der Junge sah auf und blickte sie an, noch immer stumm, aber mit so viel Qual und Entsetzen in den Augen, daß sie die Zähne zusammenbeißen und die Fäuste ballen mußte, um nicht loszuheulen. Nach einer langen Pause sagte er mit einem Tonfall, wie kleine Kinder im Schlaf sprechen: »Ich bin hungrig.« Seine Lippen zitterten. Sie rappelte sich hoch und stand über ihm. »Du kommst jetzt mit ins Haus und setzt dich richtig zum Essen hin!« sagte sie. »Kannst du gehen?« – »Ja«, flüsterte er und folgte ihr taumelnd über den grellen Hof und bis an die Veranda. An der untersten Stufe blieb er stehen und sah sie wieder an. »Ich geh' nicht rein«, sagte er. Er setzte sich auf die Verandatreppe innerhalb des kleinen Schattenkreises, der sich rings ums Haus zog. Millie betrachtete ihn. »Wann hast du letztesmal was gegessen?« Er schüttelte den Kopf. Sie schnitt ein Stück fettes Büchsenfleisch ab und bestrich eine Scheibe Brot dick mit Butter, doch als sie es zu ihm hinausbrachte, stand er und schaute sich um und achtete nicht auf den Teller mit Essen. »Wann kommen sie zurück?« stammelte er.

Im nämlichen Augenblick wußte sie Bescheid. Sie stand da, hielt den Teller und starrte ihn an. Es war Harrison. Er war der englische Heini, der Mr. Williamson umgebracht hatte. »Ich weiß, wer du bist«, sagte sie sehr langsam. »Mich kannst du nicht anschmieren. Ja, der bist du. Ich muß auf beiden Augen blind gewesen sein, daß ich's nicht gleich gewußt habe.« Er machte eine Handbewegung, als hätte das alles nichts zu sagen. »Wann kommen sie zurück?« Und sie wollte sagen: ›Jede Minute. Sie sind schon unterwegs.‹ Statt dessen sagte sie dem schrecklichen, verängstigten Gesicht: »Nicht vor halb elf.« Er setzte sich, lehnte sich gegen einen Verandapfosten. Sein Gesicht zerfiel – zerflatterte zusehends. Er schloß die Augen, und die Tränen rannen ihm über die Wangen. ›Noch das reinste Kind! Und all die Männer hinter ihm her! Hat keine Chance, denen zu entkommen – sowenig wie ein Kind!‹ – »Nimm ein bißchen Fleisch«, sagte Millie. »Du brauchst jetzt was zu essen, was dir den Magen füllt!« Sie ging über die Veranda und setzte sich neben ihn, mit dem Teller auf ihren Knien. »Da – probier mal ein Stück!« Sie zerbrach das Butterbrot in kleine Stücke und dachte: ›Sie sollen ihn nicht fangen! Nicht, wenn's nach mir geht! Männer sind allesamt Biester. Mich geht's nichts an, was er getan oder nicht getan hat! Steh ihm bei, Millie Evans! Er ist bloß ein krankes Kind!‹

Millie lag mit weit offenen Augen auf dem Rücken und lauschte. Sid wälzte sich herum, baute sich die Steppdecke um die Schultern und brummelte: »'n Nacht, Alte!« Sie hörte, wie Willie Cox und der andre Mann ihre Sachen auf den Fußboden in der Küche fallen ließen, und dann ihre Stimmen und schließlich, wie Willie Cox zu seinem Hund sagte: »Leg dich, Gumboil! Lieg still, du kleiner Satan!« Dann wurde es ganz still im Haus. Sie lag da und lauschte. Jeder Nerv in ihrem Körper zuckte und lauschte ebenfalls. Es war heiß. Sie wagte nicht, sich zu bewegen, um Sid nicht zu wecken. ›Er muß davonkommen. Er muß. Was schert mich die Gerechtigkeit und all der Mist, den sie heut abend gequasselt haben‹, dachte sie aufgebracht. ›Wie wollt ihr wissen, wie was ist, eh' ihr's nicht am eigenen Leib erlebt habt. Ist ja alles Mist!‹ Sie horchte krampfhaft in die Stille. Er sollte sich auf den Weg machen!... Noch ehe draußen etwas zu hören war, stand Willie Coxs Hund auf, trabte hörbar über den Küchenfußboden und schnupperte an der Hoftür. Millie spürte, wie das Grauen in ihr hochkroch. ›Was macht der Köter? Hu, was für'n Dummkopf ist der Junge, wo hier ein Hund im Haus ist! Warum legt sich der Köter nicht und schläft?‹ Der Hund war still, aber sie wußte, daß er lauschte.

So plötzlich, daß sie entsetzt aufschrie, begann der Hund zu bellen und hin und her zu laufen. »Was ist los? Was gibt's denn da?« Sid war im Nu aus dem Bett. »Es ist nichts, es ist bloß der Hund! Sid! Sid!« Sie umklammerte seinen Arm, aber er schüttelte sie ab. »Mein Jesus, da ist was los! Herrgott noch mal!« Sid fuhr in seine Hose. Willie Cox riß die Hoftür auf. Gumboil raste wütend auf den Hof und um die Hausecke. »Sid, jemand ist in der Koppel!« brüllte der andre Mann. »Was ist? Wer ist da?« Sid stürzte auf die Vorderveranda. »Hier, Millie, nimm die Laterne! Willie, ein Kerl hat eins von den Pferden geklaut!« Die drei Männer sausten aus dem Haus, und im gleichen Augenblick sah Millie, wie Harrison auf Sids Pferd über die Koppel und die Straße hinabjagte. »Millie, bring die verdammte Laterne!« Sie kam barfuß angerannt, das Nachthemd klatschte ihr um die Beine. Wie der Blitz waren sie hinter ihm her. Und als sie in der

Ferne Harrison sah, hinter dem die drei Männer her waren, erstickte eine neue, rasende Freude alles andre in ihr. Sie stürzte auf die Straße, sie lachte und schrie und tanzte im Staub und schwenkte die Laterne. »Hei, mach los, Sid! Fangt ihn, Willie! Los! Los! Hei, Sid, schieß ihn runter! Schieß ihn runter!«

Pension Séguin

Das Dienstmädchen, das mir die Tür öffnete, war die Zwillingsschwester jenes tüchtigen, häßlichen Geschöpfs, das in *First French Picture* eine Suppenterrine hereinbringt. Ihr rundes rotes Gesicht strahlte wie frisch gespültes Geschirr. Dazu passend besaß sie ein Paar riesige nackte Arme und eine Unmenge melierter Haare, die in einer Art Brezel aufgesteckt waren. Ich stammelte und war ganz lächerlich außer Atem, als wäre ein Rudel russischer Wölfe hinter mir her anstatt fünf Treppenfluchten einer wunderschön gebohnerten französischen Treppe: »Haben Sie ein Zimmer?« Das Dienstmädchen wußte es nicht. Sie wollte Madame fragen. Madame war beim Abendessen.

»Würden Sie bitte näher treten?«

Durch einen dunklen Flur, der von einem großen schwarzen Ofen bewacht wurde – er glich einer Katze ohne Kopf mit einem roten, allgegenwärtigen Auge mitten auf dem Bauch –, folgte ich ihr in den Salon.

»Bitte nehmen Sie Platz«, sagte das Dienstmädchen und machte hinter sich die Tür zu.

Ich hörte ihre Pantoffeln über den Flur schlurfen, hörte, wie eine andre Tür geöffnet wurde, dann ein paar Geräusche, die sofort erstickt wurden. Und Stille.

Der Salon war lang und schmal; der gelbe Fußboden war mit weißen Matten übersät. Weiße Musselingardinen verbargen die Fenster; die Wände waren weiß und mit Gemälden bleicher Damen geschmückt, die in Zypressenalleen zu verlassenen Tempeln schwebten, während der Mond über endlosen Meeren aufstieg. Man hätte glauben können, daß all die langen Jahre von Madames Jungfräulichkeit dem Herstellen weißer Matten gewidmet waren und daß ihre kindliche Stimme deren Anzahl in Häkelsticken gelispelt hatte. Ich wagte nicht, mit dem Zählen zu beginnen. Von jeder erdenklichen Stelle fielen sie wie unmögliche Schneeflocken auf mich nieder. Selbst der Klavierhocker war mit einer Matte bezogen und mit einem F. P. bestickt.

Ich hatte den ganzen Vormittag nach einem Zufluchtsort gesucht. Zu Beginn flog ich zahllose Treppen hinauf, als wären es Dur-Tonleitern – das Fröhlichste, was es in der Welt gibt –, doch nach wiederholten Fehlschlägen waren die Tonleitern in Moll übergegangen, und mein Herz, das inzwischen ganz niedergeschlagen war, begann bei diesen Merkmalen und Anzeichen von Tugend und Ernst wieder aufzuhüpfen. ›Eine Frau mit so schlichten Liebhabereien‹, dachte ich, ›ist unbedingt ruhig und sauber, hat wenig Kinder und einen oft abwesenden Ehemann. Die Herstellung von Matten geht nicht ohne weiteres Hand in Hand mit heiterem Singsang. Matten sind im wesentlichen das Ergebnis frommer Einsamkeit. Hier würde ich bestimmt ein Zimmer mieten!‹ Und ich träumte bereits davon, wie ich in einem kleinen weißen Zimmer meine Kleider auspackte und in einen Kimono schlüpfte und auf einem weißen Bett lag und beobachtete, wie die Gardinen sich an den Fenstern bauschten, in köstlicher Herbstluft, die nach Äpfeln und Honig roch . . . bis die Tür sich öffnete und eine große, magere Frau in einer lila Schürze eintrat und etwas unsicher lächelte.

»Madame Séguin?«

»Ja, Madame!«

Ich wiederholte die sattsam bekannte Litanei. Ein ruhiges Zimmer, weit weg von allen Kirchenglocken oder krähenden Hähnen oder Bahnhöfen oder Schulen für kleine Jungen.

»Hier in der Nähe gibt es nichts dergleichen«, sagte Madame Séguin und sah sehr erstaunt aus. »Ich habe ein sehr schönes Zimmer zu vermieten, und zwar völlig unerwarteterweise. Ein junger Herr aus Buenos Aires wohnte darin (dessen Vater leider starb), der ihn anflehte, sofort nach Hause zurückzukehren. Was begreiflich ist.«

»Ja, sicher«, sagte ich und hoffte, daß die hamletartige Erscheinung wieder zur Ruhe gekommen war und nicht in meine Einsamkeit einbrach, um sich von seines Sohnes Gehorsam zu überzeugen.

»Wenn Sie bitte mitkommen wollen, Madame?«

Ich ertastete mir den Weg – einen dunklen Korridor entlang und um eine Ecke. Ich hätte Madame gern gefragt, ob

dies die Stelle sei, wo Buenos-Aires-*père* seinem Sohn erschienen war, wagte es aber nicht.
»Hier – sehen Sie? Weit weg von allem!« sagte Madame. Immer habe ich jene scharfsinnigen Gehirne, die für Erscheinungen unempfänglich sind, mit einem gehörigen Maß an Respekt und Abscheu betrachtet. Woran soll man denn sonst glauben, wenn nicht an die äußere Erscheinung? Ich habe fast immer gefunden, daß sie die einzigen Dinge sind, die zu genießen sich überhaupt lohnt, und wenn je ein unschuldiges Kind seinen Kopf auf meine Knie legt und die Wahrheit darüber wissen will, werde ich ihm die Geschichte von meiner vielgeliebten Kinderfrau erzählen, die, weil sie meinen Widerwillen gegen Stachelbeermus kannte, einfach zuoberst in den Marmeladetopf eine Schicht Aprikosenmus tat. Solange ich es für Aprikosenmus hielt, war ich glücklich, und als ich klüger wurde, lernte ich das Aprikosenmus zu essen und das Stachelbeermus nicht anzurühren. ›Verstehst du nun, du liebes, unschuldiges Geschöpf‹, würde ich abschließend sagen, ›als Wichtigstes in diesem Leben muß man lernen, sich mit dem äußeren Schein zu begnügen und vulgäre Krämer und Philosophen zu meiden!‹
Strahlender Sonnenschein strömte zu den Fenstern des entzückenden Zimmers herein. Für das Bett war ein Alkoven da, der Schreibtisch stand vor dem Fenster und an der Wand eine Couch.
Und vom Fenster sah ich auf eine Allee rotgoldener Bäume hinunter – und zu einer Bergkette mit frisch gefallenem Schnee empor.
»Hundertachtzig Francs im Monat«, murmelte Madame und lächelte ins Leere, wie um anzudeuten: ›Das hat natürlich nichts mit der Sache zu tun.‹
Ich sagte: »Es ist mir zu teuer. Ich kann nicht mehr als hundertfünfzig Francs ausgeben.«
»Aber bedenken Sie die Größe des Zimmers«, erläuterte Madame, »und den Alkoven! Und die ganz große Seltenheit, daß einem so viele Berge ins Zimmer schauen!«
»Ja«, sagte ich.
»Und dann das Essen! Es gibt vier Mahlzeiten täglich, und

wenn Sie es wünschen, wird Ihnen das Frühstück im Zimmer serviert!«
»Ja«, sagte ich, noch etwas schwächer.
»Und mein Mann ist Professor am Konservatorium – das ist auch eine Seltenheit!«
Der Mut ist wie ein ungehorsamer Hund: fängt er erst einmal an davonzulaufen, rennt er um so schneller, wenn man ihn zurückzurufen versucht.
»Hundertsechzig«, sagte ich.
»Wenn Sie einwilligen, es für zwei Monate zu nehmen, bin ich einverstanden«, sagte Madame sehr rasch. Ich willigte ein.
Marie half mir, meine Koffer aufzuschnallen. Sie kniete auf dem Fußboden, grinste und kratzte sich ihre dicken roten Arme.
»Ach, wie ich mich freue, daß Madame gekommen ist!« sagte sie. »Jetzt werden wir wieder ein bißchen mehr Leben haben. Monsieur Arthur, der in dem Zimmer hier gewohnt hat, der war ein furchtbar Lustiger! Sang den ganzen Tag, und manchmal hat er auch getanzt. Wer weiß wie oft hat Mademoiselle Ambatielos für ihn gespielt, und er hat eine volle Stunde getanzt, ohne aufzuhören!«
»Wer ist Mademoiselle Ambatielos?« fragte ich.
»Eine junge Dame, die am Konservatorium studiert«, sagte Marie naserümpfend, aber sehr freundlich. »Und sie gibt auch Klavierstunden. *Ah, mon Dieu*, manchmal, wenn ich in ihrem Zimmer Staub wische, denk' ich, gleich fallen ihr die Finger ab! Sie spielt den ganzen Tag, aber das hab' ich gern – Lärm ist Leben, sag' ich immer. Sie werden sie schon bald hören – immer rauf und runter geht's!« erzählte Marie mit der größten Herzlichkeit.
»Wieviel andere Menschen wohnen denn noch hier?« rief ich und verabscheute Marie.
Sie zuckte die Achseln. »Nicht der Rede wert! Da ist noch der russische Herr, ein Priester ist er, und dann die drei Kinder von Madame, und das ist schon alles. Die Kinder sind lebhaft genug, aber«, sagte sie und füllte den Krug auf der Waschkommode, »das Baby – der Junge! Ach, was mit dem ist, mit dem armen Kleinen, werden Sie bald genug erfah-

ren!« Sie war mir so verhaßt, daß ich sie nicht weiter ausfragen mochte.
Ich wartete, bis sie weg war, lehnte mich gegen das Fensterbrett und beobachtete, wie die Sonne immer tiefer in die Baumkronen sank, bis sie vor lauter Gold zu zittern schienen, und wunderte mich, was wohl mit dem geheimnisvollen Baby los war.
Den ganzen Nachmittag kämpften Mademoiselle Ambatielos und das Klavier mit der Appassionata. Sie zerrissen sie in Stücke und setzten sie nach Herzenslust wieder zusammen – sie trennten sie auf und probierten verschiedene Macharten aus. Sie fügten eine kleine Verzierung hinzu – und griffen etwas auf. Schließlich fanden sie, daß von Wichtigkeit einzig das laute Pedal sei. Das geheimnisvolle Baby, das hinter weiß der Himmel wieviel Türen verborgen war, schrie mit so merkwürdiger Hartnäckigkeit, daß ich die Ohren spitzen mußte, um festzustellen, ob es ein Baby oder eine Maschine oder eine ferne Dampfpfeife war. In der Dämmerstunde brachte mir Marie, begleitet von zwei kleinen Mädchen, eine Lampe. Mein Äußeres überraschte die Kinder in einem solchen Maße, daß sie noch eine halbe Stunde hinterher wie die Verrückten den Flur auf und ab rasten, sich gegen die Wände schubsten und höhnisch lachten und kreischten.
Um acht erklang der Gong zum Abendessen. Ich war hungrig. Im Flur hing der starke, warme Geruch von gekochtem Fleisch. Ich dachte: ›Dem Geruch nach zu schließen, muß das Essen auf jeden Fall gut sein!‹ Und sehr verängstigt betrat ich das Speisezimmer.
Zwei Reihen Gesichter kehrten sich zu mir um und beobachteten mich. Madame Séguin stellte mich vor und klopfte mit der Suppenkelle auf den Tisch, und die beiden kleinen Mädchen schrien frech und verächtlich: *»Bon soir, Madame«*, während das von seiner Nachmittagsvorstellung halb erschöpfte Baby sich seinen Becher Milch über den Kopf goß und Madame Séguin mir meinen Platz zeigte. In der Verwirrung, die durch den Zwischenfall mit dem Baby entstand, das kreischend und vor Wut spuckend von Marie hinausbefördert wurde, setzte ich mich neben den russischen Priester

und gegenüber von Mademoiselle Ambatielos. Monsieur Séguin nahm einen Brotlaib aus einem dreibeinigen Korb, der neben ihm stand, und schnitt, das Brot an seine Brust pressend, Scheiben ab. Die Suppe wurde aufgetragen, in der Buchstaben aus Teigwaren schwammen. Das setzte den Tischmanieren der kleinen Séguins die Krone auf.
»Maman, Yvonne hat mehr Buchstaben als ich!«
»Maman, Hélène nimmt sich mit ihrem Löffel welche von meinen Buchstaben weg!«
»Kinder! Kinder! Seid still! Seid still!« mahnte Madame Séguin sanft.
Hélène packte Yvonnes Teller und riß ihn an sich.
»Schluß!« rief Monsieur Séguin, der einer Ratte glich und dessen Brillengläser von Suppendämpfen eingenebelt waren. »Hélène, du verläßt den Tisch! Geh zu Marie!« *Exit* Hélène, mit über den Kopf geworfener Schürze.
Auf die Suppe folgten Kastanien und Rosenkohl. Die ganze Zeit unterhielt sich der russische Priester, der zu seinem hochgeknöpften Gehrock eine hellblaue Krawatte und einen grimmigen Schnurrbart wie aus einem Gogol-Roman trug, ständig mit Mademoiselle Ambatielos. Sie sah sehr jung aus; sie war sehr kräftig. Ihr hoher, fester Busen war mit künstlichen Rosen geschmückt. Unablässig berührte sie die Rosen oder ihre Bluse oder ihr Haar, oder sie blickte auf ihre Hände, und immer schwebte ein Lächeln um ihre Lippen, und die blauen Augen hatte sie weit aufgerissen. Sie schien ganz berauscht von ihrem frischen jungen Körper.
»Ich habe Sie heute früh gesehen, als Sie mich nicht sahen«, sagte der Priester.
»Nicht möglich!«
»Doch!«
»Das kann nicht sein, nicht wahr, Madame?«
Madame Séguin lächelte, räumte die Kastanien ab und brachte eine Schüssel mit Birnen an.
»Hoffentlich kommen Sie nach dem Essen in den Salon!« sagte sie zu mir. »Wir plaudern immer ein wenig – wir sind eine richtige Familie!« Ich lächelte und wunderte mich, weshalb die Kastanien durch Birnen abgelöst wurden.

»Ich muß mich wegen des Babys entschuldigen«, fuhr sie fort. »Der Junge ist so nervös! Aber er ist den ganzen Tag in einem Zimmer, das am andern Ende der Wohnung liegt, entgegengesetzt von Ihrem Zimmer. Er wird Sie nicht stören. Aber stellen Sie sich nur vor: er verbringt ganze Tage damit, seinen kleinen Kopf gegen die Wände und auf den Fußboden zu hämmern! Die Ärzte können es nicht verstehen!«

Monsieur Séguin schob seinen Stuhl zurück und sprach ein Dankgebet. Ich folgte ihm voller Verzweiflung in den Salon.

»Sie haben vermutlich meine Häkelmatten bewundert«, sagte Madame Séguin mit mehr Lebhaftigkeit, als sie bisher bewiesen hatte. »Die Leute glauben immer, daß sie ein Ergebnis meines Fleißes sind. Leider nein! Meine Freundin, Madame Kummer, hat sie alle gehäkelt – sie besitzt die Pension im ersten Stock.«

Violet

»Ich traf ein klein Jungfräulein.
das weint' und klagte sehr...«

Ein schmalziges und ärgerniserregendes englisches Sprichwort behauptet: ›Jede Wolke hat einen Silbersaum.‹ Als ob es für jemanden, der bis über die Augenbrauen in Wolken steckt, ein Trost wäre, an den Silbersaum zu denken! Und was für ein unerfreulicher Ansichtspostkartenstempel wird damit unserm Kummer aufgedrückt, wenn er zu einer Groschengeschmacklosigkeit wird – mit einem Mond in der linken Ecke wie ein aufgeblasener Edamer Käse! Und trotzdem ist es wahr – wie alle schmalzigen und ärgerniserregenden Dinge! Der Silbersaum weckte mich nach meiner ersten Nacht in der Pension Séguin und zeigte mir jenseits des Federbetts ein Zimmer – so voller goldenen Sonnenscheins, als hätte jedes goldhaarige Baby im Himmel die Erde mit Butterblumensträußchen bombardiert.› Was für ein reizender Einfall!‹ dachte ich. ›Wieviel hübscher als das Sprichwort! Wie ein Tag auf dem Lande mit Katherine Tynan!‹
Und im Geiste sah ich ein Bildchen von mir und Katherine Tynan, wie uns eine rotbackige Frau in einer ungeheuer bauschigen Schürze Gläser mit Buttermilch reichte, während wir die unbeirrbare Wahrheit von Sprichwörtern im Gegensatz zur holden Täuschung mutwilliger Babies erörterten. Doch in diesem Fall ergriff das imaginäre Ich für die Sprichwörter Partei. ›Eine Menge gesunder Hausverstand steckt in ihnen‹, sagte das unfeine Geschöpf, das ich war. ›Ich bewundere die Art, wie fest sie ihren Kollektivfuß auf das weibliche Gelüst stellen, alles auszuschmücken. ‚Der Krug geht so oft zum Brunnen, bis er bricht.' Also gut. Auf einem zerbrochenen Krug gibt's nicht mal ein Plätzchen für ein Gedicht. Keine erdenkliche Chance, daß der Brunnen eine rein symbolische Quelle ist, zu der alle Herzen in Form von Krügen getragen werden! Das einzige Sprichwort, das ich ablehne‹, sagte dieses unmögliche Geschöpf, zog sich eine Frühlingszwiebel aus

dem Gartenbeet und kaute darauf herum, ›ist das mit dem Vogel in der Hand! Natürlich sind mir Vögel in Büschen lieber!‹ – ›Aber‹, bemerkte Katherine Tynan sanft und nachdenklich, während sie eine kleine Blattlaus aus ihrer Buttermilch fischte, ›aber wenn du der heilige Franziskus wärst, würde es dem Vögelchen nichts ausmanchen, in deiner Hand zu sein. Ihm wäre das weiße Nest deiner Finger lieber als jeder Busch!‹

Ich sprang aus dem Bett und lief ans Fenster, stieß es weit auf und lehnte mich hinaus. Unten in der Allee wurden die Bäume vom Wind geschüttelt und geschaukelt; der Blätterduft hing in der aufsteigenden Luft. Die Häuser längs der Allee waren klein und weiß: reizende, keusch aussehende kleine Häuser, von denen man Spitzen und Bandschleifen zu sehen bekam – haargenau wie eine Reihe kleiner Kinder auf dem Lande, die Ringelreihen spielen wollen. Ich begann mir ein hinreißendes kleines Wesen namens Yvette vorzustellen, die in all und jedem dieser Häuser lebte ... Den Vormittag verbringt sie in einem Boudoirhäubchen aus weißer Spitze, mit Margeriten bestickt, und nippt Schokolade aus einer Sèvrestasse, die sie mit der einen Hand hält, während eine ergebene Dienerin die kleinen rosa Fingernägel der andern Hand poliert. Den Nachmittag verbringt sie in ihrem kleinen, weißgoldenen Boudoir, auf einem Sofa zusammengekuschelt, ein Angorakätzchen auf dem Schoß, während ihr feuriger, schöner Liebhaber sich über die Rückenlehne beugt und nicht aufhört, das betörende Grübchen auf ihrer linken Schulter zu küssen ... Bis eine der vielen Balkontüren aufflog und ein stämmiges Dienstmädchen, beladen mit Teppichen und Läufern, herausstolzierte. Mit einer Geste, die Wut und Ekel ausdrückte, schleuderte sie ihre Last auf das Geländer, verschwand und tauchte mit einem langstieligen Teppichklopfer wieder auf, womit sie über die armen Teppiche und Läufer herfiel. Peng! Schwapp! Schwapp! Peng! Und deren mattes, klägliches Zucken spornte sie zu immer größerer Anstrengung an. Wolken von Staub flogen auf und um sie her, und als ein kleiner Teppich entwischte und wie ein Fisch in die Allee hinunterschwänzelte, beugte sie sich über den Balkon und drohte ihm mit der Faust und mit dem Teppichklopfer. Vom Lärm angelockt, trat ein alter Herr an ein gegenüberliegendes Fenster, warf einen mißbilligenden Blick auf das geschäftige Mädchen und gähnte dem schönen Tag ins Gesicht. Etwas Unbeschwertes und Bedächtiges lag in der Art, wie er aufmerksam die Muskeln seiner Arme und Beine befühlte, auf die Kehle drückte, hustete und einen kleinen Speichelstrahl aus dem Fenster jagte. Über diese Leistung schien niemand erstaunter als er selbst. Er schien sie in ihrer Art als einen kleinen Triumph zu betrachten, während er seinen gewaltigen Bauch mit allen Anzeichen der Genugtuung in eine weiße Piquéweste hineinknöpfte. In einem schwarzweißkarierten Kleid und Alpakaschürze, am Arm einen Marktkorb, schwebte meine reizende Yvette davon.

Ich zog mich an, aß ein Brötchen und trank etwas lauwarmen Kaffee – und fühlte mich ernüchtert. Ich dachte, wie wahr es doch sei, daß die Welt wunderschön ist – bis auf die Menschen, und wieviel wahrer noch, daß die Menschen es nicht wert sind, sich ihretwegen zu ärgern, und daß weise Leute ihre Zuneigung nichts Kleinerem als großen Städten zuwenden sollten, ob himmlisch oder sonstwie, und dem Land, das stets himmlisch ist.

Mit diesen Gedanken, die sowohl fromm wie selbstgefällig waren, setzte ich meinen Hut auf, tastete mich durch den dunklen Gang und lief die fünf Treppenfluchten zur Rue St. Léger hinab. An der gegenüberliegenden Straßenseite begann ein Park, durch den man zur Universität und zu den überheblicheren Alleen ging, die an der Place du Théâtre entlangführten. Obwohl der Herbst schon weit vorgerückt war, hatten die Bäume ihr Laub noch nicht abgeworfen; die kleinen Büsche und Sträucher waren rot und rostfarben überhaucht, und vor dem blauen Himmel hoben sich die in Gold gekleideten Bäume ab. Auf Steinbänken plapperten Kindermädchen in weißen Umhängen und steifen weißen Hauben und wackelten mit den Köpfen wie eine Versammlung von Kakadus. In der Sonne trieben vornehme Kindlein manierlich ihre Reifen hin und her. Was für ein einzigartiges Vergnügen es doch ist, durch eine fremde Stadt zu wandern und sich, ein Einzelspiel spielend, so zu amüsieren, wie es ein Kind tut!

»*Pardon, Madame, mais voulez-vous...*«, und dann schwankte die Stimme und rief meinen Namen, wie wenn man mich schon unzähligemal als verloren aufgegeben hätte oder wie wenn ich in fremden Meeren ertrunken oder in Feuersbrünsten amerikanischer Hotels verbrannt und in hundert einsamen Gräbern begraben worden sei. »Was in aller Welt tust *du* hier?« Vor mir stand Violet Burton, nicht um einen Tag verändert, nicht um eine Haarnadel anders. Ob ihrer Begeisterung fühlte ich mich maßlos geschmeichelt, drückte ihre kalte, kräftige Hand und sagte: »Erstaunlich!«

»Aber warum bist du *hier*?«

»... Die Nerven!«

»Oh, unmöglich, das kann ich einfach nicht glauben!«

»Es ist bestimmt wahr«, sagte ich, und meine Begeisterung verblaßte. Nichts kann eine Frau so ärgern, als wenn man ihr Nerven aus Stahl zutraut.

»Also jedenfalls siehst du *nicht so aus!*« sagte sie und musterte mich mit jener offenen englischen Freimütigkeit, bei der man sich vorkommt, als müsse man zur Frühstücksstunde in einem grell erleuchteten Fenster sitzen.

»Und warum bist *du* hier?« fragte ich und lächelte liebenswürdig, um den durchdringenden Blick etwas zu mildern. Daraufhin drehte sie sich um, blickte über den Rasen und fummelte mit ihrem Schirm wie eine Provinzschauspielerin herum, die ein Geständnis machen will.

»Ich« – mit einer sehr affektierten Stimme – »kam hierher, um zu vergessen. Aber«, und nun sah sie mich wieder an und lächelte energisch, »laß uns nicht davon sprechen! Noch nicht! Ich kann es nicht erklären. Nicht, bis ich dich wieder ganz und gar kenne.« Sehr feierlich: »Nicht, bevor ich sicher bin, daß ich dir trauen kann!«

»Oh, du mußt mir nicht trauen, Violet!« rief ich. »Ich bin nicht vertrauenswürdig! An deiner Stelle würde ich's nicht tun!« Sie zog die Brauen zusammen und starrte mich an.

»Wie schrecklich, so etwas zu sagen! Das kann nicht dein Ernst sein!«

»Doch, tatsächlich! Über nichts spreche ich lieber als über die Geheimnisse andrer Menschen!« Ich war sehr verwundert, als sie neben mich trat und sich bei mir einhakte.
»Danke!« sagte sie innig. »Ich finde es furchtbar nett von dir, mich so ins Vertrauen zu ziehen. Furchtbar nett! Und selbst wenn es wahr wäre . . . aber nein, es kann nicht wahr sein, sonst hättest du's mir nicht gesagt! Ich meine, es kann psychologisch nicht wahr sein, daß derselbe Charakter gleichzeitig offen und unehrlich ist. Kann's das? Aber andrerseits . . . Ach, ich weiß nicht. Ich vermute, daß es möglich ist. Findest du nicht, daß die russischen Romanschriftsteller all unsre Überzeugungen umgestürzt haben?« Wir gingen Arm in Arm den sonnigen Weg entlang.
»Wollen uns hinsetzen!« schlug Violet vor. »Nicht weit von dieser Bank ist ein Springbrunnen. Ich komme oft hierher. Man kann ihn die ganze Zeit hören.« Der leise Wasserlaut klang wie eine halbvergessene Melodie, halb listig, halb lachend.
»Ist es nicht wunderschön?« hauchte Violet. »Wie Weinen in der Nacht!«
»Oh, Violet!« sagte ich und war entsetzt über diese Wendung. »Wunderschöne Dinge weinen nicht bei Nacht. Sie schlafen wie Murmeltiere und wissen nichts von der Welt, bis es wieder Tag ist.«
Sie legte ihren Arm auf die Rückenlehne der Bank und schlug die Beine übereinander.
»Warum verleugnest du dauernd deine Gefühle? Warum schämst du dich ihrer?« forderte sie mich heraus.
»Das tu' ich nicht. Aber ich halte sie unter Verschluß und hole sie nur sehr gelegentlich hervor – wie etwa besondere kleine Marmeladetöpfchen, wenn Leute, die ich liebe, zum Tee kommen.«
»Da haben wir's wieder! Marmelade und Gefühle! Also ich bin völlig anders. Ich bin ganz Gefühl. Manchmal wünschte ich, es wäre nicht so; aber andrerseits mag ich doch lieber unter ihnen leiden – heftig leiden, meine ich, in die Tiefe mit ihnen gehen – wegen des wundervollen Aufschwungs zu den höchsten Höhen des Glücks!« Sie rückte näher an mich heran.

»Ich wünschte, ich wüßte, woher ich meinen Charakter habe«, fuhr sie fort. »Vater und Mutter sind völlig anders. Ich meine, sie sind ganz normal – ganz gewöhnlich.« Ich schüttelte den Kopf und zog die Brauen in die Höhe. »Aber es hat keinen Sinn, ihn zu bekämpfen. Er hat mich besiegt. Völlig – ein für allemal!« Eine Pause: sie wurde unangemessen durch das listige, lachende Wasser ausgefüllt. »Und jetzt«, sagte Violet eindrucksvoll, »weißt du, was ich gemeint habe, als ich sagte, ich sei hergekommen, um zu vergessen.«

»Nein, glaube mir doch, das weiß ich bestimmt nicht, Violet! Wie kannst du annehmen, daß ich so scharfsinnig bin? Ich kann gut verstehen, daß du es mir nicht erzählen willst, bis du mich besser kennst. Sehr gut!«

Sie riß Mund und Augen auf.

»Ich hab's dir doch gesagt! Ich meine – nicht geradeheraus. Nicht direkt in Worten. Denn – wie könnte ich das? Aber als ich dir von meinem emotionalen Charakter erzählt habe, und daß ich in den tiefsten Tiefen gewesen bin und zu den höchsten Gipfeln emporgerissen wurde... da mußt du doch begriffen haben, daß ich symbolisch sprach? Was sonst kannst du gedacht haben?«

Solche gymnastischen Leistungen verrichtet ein junges Mädchen nie ganz allein. Doch erfahrungsgemäß hatte ich angenommen, daß auf die Tiefen die Gipfel folgen. Ich wagte etwas Ähnliches anzudeuten.

»Das stimmt«, sagte Violet düster. »Wenn man hinschaut, sieht man sie – vorher und nachher.«

»Wie die Menschen in Shelleys *Skylark*«, sagte ich.

Violet blickte unsicher drein, und es tat mir leid. Aber ich wußte nicht, wie ich mein Mitgefühl äußern sollte, und ich hatte keine Ahnung von den diesbezüglichen Ausmaßen.

»Es war im Sommer«, erzählte Violet. »Ich war ganz entsetzlich niedergeschlagen. Ich weiß nicht, was es war. Jedenfalls war mir so zumute, als könne ich zu keinem Entschluß kommen. Ich fühlte mich so schrecklich unnütz und dachte, daß ich im großen ganzen keinen Standort hatte, und – was das schlimmste war – niemand verstand mich... Es kam vielleicht von dem, was ich damals las... aber ich glaube...

nicht nur. Immerhin, man weiß ja nie. Nicht wahr? Und dann lernte ich ... Mr. Farr kennen, bei einem Tanz ...«

»Oh, nenne ihn bei seinem Vornamen, Violet! Du kannst nicht von dir und Mr. Farr ... auf den Gipfeln sprechen!«

»Warum nicht, um Himmels willen! Also meinetwegen – ich lernte Arthur kennen. An jenem Abend muß ich wohl verrückt gewesen sein. Erstens einmal hatte es Ärger wegen des Hingehens gegeben. Mutter wollte nicht, daß ich gehe, weil sie sagte, es sei niemand da, der mich nach Hause begleite. Und ich war ganz versessen darauf. Ich muß wohl eine Vorahnung gehabt haben. Glaubst du an Vorahnungen? ... Ich weiß nicht – man kann's nicht mit Bestimmtheit wissen, nicht wahr? Jedenfalls ging ich. Und *er* war dort.«

Sie wurde dunkelrot und biß sich auf die Lippe.

Oh, allmählich begann ich Violet Burton gern zu haben – sogar sehr gern.

»Weiter«, sagte ich.

»Wir tanzten siebenmal zusammen und sprachen die ganze Zeit. Die Musik war sehr gedämpft, und wir sprachen über all und jedes. Du weißt ja – zuerst von Büchern und Theatervorstellungen und dergleichen ... und dann – von unsrer Seele.«

»... Was?«

»Von unsrer Seele, hab' ich gesagt. Er verstand mich *vollkommen*. Und nach dem siebenten Tanz ... Nein, ich muß dir erzählen, was er als allererstes zu mir sagte. Er fragte mich: ›Glauben Sie an Pan?‹ Ganz gelassen. Einfach so. Und dann sagte er: ›Ich wußte, daß Sie's tun!‹ War das nicht ganz er-staunlich? Nach dem siebenten Tanz gaben wir's auf und saßen auf dem Treppenabsatz. Und ... soll ich weitererzählen?«

»Ja, nur zu!«

»Er sagte: ›Ich glaube, ich bin verrückt. Ich möchte Sie küssen.‹ Und ich – ließ es zu.«

»Nur weiter!«

»Ich kann dir einfach nicht sagen, wie mir zumute war. Stell dir bitte vor – ich hatte außer meinen Verwandten noch nie jemanden geküßt. Ich meine – natürlich – noch nie einen

Mann. Und dann sagte er: ›Ich muß es Ihnen sagen: ich bin verlobt.‹«

»Ja, und?«

»Was sonst kann's noch zu erzählen geben? Natürlich stürzte ich sofort die Treppe hinauf und durchwühlte alles in der Garderobe und fand meinen Mantel und ging nach Hause. Und am nächsten Morgen bat ich Mutter, mich hierherfahren zu lassen. Ich dachte«, sagte Violet, »ich dachte, ich müßte sterben vor Beschämung.«

»Ist das alles?« rief ich. »Du willst doch nicht behaupten, daß das alles ist?«

»Was sonst könnte es noch sein? Was hast du denn erwartet, um Himmels willen? Wie merkwürdig du bist – mich so anzuschauen!«

Und in der langen Pause, die nun folgte, hörte ich wieder den kleinen Springbrunnen – halb listig, halb lachend – über mich, fand ich, nicht über Violet.

»Im dritten Stock links, Madame«, sagte die Kassiererin und reichte mir eine rote Karte. »Einen Augenblick – ich lasse den Lift kommen!« Ihr schwarzseidener Rock raschelte durch die rotgoldene Halle, und dann stand sie zwischen künstlichen Palmen. Ihr weißer Hals und das gepuderte Gesicht wurden bekrönt von einer Fülle leuchtend apfelsinengelber Haare – wie ein überreifer Pilz, der aus einem dicken schwarzen Baumstamm herausquillt. Sie läutete und läutete. »Bitte tausendmal um Verzeihung, Madame! Es ist eine Schande! Ein neuer Fahrstuhlführer. Diese Woche geht er.« Mit den Fingern auf dem Klingelknopf spähte sie in den Lift, als erwarte sie, den Fahrstuhlführer wie einen toten Vogel auf dem Boden liegen zu sehen. »Es ist eine Schande!« Aus dem Nichts tauchte ein winziges Männchen auf, mit einer Schirmmütze und schmutzigen weißen Handschuhen ausstaffiert. »Da sind Sie endlich!« schalt sie. »Wo sind Sie gewesen? Was haben Sie gemacht?« Als einzige Antwort versteckte er sein Gesicht hinter einem seiner weißen Handschuhe und nieste zweimal. »Puh! Widerlich! Bringen Sie Madame in den dritten Stock!« Der Zwerg trat beiseite, verbeugte sich, trat nach mir ein und knallte die Türen zu. Wir fuhren hinauf – sehr langsam, und begleitet vom Niesen und in die Länge gezogenen, halb pfeifenden Schnüffeln. Ich fragte die Oberseite der Lackledermütze: »Sind Sie erkältet?« – »Es ist die Luft, Madame«, erwiderte das Geschöpf, durch die Nase sprechend, mit beherrschter, sehr genüßlicher Miene, »hier ist es niemals trocken! Dritten Stock – bitte sehr!« nieste er auf mein Zehn-Cents-Trinkgeld.

Ich ging durch einen gekachelten Korridor, der mit Reklameschildern für Unterwäsche und Büstenveredlern geschmückt war, und erhielt eine kleine Kabine und ein blaues Kattunhemd mit der Anweisung, mich auszuziehen und so bald wie möglich den Wärmeraum aufzusuchen. Durch die Bretterwand und vom Korridor drangen Rufe und Gelächter und Gesprächsfetzen.

»Bist du fertig?«
»Kommst du jetzt raus?«
»Warte, bis du mich siehst!«
»Berthe – Berthe!«
»Einen Augenblick – einen Augenblick! Sofort!«
Ich zog mich rasch und gleichgültig aus und kam mir wie ein Kind in einem Trupp kleiner Schulmädchen vor, die auf ein Schwimmbad losgelassen werden.
Der Wärmeraum war nicht groß. Er hatte rostrot gestrichene Wände mit einer Pfauenbordüre und einem Glasdach, durch das man den Himmel sehen konnte: er war so bleich und unwirklich wie die Hintergrundstaffage in einem Photographenatelier. Ein paar runde Tische waren mit schäbigen Modezeitungen übersät, in der Mitte war ein mit gelben Lilien gefülltes Marmorbecken, und auf den mit Handtüchern bedeckten Liegestühlen lagen hingegossen eine Anzahl Damen, die offensichtlich ebenso matt wie die Blumen waren. Ich legte mich zurück, über dem Kopf ein Tuch, und die Luft, die nach Dschungel und Zirkus und feuchter Wäsche roch, versetzte mich in Träumereien ... Ja, es wäre sicher hochinteressant gewesen, hätte ich einen Forschungsreisenden geheiratet ... und in einem Dschungel gelebt, vorausgesetzt, daß er nichts totschoß oder gefangennahm. Dressierte Tiere verabscheue ich. Oh ... die Zirkusvorstellungen zu Hause ... das Zelt auf der Koppel und die Kinder, die auf Zäune klettern, um die Wagen und den sich schminkenden Clown anzustarren ... und die Dampforgel, die viel zu schnell ›Geißblatt und Bienchen‹ spielt ... wieder und immer wieder. Ich weiß, woran mich diese Luft erinnert – an das Spiel ›Einer geht voran‹ zwischen zum Trocknen aufgehängter Wäsche...
Die Tür ging auf. Zwei große blonde Frauen in rotweißkarierten Kitteln kamen herein und belegten die Liegestühle gegenüber von meinem. Die eine trug ein in Silberpapier gewickeltes Kästchen Mandarinen und die andre ein Maniküreset. Sie waren sehr dick, hatten fröhliche, kecke Gesichter und eine Unmenge herrlich ausgebürsteter blonder Haare. Ehe sie sich hinsetzten, schauten sie ringsum, musterten die andern Frauen, sahen sich an und tuschelten und schnitten

Grimassen, und die eine bot der andern ihr Kästchen an und sagte: »Mandarine gefällig?« Daraufhin begannen sie beide zu lachen — sie lehnten sich zurück und schüttelten sich vor Lachen, und jedesmal, wenn sie einander erblickten, platzten sie wieder los.

»Ach, das war zu gut!« rief die eine und wischte sich die Augen, aber vorsichtig, nur um die Augenwinkel. »Du und ich kommen her, ganz ernst natürlich, sehr korrekt, und sehen uns hier um... und... und als Ergebnis unsrer *sorgfältigen* Inspektion — biete ich dir eine Mandarine an! Oh, es ist zu komisch! Ich darf's nicht vergessen! Sehr geeignet für ein Varieté! Mandarine gefällig?«

»Aber ich begreife nicht«, sagte die andere, »warum die Frauen im Dampfbad so häßlich aussehen müssen — wie Beefsteaks im Hemd! Liegt es an den Frauen — oder ist es die Luft? Sieh dir zum Beispiel mal die da an — die spindeldürre, die ein Buch liest und am Schnurrbart schwitzt — und die beiden andern drüben in der Ecke, die sich darüber unterhalten, ob sie ihren ungeborenen Babies erzählen sollen, wie Babies auf die Welt kommen — und... lieber Himmel! Sieh dir mal die an, die jetzt reinkommt! Nimm das Kästchen, Liebes! Nimm alle Mandarinen!«

Der Neuankömmling war eine stämmige kleine Frau mit platten weißen Füßen und einer schwarzen Gummikappe über dem Haar. Sie ging auf und ab und schwenkte in gewollter Sorglosigkeit die Arme, blickte verächtlich auf die lachenden Frauen und läutete der Bedienung. Sofort erschien Berthe, halb nackt und mit Seifenschaum betupft. »Was gibt's denn, Madame? Ich habe keine Zeit...«

»Bitte bringen Sie mir ein Handtuch«, sagte die Gummikappe auf Deutsch.

»Pardon? Ich verstehe Sie nicht. Sprechen Sie Französisch?«

»Non«, sagte die Gummikappe.

»Berthe!« kreischte die eine Blondine. »Nimm eine Mandarine! *Oh, mon Dieu,* ich sterbe noch vor Lachen!«

Die Gummikappe vollführte eine stumme Pantomime: sie deutete an, daß sie naß war, und rieb sich trocken. *»Verstehen Sie?«*

»Mais non, Madame«, sagte Berthe, die ihr mit großen Augen, aus denen der Schelm lachte, zugeschaut hatte. Sie ließ Gummikappe stehen, zwinkerte den Blondinen zu, trat zu ihnen, betastete sie, als wären sie preisgekröntes Federvieh, sagte: »Ihr sprecht gut an!«, und verschwand.
Die Gummikappe setzte sich auf die Stuhlkante, griff sich eine Modezeitung, schlug die Seiten laut klatschend um und gab vor zu lesen, während die blonden Frauen sich zurücklehnten, Mandarinen aßen und die Schalen in das Lilienbekken warfen. Frischer und durchdringender Obstgeruch verbreitete sich in der Luft. Ich blickte mich nach den andern Frauen um. Ja, sie waren häßlich, wie sie, rot und naß, angelehnt dalagen, mit stumpfen Augen und schlaffem Haar. Das einzige bißchen Energie hatten sie in empörter Zimperlichkeit für das Benehmen der beiden Blondinen aufgebraucht. Plötzlich entdeckte ich, wie aufmerksam mich Gummikappe über ihre Modezeitung hinweg anstarrte, so daß ich zu fliehen beschloß und in den Heißluftraum ging. Aber vergebens! Gummikappe folgte und pflanzte sich vor mir auf.
»Ich weiß«, sagte sie selbstsicher und vertrauensvoll, »daß Sie Deutsch sprechen können. Ich habe es Ihrem Gesicht angesehen. War das nicht ein Skandal, daß mir die Badefrau kein Handtuch geben wollte? Ich werde mich bei der Leitung beschweren! Mein Mann muß ihnen heute abend einen Brief schreiben. Was von einem Mann kommt, ist immer alles viel wirkungsvoller, nicht wahr?« Sie rieb ihre gelblichen Arme und sagte: »Nein, noch nie bin ich in einem so schandbaren Bad gewesen – und dafür soll man vier Francs fünfzig bezahlen! Selbstverständlich werde ich kein Trinkgeld geben – das würden Sie auch nicht tun, nicht wahr? Nicht nach dem Skandal mit dem Handtuch! Am liebsten würde ich mich auch über die beiden Frauen beschweren – die beiden, die dauernd lachen und essen. Kennen Sie sie?« Sie schüttelte den Kopf. »Es sind keine anständigen Frauen, das sieht man auf den ersten Blick. Ich wenigstens sehe es, jede verheiratete Frau sieht das. Nichts als ein paar Straßendirnen. Noch nie im Leben bin ich so beleidigt worden. Mich auszulachen, stellen Sie sich das vor! Diese großen, dicken, fetten Schweine! Und

ich bin nicht richtig zum Schwitzen gekommen, bloß derentwegen! Ich bin so zornig geworden, daß der Schweiß nach innen geschlagen ist statt nach außen: das passiert nämlich manchmal in der Aufregung, und anstatt meine Erkältung loszuwerden, bekomme ich jetzt bestimmt Fieber, das würde mich gar nicht wundern!«

Ich wanderte unglücklich im Heißluftraum herum, verfolgt von der Gummikappe, bis die zwei blonden Frauen hereinkamen und, als sie sie sahen, erneut in schallendes Gelächter ausbrachen. Ich war empört und angewidert, weil Gummikappe sich an mich herandrängte, bedeutungsvoll lächelte und ihren Mund verzog. »Mich kann's nicht treffen«, sagte sie mit ihrer häßlichen deutschen Stimme. »Ich erniedrige mich nicht, indem ich ein paar Straßendirnen beachte. Wenn mein Mann das wüßte, wäre er außer sich. Er ist furchtbar heikel. Wir sind seit sechs Jahren verheiratet. Wir kommen aus Pfalzburg. Es ist eine nette Stadt. Ich habe vier gesunde Kinder, und wir kamen eigentlich hierher, um den Schock wegen des fünften zu verwinden. Das fünfte«, flüsterte sie und trippelte hinter mir her, »ist als schönes, gesundes Kind auf die Welt gekommen, aber es hat nicht geatmet. Da muß eine Frau wohl enttäuscht sein, nach neun Monaten, was?«

Ich ging auf das Dampfbad zu. »Wollen Sie da rein?« fragte sie. »An Ihrer Stelle tät' ich das nicht! Die beiden sind da reingegangen! Die denken vielleicht sonst, Sie wollten sich an sie heranmachen! Man weiß nie, was so Frauen denken!«

In diesem Augenblick kamen sie heraus, wickelten sich in die groben Kittel und schritten wie hochmütige Königinnen an Gummikappe vorbei. »Werden Sie im Dampfbad Ihr Hemd ausziehen?« fragte sie. »An mir müssen Sie sich nicht stören! Frauen sind Frauen, und außerdem würde ich Sie nicht anschauen, falls es Ihnen lieber ist. Ich versteh's, ich war früher auch mal so. Ich könnte wetten«, fuhr sie boshaft fort, »daß die beiden widerlichen Weiber sich gründlich betrachtet haben. Puh! Frauen wie die da! Die kann man nicht schockieren! Und sehen sie nicht schrecklich aus? Frech – und mit all dem falschen Haar! Das Maniküreset, das die eine hatte, war mit Gold beschlagen. Wird ja wohl kein echtes Gold gewe-

sen sein, aber ich finde es abscheulich, so was herzubringen! Seine Nägel sollte man immerhin bei sich zu Hause schneiden, finden Sie nicht? Ich verstehe einfach nicht«, fuhr sie fort, »was die Männer in solchen Frauen sehen! Nein, was eine Frau braucht, das ist ein Mann und Kinder und ein Haushalt, den sie besorgt. Das sagt mein Mann immer. Stellen Sie sich mal eins von diesen Flittchen vor, wie die Kartoffeln schält oder die besten Fleischstücke auswählt! Gehen Sie denn schon?«
Ich entfloh ihr und suchte Berthe. Die ganze Zeit über, während ich geseift und gepatscht und abgespritzt und in einen Zuber mit kaltem Wasser geworfen wurde, konnte ich das häßliche, gemeine Gesicht der kleinen Deutschen mit dem guten Ehemann und den vier Kindern nicht aus dem Sinn bekommen, wie sie über die beiden appetitlichen Schönheiten loszog, die noch nie Kartoffeln geschält oder die besten Fleischstücke ausgewählt hatten. Im Vorraum sah ich die beiden noch mal. Sie trugen blaue Kostüme. Die eine steckte sich einen Veilchenstrauß an, und die andre knöpfte sich ein Paar elfenbeinfarbene Wildlederhandschuhe zu. Mit ihren entzückenden Federhüten und Pelzstolen standen sie da und plauderten. »Ja, da sind sie!« sagte eine Stimme dicht hinter mir.
Es war die umgewandelte Gummikappe; jetzt trug sie eine blauweißkarierte Bluse mit Häkelkragen und hatte die schmale Taille und die breiten Hüften der deutschen Hausfrau – auf dem Kopf ein scheußliches Vogelnest, das die Pfalzburger zweifellos als Reisehut bezeichneten. »Was glauben Sie, wieso die sich solche Kleider leisten können? Diese greulichen, gewöhnlichen Geschöpfe! Nein, bei solchem Anblick muß sich's jedes junge Mädchen zweimal überlegen!« Und als die beiden den Vorraum verließen, starrte Gummikappe ihnen nach: ihr fahles Gesicht ganz Mund und Auge, wie das Gesicht eines hungrigen Kindes vor einer verbotenen Tafel.

Etwas Kindliches, aber sehr Natürliches

— — — — — — — — — — — — — — —

I.

Ob er vergessen hatte, was für ein Gefühl es war, oder ob sein Kopf seit dem letzten Sommer größer geworden war, konnte Henry nicht entscheiden. Doch sein Strohhut tat ihm weh: über der Stirn war er zu eng und verursachte in den Knochen über den Schläfen einen dumpfen Schmerz. Deshalb suchte er sich in einem Raucherabteil dritter Klasse einen Eckplatz, nahm den Hut ab und legte ihn nebst seiner großen schwarzen Pappkartonmappe und den Handschuhen – Weihnachtsgeschenk von Tante B.–ins Gepäcknetz. Das Abteil roch abscheulich nach feuchtem Gummi und Ruß. Bis zur Abfahrt des Zuges blieben ihm noch zehn Minuten, und Henry entschloß sich, rasch einen Blick auf die Bücherauslage zu werfen. Durch das Glasdach der Bahnhofshalle flutete die Sonne in langen blauen und goldenen Lichtbahnen; ein kleiner Junge lief mit einem Tablett voll Schlüsselblumen auf und ab; die Leute – vor allem die Frauen – hatten etwas Besonderes an sich, etwas Müßiges und doch Ungeduldiges. Der aufregendste Tag des Jahres, der erste wirkliche Frühlingstag, hatte seine warme, köstliche Schönheit entfaltet – selbst für Londoner Augen. Jeder Farbe hatte er ein neues Glitzern verliehen, jeder Stimme einen neuen Klang, und die Städter schritten aus, als hätten sie einen richtigen, lebendigen Körper unter ihren Kleidern und richtige, lebendige Herzen, die das erstarrte Blut hindurchpumpten.

Henry war ganz versessen auf Bücher. Er las nicht viele und besaß auch nicht mehr als ein halbes Dutzend, aber während der Mittagsstunde und zu jeder erdenklichen Zeit schaute er sich die Bücher der Charing Cross Road und andrer Läden in London an; die Anzahl, mit der er auf Grüßfuß stand, war erstaunlich. Nach der sorgfältigen, netten Art, mit der er sie anfaßte, und nach den treffend gewählten Worten, wenn er mit einem oder dem andern Buchhändler darüber sprach, hätte man glauben können, irgendein Wälzer habe schon an der Brust seiner Kinderfrau geruht, wenn sie ihm seinen Babybrei gab. Doch da hätte man sich schwer getäuscht: es war einfach Henrys Art, wie er alles berührte oder ausdrückte. An diesem Nachmittag war es eine Sammlung englischer Gedichte, und er blätterte darin, bis ihm ein Titel ins Auge fiel: *Etwas Kindliches, aber sehr Natürliches.*

Hätt' ich zwei kleine Flügel
und wär' ein Vögelein,
flög' ich zu dir, mein Liebchen!
Doch was nützt alles Wünschen –
ich bleib' allein, allein.

Im Traume flieg' ich oft zu dir,
die ganze Welt ist mein,
bin bei dir stets in meinem Traum,
doch wach' ich auf, ist's eitel Schaum,
ich bin allein, allein.

Dem Schlaf niemand gebieten kann,
erwach' ich, Liebchen, so allein,
schließ' ich die Augenlider
und träume, träume wieder
und bin mit dir allein.

Er konnte sich nicht satt sehen an dem kleinen Gedicht. Es waren nicht so sehr die Worte, sondern die ganze Stimmung, die ihn bezauberte. Jemand hatte es vielleicht ganz früh am Morgen geschrieben, als er im Bett lag und beobachtete, wie die Sonne über die Decke tanzte. ›Die gleiche Stille ist es‹, dachte Henry. ›Sicher hat er es geschrieben, als er noch nicht völlig wach war, denn das Lächeln eines Traumes liegt darüber.‹ Er überflog das Gedicht, blickte dann weg und wiederholte es auswendig, stockte bei einem Wort in der dritten Strophe und blickte wieder und wieder hin, bis er ein Rufen und Drängen gewahrte und beim Aufblicken sah, daß der Zug sich langsam in Bewegung setzte.
›Verflixt noch mal!‹ Henry sauste hin. Ein Mann mit einer

Signalflagge und einer Pfeife hatte die Hand auf einem Türgriff. Irgendwie bekam er Henry zu packen ... Die Tür flog zu, und Henry war drin, aber das Abteil war kein ›Raucher‹, und von seinem Strohhut oder der schwarzen Mappe oder den von Tante B. zu Weihnachten geschenkten Handschuhen war keine Spur zu sehen. Dafür saß in der Ecke ihm gegenüber und etwas an die Wand gepreßt ein junges Mädchen. Henry wagte es nicht, den Blick zu ihr zu erheben, aber er war überzeugt, daß sie ihn anstarrte. ›Sie muß mich für verrückt halten‹, dachte er, ›so in ein Abteil zu stürmen, noch dazu ohne Hut, und obendrein am Abend!‹ Es war ihm sehr seltsam zumute. Er wußte nicht, wie er dasitzen sollte und ob er die Beine ausstrecken dürfe. Er steckte die Hände in die Tasche und bemühte sich, sehr gleichgültig zu erscheinen und stirnrunzelnd eine große Photographie der Abtei in Bolton zu betrachten. Doch da er ihren Blick auf sich fühlte, schielte er sie verstohlen an. Schnell schaute sie aus dem Fenster, und nun betrachtete Henry sie etwas länger und ließ sich nicht die kleinste ihrer Bewegungen entgehen. Sie saß ganz dicht am Fenster, und Wange und Schulter waren hinter einer Flut rotgoldener Haare verborgen. Die eine kleine Hand – in einem grauen Baumwollhandschuh – hielt im Schoß ein Ledermäppchen mit den Initialen E. M. Die andre Hand hatte sie durch die Schlaufe des Fenstervorhangs gesteckt, und Henry sah an ihrem Handgelenk ein silbernes Armband mit einer Schweizer Kuhglocke und einem Silberschuh und einem Fisch. Sie trug einen grünen Mantel und einen Hut mit einer Ranke ringsherum. Und die ganze Zeit, während Henry es sah, ging ihm unaufhörlich der Titel des neuen Gedichts durch den Kopf: *Etwas Kindliches, aber sehr Natürliches.* ›Vermutlich geht sie in London in irgendeine Schule‹, dachte Henry. ›Oder in ein Büro. Aber nein, dafür ist sie zu jung. Außerdem hätte sie dann ihr Haar aufgesteckt. Es reicht nicht mal über den Rücken.‹ Er konnte die Augen nicht von dem schönen, gewellten Haar abwenden. ›‚Meine Augen sind wie zwei trunkene Bienen ...' Möchte mal wissen, ob ich das gelesen oder selbst ausgedacht habe.‹
Im gleichen Augenblick drehte sich das Mädchen um, fing

seinen Blick auf und wurde rot. Sie ließ den Kopf sinken, um die Röte zu verstecken, die ihr in die Wangen gestiegen war, und Henry war entsetzlich verlegen und wurde ebenfalls rot. ›Ich muß es erklären – muß einfach!‹ Schon begann er die Hand zu heben, um den Hut zu ziehen, der nicht vorhanden war. Das fand er komisch, und es verlieh ihm etwas Selbstvertrauen.

»Es – tut mir furchtbar leid«, sagte er und lächelte den Hut des Mädchens an, »aber ich kann nicht in demselben Abteil mit Ihnen sitzen, ohne Ihnen zu erklären, weshalb ich so hereingestürzt kam, und noch dazu ohne Hut! Sicher habe ich Sie erschreckt, und eben habe ich Sie auch schon angestarrt – aber das ist nur eine üble Gewohnheit von mir – dauernd muß ich die Leute anstarren! Wenn Sie möchten, daß ich es Ihnen erkläre, wie ich hier reinschneite natürlich, nicht das Anstarren« – er lachte kurz auf –, »tu' ich's gern!«

Eine Minute lang sagte sie gar nichts, und dann – leise und schüchtern: »Es macht nichts!«

Der Zug war längst über Dächer und Schornsteine hinaus. Sie schwebten durchs freie Land, vorbei an dunklen kleinen Wäldern und verschwimmenden Feldern und Wassertümpeln, die den rötlichgelben Abendhimmel widerspiegelten. Henrys Herz begann zu hämmern und im Takt mit dem Zug zu pochen. So konnte er es nicht abbrechen lassen. Sie saß so still da, ganz in ihr herabfallendes Haar versteckt. Er fand, es sei unbedingt notwendig, daß sie aufblickte, um ihn zu verstehen – wenigstens ihn zu verstehen. Er beugte sich vor und legte die Hände um die Knie.

»Ich hatte nämlich all meine Sachen – auch meine Mappe – in ein Raucherabteil Dritter Klasse gelegt und war zur Bücherauslage gegangen!« erklärte er.

Als er ihr die Geschichte erzählte, hob sie den Kopf. Im Hutschatten sah er ihre grauen Augen und die Brauen, die goldenen Federchen glichen. Die Lippen standen leicht offen. Beinah unbewußt nahm er die Tatsache in sich auf, daß sie ein Schlüsselblumensträußchen trug und daß ihre Kehle weiß und der Umriß ihres Gesichts wundervoll zart in all dem lodernden Haar war. ›Wie schön sie ist! Wie unglaublich schön

sie ist!‹ sang Henrys Herz, und bei diesen Worten schwoll ihm das Herz und wurde größer und größer und zitterte wie eine schillernde Seifenblase, so daß er vor lauter Angst, sie könne zerspringen, nicht zu atmen wagte.
»Hoffentlich war nichts von Wert in Ihrer Mappe?« sagte sie sehr ernst.
»Ach, nur ein paar dumme Zeichnungen, die ich aus dem Büro mitgenommen hatte«, antwortete Henry leichthin. »Und – ich bin ziemlich froh, daß ich den Hut verloren habe! Er hat mich den ganzen Tag gedrückt!«
»Ja«, sagte sie, »er hat einen Einschnitt hinterlassen!«, und sie lächelte fast.
Warum in aller Welt machten ihre Worte Henry plötzlich so unbeschwert und glücklich und so wahnsinnig aufgeregt? Was spielte sich zwischen ihnen ab? Sie sprachen nicht, aber für Henry war dieses Schweigen lebendig und voller Wärme. Es hüllte ihn von Kopf bis Fuß in eine zitternde Woge ein. Ihre wunderbaren Worte: ›Er hat einen Einschnitt hinterlassen‹, hatte auf geheimnisvolle Weise ein Band zwischen ihnen geknüpft. Sie konnten nicht völlig Fremde füreinander sein, wenn sie so einfach und natürlich sprach. Und jetzt lächelte sie tatsächlich! Das Lächeln tanzte in ihren Augen, stahl sich über die Wangen zu den Lippen und blieb dort. Er warf sich zurück, und Worte entflohen ihm: »Ist das Leben nicht herrlich?«
Der Zug toste in einen Tunnel. Er hörte ihre wegen des Lärms erhobene Stimme; sie beugte sich vor.
»Das kann ich nicht finden. Aber ich bin schon lange Fatalistin –« eine Pause – »schon seit Monaten!«
Sie rasselten durch die Finsternis.
»Warum?« rief Henry.
»Oh ...«
Dann zuckte sie die Achseln, lächelte und schüttelte den Kopf, um anzudeuten, daß sie wegen des Lärms nicht sprechen könne. Er lehnte sich zurück. Der Tunnel entließ sie in ein Gewirr von Lichtern und Häusern. Er wartete auf ihre Erklärung. Aber sie stand auf und knöpfte sich den Mantel zu, rückte ihren Hut zurecht und schwankte ein wenig. »Hier

muß ich aussteigen«, sagte sie. Das kam Henry völlig unmöglich vor.
Der Zug verlangsamte die Fahrt, und die Lichter draußen wurden heller. Sie ging auf das Ende des Abteils zu.
»Aber«, stammelte er, »darf ich Sie nicht wiedersehen?« Er erhob sich ebenfalls und stützte sich mit einer Hand am Gepäcknetz. »Ich *muß* Sie wiedersehen!« Der Zug wollte halten.
Hastig sagte sie: »Ich fahre jeden Abend von London hierher.«
»Oh — tun Sie das — wirklich?« Sein Eifer erschreckte sie. Rasch beherrschte er sich. Sollen wir uns die Hand geben? flog es ihm durch den Kopf. Die eine Hand lag auf dem Griff, die andre hielt die kleine Mappe. Jetzt hielt der Zug. Sie war weg — ohne einen Blick, ohne ein Wort.

II.

Dann kamen ihm der Samstag — ein Halbtag im Büro — und der Sonntag dazwischen. Am Montag gegen Abend war Henry ganz erschöpft. Er war viel zu früh auf dem Bahnhof, und eine Meute dummer Gedanken war ihm gewissermaßen auf den Fersen, die ihn hin und her hetzten. ›Sie hat nicht gesagt, daß sie mit diesem Zug fährt.‹ — ›Und angenommen, ich gehe auf sie zu, und sie schneidet mich?‹ — ›Kann sein, daß jemand bei ihr ist.‹ — ›Wieso bildest du dir ein, daß sie überhaupt noch an dich gedacht hat?‹ — ›Was willst du zu ihr sagen, wenn du sie siehst?‹ Er betete sogar: ›Lieber Gott, mach, daß wir uns wiedersehen!‹
Aber es half alles nichts. Weißer Rauch schwebte zum Dach der Bahnhofshalle auf — verging und erschien nochmals in flatternden Bändern. Als er ihn beobachtete, wie er so verletzlich und still und mit so geheimnisvoller Anmut über der Menge und dem Gedränge hintrieb, wurde er plötzlich ruhiger. Er war so müde, wollte sich nur noch setzen und die Augen schließen, denn sie kam nicht — kam nicht — die Worte hauchten Erleichterung und Verlassenheit aus. Und dann sah er sie ganz in der Nähe, wie sie mit der gleichen kleinen

Ledermappe in der Hand auf den Zug zuging. Henry wartete. Er wußte irgendwie, daß sie ihn bemerkt hatte, aber er setzte sich erst in Bewegung, als sie ganz nahe war und mit ihrer leisen, schüchternen Stimme fragte: »Haben Sie sie wiederbekommen?«

»O ja, danke, ich habe sie wiederbekommen.« Und mit einer lächerlich linkischen Bewegung zeigte er ihr die Mappe und die Handschuhe. Sie gingen Seite an Seite zum Zug und stiegen in ein leeres Abteil. Sie nahmen Platz, einander gegenüber, und lächelten schüchtern und stumm, während der Zug langsam anfuhr und allmählich in gleichmäßiger Geschwindigkeit hineilte. Henry sprach zuerst.

»Es ist so komisch, daß ich Ihren Namen nicht weiß«, sagte er. Sie schob eine dichte Haarwand zurück, die ihr auf die Schulter gefallen war, und er sah, daß ihre Hand in dem grauen Handschuh zitterte. Dann bemerkte er, daß sie sehr steif dasaß, mit zusammengepreßten Knien – und er übrigens auch –, beide bemüht, nicht so zu zittern. Sie sagte: »Ich heiße Edna.«

»Ich heiße Henry«, sagte er.

Eine Pause folgte, in der jeder vom Namen des andern Besitz ergriff und ihn hin und her drehte und – jetzt etwas weniger ängstlich – beiseite schob.

»Ich muß Sie noch etwas fragen«, sagte Henry. Er hatte den Kopf auf die Seite gelegt und blickte Edna an. »Wie alt sind Sie?«

»Sechzehn gewesen«, sagte sie. »Und Sie?«

»Beinah achtzehn!«

»Wie heiß es ist!« rief sie plötzlich und zog die grauen Handschuhe aus, legte die Hände an die Wangen und nahm sie nicht weg. Ihre Augen waren nicht länger verängstigt – sie blickten einander mit einer Art verzweifelter Ruhe an. Wenn nur ihre Körper nicht so dumm zittern würden, dachten beide. Edna war noch immer halb hinter ihrem Haar versteckt und fragte: »Waren Sie schon mal verliebt?«

»Nein, nie! Und Sie?«

»Nie im Leben, nein!« Sie schüttelte den Kopf. »Ich hätt's auch nie für möglich gehalten!«

Seine nächsten Worte sprudelten nur so hervor: »Was haben Sie seit letztem Freitagabend getan? Was haben Sie den ganzen Samstag und Sonntag und heute getan?«
Aber sie antwortete nicht darauf. Sie schüttelte nur den Kopf und sagte lächelnd: »Nein, das müssen *Sie* mir erzählen!«
»Ich?« rief Henry. Und dann merkte er, daß auch er ihr nichts erzählen konnte. Er konnte nicht noch einmal über das Gebirge von Tagen klettern, und auch er schüttelte den Kopf.
»Aber es war qualvoll«, sagte er mit strahlendem Lächeln, »einfach qualvoll!« Daraufhin mußte sie die Hände von den Wangen nehmen und loslachen, und Henry stimmte ein. Sie lachten beide, bis sie ganz erledigt waren.
»Es ist so – so erstaunlich!« sagte sie. »So plötzlich, nicht wahr? Und doch habe ich das Gefühl, Sie schon seit Jahren zu kennen!«
»Ich auch«, sagte Henry. »Ich glaube, daran ist der Frühling schuld. Mir ist, als hätte ich einen Schmetterling verschluckt und als zittere er hier mit seinen Flügeln!« Dabei legte er die Hand auf sein Herz.
»Und das Allererstaunlichste«, sagte Edna, »ist meine Überzeugung, daß ich mir nichts aus – aus Männern mache. Ich meine, die Mädchen im College . . .«
»Waren Sie im College?«
Sie nickte. »In einem Ausbildungscollege – um Sekretärin zu werden.« Es klang verächtlich.
»Ich bin in einem Büro«, erzählte Henry. »In einem Architekturbüro – eine komische kleine Kiste, hundertdreißig Stufen hoch! Wir sollten Nester statt Häuser bauen, finde ich immer.«
»Arbeiten Sie gern dort?«
»Nein, natürlich nicht. Ich möchte überhaupt nicht arbeiten – und Sie?«
»Oh, ich hasse es . . . Und weil meine Mutter Ungarin ist«, fügte sie hinzu, »hasse ich's wahrscheinlich um so mehr.«
Das fand Henry sehr begreiflich. »Sicher«, sagte er.
»Mutter und ich sind genau gleich. Mit meinem Vater habe ich gar nichts Gemeinsames; er ist bloß . . . ein kleiner Mann

in der City. Aber meine Mutter hat wildes Blut, und das hat sie auf mich vererbt. Sie haßt unser Leben ebensosehr wie ich.« Sie brach ab und runzelte die Stirn. »Und trotzdem kommen wir nicht gut zusammen aus – eigentlich komisch, nicht wahr? Aber zu Hause fühle ich mich gänzlich allein.« Henry hörte ihr zu – einerseits hörte er ihr zu, aber andrerseits bedrängte ihn etwas, um das er sie bitten wollte. Sehr schüchtern fragte er: »Würden Sie wohl – Ihren Hut abnehmen?«

Sie sah überrascht aus. »Abnehmen? Meinen Hut?«

»Ja. Es ist wegen Ihres Haars. Ich gäbe alles drum, Ihr Haar einmal richtig zu sehen.«

Sie sträubte sich. »Es ist gar nicht ...«

»Doch, es *ist*«, rief Henry, und dann, als sie den Hut abgenommen und den Kopf leicht aufgeworfen hatte, fuhr er fort: »Es ist das Schönste, was es auf der Welt gibt, Edna!«

»Gefällt es Ihnen?« sagte sie lächelnd und sehr zufrieden. Sie zog es sich wie einen goldenen Umhang um die Schultern. »Meistens lachen die Leute drüber. Es hat so eine ungewöhnliche Farbe.« Aber Henry war andrer Ansicht. Sie stützte die Ellbogen auf die Knie und schmiegte das Kinn in die Hände. »So sitze ich oft da, wenn ich wütend bin, und dann spüre ich, wie es mich aufzehrt. Ist das albern?«

»Nein, nein, überhaupt nicht«, sagte Henry. »Ich ahnte, daß Sie es tun. Es ist eine Art Waffe, die Sie gegenüber allen langweiligen und scheußlichen Dingen haben.«

»Wie konnten Sie das nur wissen? Ja, genau das ist es. Aber wie konnten Sie das bloß wissen?«

»Hab's eben geahnt«, lächelte Henry. »Mein Gott«, rief er, »wie dumm die Leute doch sind! All die kleinen Nachschwätzer, die Sie kennen und die ich kenne. Nehmen Sie uns dagegen! Hier sind wir – und mehr gibt's darüber nicht zu sagen. Ich weiß von Ihnen, und Sie wissen von mir – wir haben einander soeben gefunden – ganz einfach – bloß durch Natürlichsein. Das ist's, was das Leben ist – etwas Kindliches und sehr Natürliches. Stimmt's?«

»Ja – ja!« antwortete sie eifrig. »Das habe ich auch immer gedacht!«

»Es sind bloß die Leute, die alles so — töricht machen! Solange man sich von ihnen fernhalten kann, ist man sicher und ist man glücklich!«

»Oh, das habe ich schon lange gedacht!«

»Dann sind Sie ebenso wie ich!« sagte Henry. Es war ein so großes Wunder, daß er am liebsten geweint hätte. Statt dessen sagte er nur sehr ernst: »Ich glaube, wir beide sind die einzigen lebenden Menschen, die so denken. Ich bin sogar ganz überzeugt davon. Niemand versteht mich. Mir ist, als lebte ich in einer Welt voll seltsamer Geschöpfe—Sie auch?«

»Ja, immer!«

»In einer Minute sind wir wieder in dem abscheulichen Tunnel«, sagte Henry. »Edna, darf ich — darf ich Ihr Haar anfassen?«

Sie wich rasch zurück. »Oh nein, bitte nicht!« Und als sie ins Dunkel hineinfuhren, rückte sie ein bißchen von ihm weg.

III.

›Edna! Ich habe die Karten bekommen! Der Mann an der Konzertkasse war gar nicht verwundert, daß ich das Geld hatte. Erwarte mich um drei vor dem Aufgang zur Galerie und zieh die sahneweiße Bluse mit den Korallen an, ja? Ich liebe dich! Ich schicke die Briefe gar nicht gern ins Geschäft. Ich habe immer ein Gefühl, als hätten die Leute mit dem Schild ‚Briefannahme' in ihrem Fenster im Hofzimmer einen Teekessel, mit dessen Dampf sie jeden Brief öffnen könnten, und wär's ein Elefantenohr von Briefumschlag! Aber im Grunde ist es egal, nicht wahr, Liebling? Kannst du dich am Sonntag frei machen? Tu so, als wolltest du ihn bei einer deiner Bürokolleginnen verbringen! Dann treffen wir uns irgendwo draußen und wandern oder suchen uns eine Wiese, wo wir den Gänseblümchen beim Aufblühen zuschauen können. Ich liebe dich, Edna. Sonntage ohne dich sind einfach unmöglich. Laß dich vor dem Samstag nicht überfahren und iß nichts Schlechtes aus einer Büchse und trink nicht an öffentlichen Brunnen! Das ist alles, Liebling!‹

›Ja, Liebster, ich bin Samstag da, und mit dem Sonntag habe

ich's auch eingerichtet. Daß ich zu Hause so ungebunden bin, ist ein wahrer Segen. Ich bin gerade vom Garten hereingekommen: es ist ein so schöner Abend. Oh, Henry, ich liebe dich heute abend so sehr, daß ich gerade weinen könnte. Dumm – ja? Entweder bin ich so glücklich, daß ich nicht aufhören kann zu lachen, oder ich bin so traurig, daß ich dauernd weinen möchte – und beides aus dem gleichen Grund. Wir sind eben sehr jung, daß wir uns schon gefunden haben, nicht wahr? Ich schicke dir ein Veilchen. Es ist noch warm. Ich wünschte, du wärst jetzt hier, und wenn's auch nur eine Minute wäre. Gute Nacht, Liebster! Deine Edna.‹

IV.

»Heil und unbeschädigt!« sagte Edna. »Und was für herrliche Plätze, nicht wahr, Henry?«

Sie stand auf, um ihren Mantel auszuziehen, und Henry schickte sich an, ihr zu helfen. »Nein, laß, hab' ihn schon aus!« Sie stopfte ihn unter den Sitz und nahm neben ihm Platz. »Oh, was hast du da? Blumen?«

»Nur zwei winzig kleine Rosen!« Er legte sie ihr in den Schoß.

»Hast du meinen Brief bekommen?« fragte Edna und zog die Nadel aus dem Papier.

»Ja, danke«, sagte er. »Das Veilchen gedeiht prächtig. Du solltest mein Zimmer sehen! Ein kleines Stück Veilchen habe ich in jede Ecke gepflanzt, und eins auf mein Kopfkissen und eins in die Tasche meines Schlafanzugs.«

Mit einem Schütteln ihres Haars ging sie darauf ein. »Gib mir jetzt das Programm, Henry!«

»Hier ist es ja – du kannst es mit mir zusammen lesen – ich halte es für dich!«

»Nein, ich möcht's haben!«

»Dann werde ich's dir vorlesen!«

»Nein, du kannst es nachher haben!«

»Edna!« flüsterte er.

»O bitte nicht!« flehte sie. »Nicht hier! Denk an die Leute!«

Warum drängte es ihn so sehr, sie zu berühren, und warum

war sie so sehr dagegen? Immer, wenn sie zusammen waren, wollte er ihre Hand halten oder sich, wenn sie nebeneinandergingen, bei ihr einhängen oder gegen sie lehnen, nicht sehr – ganz leicht nur, so daß seine Schulter die ihre streifte –, und nicht einmal das wollte sie dulden. Die ganze Zeit, die er von ihr getrennt war, hungerte er nach ihrer Nähe und verzehrte er sich nach ihr. Anscheinend strömten Trost und Wärme von Edna aus, und die brauchte er, um ruhig zu bleiben. Ja, so war es. Und er konnte neben ihr nicht ruhig werden, weil sie ihm nicht erlaubte, sie zu berühren. Und doch liebte sie ihn. Er wußte es. Warum empfand sie in der Beziehung so sonderbar? Jedesmal, wenn er versuchte oder auch nur darum bat, ihre Hand halten zu dürfen, schreckte sie zurück und blickte ihn mit so flehenden, furchtsamen Augen an, als wollte er ihr weh tun. Sie konnten einander alles sagen. Und es stand außer Frage, daß sie zueinander gehörten. Und doch durfte er sie nicht berühren. Er durfte ihr ja nicht einmal aus dem Mantel helfen! Sein Grübeln wurde durch ihre Stimme unterbrochen.

»Henry!« Er beugte sich zu ihr, um besser zu hören, und seine Lippen waren aufeinandergepreßt. »Ich möchte dir etwas erklären. Ich tu's – bestimmt – nach dem Konzert – ich verspreche es.«

»Gut.« Er war noch gekränkt.

»Du bist doch nicht traurig, nicht wahr?« fragte sie.

Er schüttelte den Kopf.

»Oh, du bist traurig, Henry!«

»Nein, wirklich nicht!« Er blickte auf die Rosen, die in ihrem Schoß lagen.

»Bist du also glücklich?«

»Ja. Da kommen schon die Musiker!«

Als sie den Saal verließen, dämmerte es bereits. Ein blauer Lichtschleier hing über den Straßen und Häusern, und rosa Wolken trieben in einem blassen Himmel. Je weiter sie gingen, desto mehr spürte Henry, wie sehr klein und allein sie waren. Zum erstenmal, seit er Edna kennengelernt hatte, war ihm das Herz schwer.

»Henry!« Sie blieb plötzlich stehen und sah ihn an. »Henry,

ich komme nicht mit dir zum Bahnhof. Bitte – warte nicht auf mich! Bitte, laß mich allein!«

»Mein Gott!« rief Henry und erschrak, »was ist denn – Edna – Liebste – was habe ich getan?«

»Ach, nichts, geh nur!« Sie drehte sich um und lief über die Straße und zu einem kleinen Grünplatz, wo sie sich gegen den Gitterzaun lehnte und das Gesicht in den Händen verbarg.

»Edna! Edna – meine liebe Kleine – du weinst ja! Edna, mein Kindchen!«

Sie legte die Arme aufs Gitter und weinte hemmungslos.

»Edna – nicht! Es ist alles meine Schuld! Ich bin ein Dummkopf – ein verdammter Idiot! Ich habe dir den Nachmittag verdorben! Mit meinem dummen, verdammten Ungeschick habe ich dich gequält. Das ist es! Nicht wahr, Edna, das ist es doch? Oh, lieber Gott ...«

»Ach«, weinte sie, »es ist mir schrecklich, dir so weh zu tun! Aber jedesmal, wenn du mich bittest, meine – meine Hand zu halten – oder mich zu küssen, könnt' ich mich umbringen dafür, daß ich's dich nicht tun lasse. Ich weiß nicht mal, warum ich's dich nicht tun lasse!« Aufgeregt fuhr sie fort: »Es ist nicht so, daß ich Angst vor dir hätte, Henry – das ist es gar nicht! Es ist nur ein Gefühl, Henry, das ich selbst nicht verstehen kann. Gib mir dein Taschentuch, Liebster.« Er holte es aus der Tasche. »Während des ganzen Konzerts hat es mich verfolgt, und ich weiß, daß es jedesmal wieder auftaucht, wenn wir uns treffen. Manchmal denke ich, wenn wir's täten – du weißt schon, uns bei der Hand hielten und uns küßten –, dann wäre alles anders, und wir wären dann nicht mehr frei, wie jetzt, denke ich –, weil wir etwas Verstohlenes täten. Wir wären dann keine Kinder mehr – komisch, nicht? Ich wäre dann befangen vor dir, Henry, und ich wäre scheu, und ich spüre es so sehr, daß wir so was gar nicht brauchen, gerade weil wir so sind, wie wir sind.« Sie wandte sich zu ihm um und sah ihn an und hatte die Hände an die Wangen gedrückt – auf die ihm so bekannte Art, während er hinter ihr und wie in einem Traum den Himmel und den weißen Halbmond und die Bäume auf dem Platz mit ih-

ren noch nicht aufgeborstenen Knospen sah. Seine Hände zerknitterten das Konzertprogramm. »Henry, du verstehst mich – ja?«
»Ich glaube – ja. Aber jetzt wirst du keine Angst mehr haben, nicht wahr?« Er versuchte zu lächeln. »Wir wollen's vergessen, Edna! Ich werd's nie mehr sagen! Wir wollen den Spuk hier begraben – hier auf dem Platz – du und ich – ja?«
»Aber«, fragte sie und blickte forschend in sein Gesicht, »wirst du mich nun weniger lieben?«
»Aber nein!« sagte er. »Nichts in der Welt – gar nichts – könnte das zuwege bringen!«

V.

London wurde ihr Tummelplatz. Samstagnachmittags gingen sie auf Entdeckungsreisen. Sie entdeckten ihre ganz persönlichen Geschäfte, wo sie Zigaretten und für Edna Bonbons kauften, und ihre private Teestube mit ihrem eigenen Tisch, ihre eigenen Straßen und – eines Abends, an dem Edna angeblich einen Vortrag im Polytechnikum hörte – sogar ihr eigenes Dörfchen. Der Name hatte es ihnen angetan. »In dem Namen sind weiße Gänse«, sagte Henry, der Edna davon erzählte. »Und ein Fluß und kleine Häuschen, vor denen alte Männer sitzen – alte Seebären mit einem Holzbein, die ihre Uhr aufziehen –, und kleine Läden mit Lampen in den Fenstern.«
Es war zu spät, um die Gänse oder die alten Männer zu sehen, aber der Fluß war da und die Häuschen und sogar die Läden mit den Lampen. In dem einen arbeitete eine Frau an einer Nähmaschine, die vor ihr auf dem Ladentisch stand. Sie hörten das Surren des Rädchens und sahen ihren riesigen Schatten, der den ganzen Laden ausfüllte. »Kein Platz mehr für auch nur einen Kunden«, sagte Henry. »Ein allerliebster Ort!«
Die Häuschen waren niedrig und mit Schlinggewächsen und Efeu überzogen. Vor einigen führten abgewetzte Holztreppen zur Haustür hinauf. Bei andern mußte man ein paar Stufen hinuntergehen, um einzutreten; und gleich auf der andern

Straßenseite, und von jedem Fensterchen sichtbar – war der Fluß, mit einem Pfad nebenher und ein paar hohen Pappeln. »Das ist der Ort, wo wir wohnen sollten«, sagte Henry. »Hier ist ja auch ein Haus zu vermieten! Möchte mal wissen, ob es auf uns wartet, wenn wir's drum bitten. Bestimmt wird's das tun!«

»Ja, hier möchte ich gern wohnen«, sagte Edna. Sie überquerten die Straße, und Edna lehnte sich an einen Baumstamm und blickte mit verträumtem Lächeln zu dem leeren Haus auf.

»Auf der Rückseite ist ein kleiner Garten, Liebste«, sagte Henry, »ein Rasenplatz mit einem Bäumchen und Margeritenstauden längs der Mauer. Nachts hängen die Sterne wie winzige Kerzen im Baum. Und drin sind zwei Zimmer zu ebener Erde, und oben ist ein großes Zimmer mit einer Flügeltür, und darüber ist eine Mansarde. Und acht sehr dunkle Stufen führen zur Küche, Edna – da wirst du dich fürchten. ›Henry, Liebster, könntest du wohl die Lampe bringen? Bevor wir schlafen gehen, möchte ich nachsehen, ob Euphemia die Glut richtig auseinandergeschürt hat!‹«

»Ja«, sagte Edna. »Unser Schlafzimmer ist ganz zuoberst – das Zimmer mit den kleinen Schiebefenstern. Wenn es ruhig ist, können wir den Fluß vorbeifließen hören, Liebster, und ganz in der Ferne rauschen die Pappeln durch unsern Traum.«

»Du frierst doch nicht, nicht wahr?« fragte er plötzlich.

»Nein – ach nein. Ich bin nur sehr glücklich.«

»Das Zimmer mit der Flügeltür ist deins.« Henry lachte. »Es ist gar kein richtiges Zimmer, sondern ein Durcheinander. Es ist ganz voll von deinen Spielsachen, und ein großer blauer Sessel steht drin, in den du dich einkuscheln kannst, und die Flammen vom Kaminfeuer spielen über deine Locken – denn obwohl wir verheiratet sind, weigerst du dich, dein Haar aufgesteckt zu tragen, und während der Kirche versteckst du es unter dem Mantelkragen. Und auf dem Boden liegt ein Teppich, auf dem ich mich ausstrecken kann, weil ich ein Faulpelz bin. Euphemia – unser Mädchen – kommt nur tagsüber. Wenn sie weg ist, gehen wir in die Küche, setzen uns an den Tisch und essen einen Apfel, oder vielleicht machen wir uns Tee, nur um den Teekessel singen zu hören. Das sage ich nicht zum Scherz. Wenn man einem Teekessel von Anfang bis zu Ende zuhört, hört man den schönsten Frühlingsmorgen.«

»Ja, ich weiß«, sagte sie. »All die verschiedenen Vögel.«

Eine kleine Katze kam durch den Zaun des leeren Hauses auf die Straße geschlüpft. Edna lockte sie und bückte sich und streckte die Hände aus: »Pussi! Pussi!« Das Kätzchen lief zu ihr und rieb sich an ihren Knien.

»Falls wir spazierengehen wollen, nimm das Kätzchen und setz es hinter die Haustür«, sagte Henry, der ihren Traum noch weiter ausspann. »Ich hab' den Schlüssel!«

Sie trat auf die Straße, stand da und streichelte das Kätzchen auf ihrem Arm, während Henry die Stufen hinaufging und so tat, als schlösse er die Haustür auf.

Rasch kam er wieder zu ihr. »Laß uns sofort weggehen! Sonst zerfließt es und wird ein Traum!«

Es war ein dunkler, warmer Abend. Sie mochten noch nicht nach Hause gehen. »Ich weiß ganz genau, daß wir *jetzt* dort wohnen sollten«, sagte Henry. »Wir sollten nicht auf später warten. Was hat das Alter überhaupt zu bedeuten? Du bist so alt, wie du jemals sein wirst – und ich auch. Ich habe nämlich sehr, sehr oft ein Gefühl, daß es gefährlich ist, auf etwas zu warten, daß sich alles nur weiter und weiter entfernt, wenn man mit dem Abwarten beginnt.«

»Aber Henry – das Geld? Wir haben ja gar kein Geld!«

»Hm, ja – wenn ich mich vielleicht als alter Mann verkleidete, könnte ich eine Stelle als Hauswart in einem großen Haus bekommen. Das wäre doch lustig. Ich würde mir eine gruselige Geschichte des Hauses ausdenken, falls jemand es besichtigen wollte, und du könntest dich als Gespenst verkleiden und jammernd und händeringend durch die öde Bildergalerie ziehen, um die Leute abzuschrecken. Hast du noch nie gedacht, daß Geld mehr oder weniger Nebensache ist und daß, wenn man irgendwelche Dinge wirklich haben will, es entweder da ist, oder daß einem doch nichts an ihnen liegt?«

Sie antwortete nicht darauf. Sie blickte zum Himmel auf und sagte: »O je, ich möchte nicht nach Hause!«

»Sehr richtig – das ist der ganze Kummer – und wir sollten auch nicht nach Hause gehen! Wir sollten ins Häuschen zurückkehren und eine Untertasse suchen, in der wir der Katze den letzten Rest aus dem Milchkrug geben. Ich lache gar nicht – ich bin nicht mal glücklich! Ich sehne mich nach dir, Edna – und ich gäbe wer weiß was drum, könnte ich mich hinlegen und weinen ...« Und hilflos schloß er: »... mit meinem Kopf in deinem Schoß und mit deiner süßen Wange in meinem Haar.«

»Aber Henry«, sagte sie und kam näher, »du hast doch Vertrauen, nicht wahr? Ich meine, du bist doch ganz überzeugt, daß wir so ein Haus haben werden, mit allem, was dazugehört – oder nicht?«

»Das genügt nicht – das genügt mir nicht! Ich will jetzt in dieser Minute dort auf der Treppe sitzen und mir dort die Schuhe ausziehen. Du etwa nicht? Genügt's dir, drauf zu vertrauen?«

»Wenn wir nur nicht so jung wären«, sagte sie unglücklich. »Und doch«, seufzte sie, »ist mir gar nicht so jung zumute ... sondern mindestens wie zwanzig.«

VI.

Henry lag im Wäldchen auf dem Rücken. Wenn er sich bewegte, raschelten unter ihm ein paar dürre Blätter, und ihm zu Häupten flirrte das junge Laub wie Springbrunnen grünen Wassers, das von Sonne durchtränkt ist. Irgendwo, und für ihn nicht sichtbar, pflückte Edna Schlüsselblumen. Er hatte sich am Vormittag so in seine Träumereien verloren, daß er ihr mit ihrer Freude an den Blumen nicht recht folgen konnte. »Ja, Liebste, geh du nur und hol mich dann. Ich bin zu faul.« Sie hatte ihren Hut hingeworfen und war neben ihm niedergekniet, und allmählich verhallten ihre Stimme und ihre Schritte. Jetzt war es still im Wald, bis auf die Blätter, aber er wußte, daß sie nicht allzu weit weg war, und er drehte sich so, daß seine Fingerspitzen an ihre rote Jacke stießen. Seit dem Erwachen war ihm so sonderbar zumute, als sei er gar nicht richtig wach, sondern träume nur. Die Zeit vor Edna war ein Traum, und jetzt träumten er und Edna gemeinsam weiter, und irgendwo in einer dunklen Gegend wartete noch ein anderer Traum auf ihn. ›Nein, das kann nicht wahr sein, weil ich mir die Welt ohne uns einfach nicht vorstellen kann. Ich weiß, daß wir beide zusammen etwas bedeuten, das vorhanden sein muß – genauso selbstverständlich wie Bäume oder Vögel oder Wolken.‹ Er versuchte sich zu erinnern, wie es ohne Edna gewesen war, aber er konnte sich nicht zu jenen Tagen zurücktasten. Sie überdeckte sie; Edna mit dem rotgoldenen Haar und dem seltsamen, verträumten Lächeln füllte ihn ganz und gar aus. Er atmete sie; er aß sie und trank sie. Er ging wie in einem schimmernden Mantel umher, der Edna war und der die Welt auf Abstand hielt oder alles, was ihm begegnete, mit seiner eigenen Schönheit ansteckte. Einmal erzählte er ihr: »Lange nachdem du zu lachen aufgehört hast, kann ich dein Lachen noch in meinen Adern hören, wo es auf und ab läuft ... und doch ... sind wir ein Traum?« Und plötzlich sah er sich und Edna als zwei sehr kleine Kinder durch die Straßen gehen, in Fenster schauen, Sachen kaufen und mit ihnen spielen, miteinander plaudernd und lächelnd –, er sah sogar ihre Gebärden und wie sie oft stehenblieben, ganz still, und einander ansahen –, und dann wälzte er sich herum und drückte sein Gesicht, schwach vor Sehnsucht, in die dürren Blätter. Er wollte Edna küssen und in seine Arme schließen und sie an sich drücken und ihre Wange heiß unter seinem Kuß spüren und sie küssen, bis er keinen Atem mehr hatte und so den Traum ersticken konnte.

»Nein, mit diesem Hunger kann ich nicht weiterleben«, sagte Henry und sprang auf und begann in die Richtung zu laufen, die sie eingeschlagen hatte. Sie war ziemlich weit weg. Er sah sie in einer grünen Mulde knien, und als sie ihn sah, winkte sie und rief: »O Henry, wie wunderschön sie sind! Noch nie habe ich so schöne gesehen! Komm! Schau sie dir an!« Doch bis er dann bei ihr war, hätte er sich eher die Hand abgehackt, als ihr die Freude zu verderben. Aber wie sonderbar Edna heute war! Die ganze Zeit, während sie mit Henry sprach, tanzten und lachten ihre Augen – reizend und spottlustig. Auf ihren Wangen brannten zwei kleine Farbflecke, rot wie Erdbeeren, und dauernd sagte sie: »Ich wünschte, ich wäre endlich müde. Ich möchte über die ganze weite Welt wandern, bis ich sterbe! Henry, komm doch! Geh ein bißchen schneller, Henry! Versprich mir, wenn ich plötzlich zu fliegen anfange, daß du mich dann an den Füßen festhältst, ja? Sonst komme ich nie wieder herunter!« Dann rief sie: »Ach, ich bin so glücklich! Ich bin ganz schrecklich glücklich!« Sie kamen zu einer verzauberten, ganz mit Heidekraut überwucherten Stelle. Es war früh am Nachmittag, und die Sonne strömte auf all den Purpur.

»Laß uns ein Weilchen hierbleiben!« bat Edna. Sie watete ins Heidekraut hinein und legte sich hin. »O Henry, es ist herrlich! Ich sehe nichts als den Himmel und die kleinen Glöckchen!«

Henry kniete neben ihr nieder, nahm ein paar Schlüsselblumen aus ihrem Korb und flocht eine lange Girlande für ihren Hals. »Ich könnte fast einschlafen«, sagte Edna. Sie schob sich näher an ihn heran und lag nun vor seinen Knien, dicht neben ihm, und unter ihrem Haar versteckt. »Es ist so freundlich und so still, als wäre man tief unten im Meer, nicht wahr, Liebster?«

»Ja«, sagte Henry mit merkwürdig heiserer Stimme. »Jetzt mache ich dir einen Veilchenkranz!« Aber Edna richtete sich auf. »Laß uns umkehren«, bat sie.

Sie fanden wieder auf die Landstraße zurück und wanderten lange Zeit. Edna sagte: »Nein, ich könnte doch nicht über die ganze weite Welt wandern – ich bin jetzt müde!« Sie schleppte sich auf dem Grasrand der Straße entlang. »Du und ich, wir sind beide müde, Henry! Ist es noch sehr viel weiter?«

»Ich weiß es nicht, nicht mehr sehr weit«, sagte Henry und spähte in die Ferne. Schweigend gingen sie weiter.

»Oh«, sagte sie schließlich, »es ist wirklich zu weit, Henry! Ich bin müde und hungrig! Trag mein dummes Schlüsselblumenkörbchen!« Er nahm es, ohne sie anzusehen.

Endlich kamen sie zu einem Dorf und zu einer Hütte, die auf einem Schild ›Tee und Kuchen‹ verhieß.

»Hier ist es richtig«, sagte Henry. »Hier bin ich schon oft gewesen. Setz dich auf die kleine Bank, und ich gehe hinein und bestelle Tee!« Sie setzte sich auf die Bank im schmucken Garten, wo alles gelb und weiß von Frühlingsblumen war. Eine Frau trat auf die Schwelle und sah ihnen zu, wie sie aßen. Henry war sehr nett zu ihr, aber Edna sagte kein Wort. »Sie sind sehr lange nicht hiergewesen«, meinte die Frau.
»Stimmt – und wie herrlich der Garten jetzt ist.«
»Es geht«, sagte sie. »Ist die junge Dame Ihre Schwester?« Henry nickte bejahend und nahm sich etwas Marmelade.
»Man sieht's gleich an der Ähnlichkeit«, sagte die Frau. Sie kam zu ihnen in den Garten, pflückte einen Stiel weißer Narzissen und schenkte ihn Edna. »Sie kennen wohl nicht zufällig jemand, der ein Häuschen sucht?« fragte sie. »Meine Schwester ist krank geworden und hat mir ihres überlassen. Ich möchte es vermieten.«
»Für lange?« erkundigte sich Henry höflich.
»Ach, das kommt drauf an«, antwortete die Frau unschlüssig. Darauf sagte Henry: »Vielleicht weiß ich jemanden – könnten wir hingehen und das Häuschen anschauen?«
»Ja, es ist nur ein paar Schritte die Straße hinab, das kleine mit den Apfelbäumen vor der Tür. Ich hole Ihnen den Schlüssel.«
Als sie fort war, wandte Henry sich an Edna und fragte: »Willst du mitkommen?« Sie nickte.
Sie gingen die Straße hinab und durch die Gartenpforte und einen kleinen Rasenweg zwischen rosa und weiß blühenden Bäumen hinauf. Es war sehr klein – zwei Zimmer unten und zwei Zimmer oben. Edna lehnte sich oben aus dem Fenster, und Henry stand auf der Schwelle. »Gefällt es dir?« fragte er.
»Ja«, rief sie, und dann machte sie ihm Platz am Fenster. »Komm und sieh selber! Es ist so reizend!«
Er trat zu ihr und beugte sich aus dem Fenster. Unter ihnen tanzten die Apfelbäume in einem leichten Lüftchen, das ihm eine lange Strähne von Ednas Haar über die Augen wehte. Sie bewegten sich nicht. Es war Abend geworden. Der blaßgrüne Himmel war schon mit Sternen bestickt.
»Sieh mal – die Sterne, Henry!« sagte sie.

»Und im Handumdrehen ist der Mond draußen«, sagte Henry.
Sie schien sich nicht zu rühren, und doch lehnte sie jetzt an Henrys Schulter. Er legte den Arm um sie, und sie fragte mit bebender Stimme: »Sind die Bäume hier unten – lauter Apfelbäume?«
»Nein, Liebste«, erwiderte Henry. »Ein paar sind voller Engel, und andre sind voll Zuckermandeln – aber das Abendlicht ist sehr trügerisch.« Sie seufzte. »Henry – wir dürfen nicht länger hierbleiben!«
Er ließ sie los, und sie richtete sich im dämmerigen Zimmer auf und strich sich übers Haar. »Was ist nur den ganzen Tag mit mir los gewesen?« fragte sie – und wartete dann nicht auf seine Antwort, sondern lief zu ihm, schlang ihm die Arme um den Hals und drückte seinen Kopf an ihre Halsgrube. »Oh, wie ich dich liebe!« flüsterte sie. »Halt mich fest, Henry!« Er umarmte sie, und sie schmiegte sich an ihn und blickte ihm in die Augen. »War's nicht furchtbar heute den ganzen Tag?« sagte Edna. »Ich wußte, was mit dir war, und wollte dir so brennend gern zu verstehen geben, daß du mich küssen solltest – daß ich das Gefühl ganz überwunden habe.«
»Du bist einzig, einzig, einzig!« sagte Henry.

VII.

›Die Frage ist nur‹, sagte sich Henry, ›wie halte ich das Warten bis zum Abend aus?‹ Er zog seine Uhr aus der Tasche und versenkte sie in eine Porzellanvase auf dem Kaminsims. Im Lauf von einer Stunde hatte er siebenmal drauf gesehen, und jetzt konnte er sich nicht erinnern, wieviel Uhr es war. Also gut, einmal würde er noch hinschauen! Halb fünf! Ihr Zug sollte um sieben ankommen. Um halb sieben mußte er sich auf den Weg zum Bahnhof machen. Also noch zwei Stunden Warten. Er ging wieder durchs Häuschen – unten und oben. »Es sieht reizend aus!« sagte er. Er ging in den Garten, pflückte einen kugelrunden Strauß weißer Federnelken und stellte ihn in eine Vase auf das Tischchen neben Ednas Bett. ›Ich glaube es nicht‹, dachte Henry. ›Keine Minute kann ich's glauben! Es ist zuviel! In zwei Stunden wird sie hiersein, und dann gehen wir nach Hause, und ich nehme den weißen Krug vom Küchentisch und gehe zu Mrs. Biddie hinüber, die Milch holen, und komme wieder, und bis ich zurück bin, hat sie die Lampe in der Küche angezündet, und ich schaue durchs Fenster und sehe sie im Lichtschein umhergehen. Und dann essen wir Abendbrot, und nach dem Essen (klar, daß *ich* abwasche!) lege ich noch etwas Holz aufs Feuer, und wir sitzen auf dem Kaminteppich und beobachten, wie es brennt. Kein Laut wird zu hören sein, ausgenommen vom Holz, und vielleicht stiehlt sich der Wind einmal ums Haus ... Und dann zünden wir unsre Kerzen an, und sie geht zuerst hinauf – mit ihrem Schatten neben sich auf der Wand, und dann ruft sie ›Gute Nacht, Henry!‹, und ich antworte ›Gute Nacht, Edna!‹ Und dann sause ich die Treppe hinauf und springe ins Bett und beobachte den schmalen Lichtstreifen, der aus ihrem Zimmer unter meine Türritze fällt, und im Augenblick, wenn er verschwindet, mache ich die Augen zu und schlafe bis zum frühen Morgen! Dann haben wir morgen den ganzen Tag und den Abend! Ob sie sich das auch alles ausmalt? Edna, komm schnell!

Hätt' ich zwei kleine Flügel
und wär' ein Vögelein,
flög' ich zu dir, mein Liebchen ...

›Nein, doch nicht, Liebste! Denn das Warten ist auch eine Art Seligkeit. Falls du das begreifen kannst. Hast du schon gewußt, daß ein Häuschen auf Zehenspitzen stehen kann? Unser Häuschen kann es!‹
Er war wieder unten, saß auf der kleinen Außentreppe und umklammerte seine Knie. An jenem Abend, als sie ihr Dorf gefunden hatten, fragte Edna: »Hast du denn kein Vertrauen, Henry?« – ›Damals hatte ich's nicht – aber jetzt habe ich's‹, dachte er. ›Jetzt komme ich mir wie Gott vor.‹ Er lehnte den Kopf gegen den Türrahmen. Er konnte die Augen kaum noch offenhalten, nicht etwa, daß er schläfrig war, sondern ... aus irgendeinem andern Grund ... und viel Zeit verstrich.

Henry glaubte, einen großen weißen Nachtschmetterling die Straße entlangfliegen zu sehen, der sich auf der Gartenpforte niederließ. Aber nein, es war kein Nachtschmetterling. Es war ein kleines Mädchen in einer weißen Schürze. Was für ein nettes kleines Mädchen, dachte er und lächelte im Schlaf. Sie lächelte auch, und beim Gehen setzte sie die Füße einwärts. ›Sie kann doch nicht hier wohnen!‹ dachte Henry. ›Denn das ist unser Haus! Da kommt sie schon!‹

Als sie ganz nah herangekommen war, zog sie die Hand unter der Schürze hervor und gab ihm ein Telegramm und lächelte und ging wieder. Das ist ein komisches Geschenk, dachte Henry und sah darauf. ›Vielleicht ist es nur ein Scherzartikel – mit so einer Papierschlange drin, die einem ins Gesicht springt!‹ Im Traum lachte er leise und machte den Umschlag sehr vorsichtig auf. ›Es ist bloß ein zusammengefaltetes Papier!‹ Er holte es hervor und faltete es auseinander.

Der Garten war voller Schatten – sie webten ein dunkles Netz über das Häuschen und die Bäume und Henry und das Telegramm. Aber Henry rührte sich nicht.

Eine unbesonnene Reise

— — — — — — — — — — — — — — —

I.

Sie gleicht der heiligen Anna. Ja, mit dem schwarzen Kopftuch und den grauen, herunterhängenden Haarsträhnen und der kleinen, qualmenden Lampe in der Hand ist die Concierge das Ebenbild der heiligen Anna. Wirklich sehr schön, dachte ich und lächelte der ›heiligen Anna‹ zu, die streng betonte: »Sechs Uhr! Die Zeit reicht nur gerade eben! Auf dem Schreibtisch steht ein Napf mit Milch.« Ich sprang aus dem Schlafanzug und in eine Wanne mit kaltem Wasser, wie es in den französischen Romanen jede Engländerin tut. Die Concierge, überzeugt, daß ich auf dem Weg zur Gefängniszelle und zum Tod durch Bajonette war, stieß die Fensterläden auf, und kaltes, klares Licht fiel ins Zimmer. Auf dem Fluß tutete ein kleiner Dampfer; ein Wagen mit zwei galoppierenden Pferden flog vorbei. Geschwind strudelnde Wassermassen; am andern Ufer hohe schwarze Bäume, in Gruppen stehend, wie Neger, die sich unterhalten. Unheimlich, sehr, dachte ich, als ich meinen uralten Burberry zuknöpfte. (Der Burberry war sehr bedeutsam. Er gehörte nicht mir. Ich hatte ihn von einer Freundin geliehen. In ihrem kleinen, dunklen Flur war mein Blick auf ihn gefallen. Genau das richtige! Die einwandfreie und angemessene Verkleidung – ein alter Burberry! In einem Burberry ist man schon Löwen gegenübergetreten. Damen wurden, in nichts als einen Burberry gehüllt, bei turmhohem Seegang aus offenen Booten gerettet. Ein alter Burberry ist für mich das Zeichen und Merkmal des unbestrittenen, verehrungswürdigen Reisenden, fand ich und ließ meinen violetten Hänger mit Kragen und Manschetten aus echtem Seal als Entschädigung dort.) »Sie kommen niemals hin!« sagte die Concierge und sah mir zu, wie ich den Kragen hochstellte. »Niemals! Niemals!« Ich lief die hallende Treppe hinab – seltsam klangen die Treppenstufen, wie ein Klavier, das von einem schläfrigen Dienstmädchen angeschlagen wird – und weiter zum Quai. »Warum so schnell, *ma mignonne?«* rief mir ein kleiner Junge in bunten Socken nach, der von den elektrifizierten Lotusknospen tanzte, die sich über den Eingang zur Métro wölben. *Hélas!* Es war nicht einmal genug Zeit, um ihm eine Kußhand zuzuwerfen. Als ich auf dem großen Bahnhof eintraf, blieben mir nur noch vier Minuten, und an der vollgepferchten Bahnsteigsperre drängten sich Soldaten, in der Hand ihre gelben Papiere und große, unordentliche Bündel. Der Polizeikommissar stand auf der einen Seite und ein Geheimer auf der andern Seite. Ob er mich durchlassen wird? Ob er's tun wird? Er war alt und hatte ein dickes, aufgedunsenes, mit großen Warzen bedecktes Gesicht. Auf seiner Nase hockte eine Hornbrille. Zitternd machte ich einen Versuch. Ich setzte mein reizendstes Frühmorgenlächeln auf und übergab es zusammen mit den Papieren. Doch das zarte Gebilde prallte an der Hornbrille ab und fiel zu Boden. Trotzdem ließ er mich durch, und ich rannte, rannte in die Soldaten hinein und wieder heraus und den hohen Tritt des gelben Eisenbahnwagens hinauf.

»Fährt er direkt nach X?« fragte ich den Schaffner, der meine Fahrkarte mit einer Zange durchbohrte und sie mir wiedergab. »Nein, Mademoiselle, in XYZ müssen Sie umsteigen!«

»Wo?«

»In XYZ.«

Wieder hatte ich es nicht gehört. »Wann kommen wir dort an, bitte?«

»Um eins!« Aber das nützte mir nichts. Ich hatte keine Uhr. Ach was – später!

Oho, der Zug setzte sich in Bewegung! Der Zug war auf meiner Seite. Er glitt aus dem Bahnhof, und bald fuhren wir vorbei an Gemüsegärten, vorbei an hohen, blinden Häusern, die zu vermieten waren, und vorbei an Dienstmädchen, die Teppiche klopften. Die Sonne war schon auf, und rosig von den Flüssen und den schilfumsäumten Teichen wanderte sie durch die Felder und ließ sich auf dem schaukelnden Zug nieder, streichelte meinen Muff und mahnte mich, den Burberry auszuziehen. Ich war nicht allein im Abteil; eine alte Frau saß mir gegenüber; den Rock hatte sie über die Knie zurückgeschlagen, auf dem Kopf trug sie ein schwarzes Spitzenhäubchen. In ihren dicken, mit einem Ehering und zwei Trauringen geschmückten Händen hielt sie einen Brief. Langsam, langsam schlürfte sie einen Satz und blickte dann auf und sah aus dem Fenster; die Lippen zitterten ein wenig, und dann kam der nächste Satz an die Reihe, und wieder wandte sich das alte Gesicht zum Licht, es schmeckend ... Zwei Soldaten lehnten sich aus dem Fenster; ihre Köpfe berührten sich fast. Der eine pfiff, der andre hatte seine Jacke mit ein paar rostigen Sicherheitsnadeln zusammengesteckt. Und auf einmal waren überall Soldaten da, die an der Bahnstrecke arbeiteten, sich gegen Lastwagen lehnten oder mit in die Seite gestemmten Händen dastanden, die Augen starr auf den Zug geheftet, als erwarteten sie an jedem Fenster mindestens einen Photoapparat. Und jetzt fuhren wir an großen Holzschuppen vorbei, die rasch errichteten Tanzlokalen oder Strandpavillons glichen, jeder mit einer wehenden Fahne. Rot-Kreuz-Sanitäter gingen ein und aus; die Verwundeten saßen längs der Wände und sonnten sich. An allen Brücken, Kreuzungen und Stationen ein *petit soldat*, ganz Stiefel und Bajonett. Verlassen und einsam sah er aus, wie ein kleines Witzblattbildchen, das auf den darunter zu schreibenden Witz wartet. So etwas wie Krieg – gibt es das wirklich? Ziehen all diese lachenden Stimmen wirklich in den Krieg? Diese dunklen, so geheimnisvoll von weißen Birken- und Eschenstämmen aufgehellten Wälder, diese überschwemmten, von großen Vögeln belebten Wiesen, diese im Licht grünen und und blauen Flüsse – sind das Orte, wo Schlachten geschlagen wurden?

An was für wunderschönen Friedhöfen fahren wir vorbei! Heiter leuchten sie in der Sonne auf. Sie scheinen voller Kornblumen und Mohnblumen und Margeriten zu sein. Wie kann es um diese Jahreszeit so viele Blumen geben? Aber es sind überhaupt keine Blumen! Es sind Bandschleifen, um die Grabkreuze der Soldaten gewunden ...

Ich blickte hoch und zog die Aufmerksamkeit der alten Frau auf mich.

Sie lächelte und faltete den Brief zusammen.

»Er ist von meinem Sohn – der erste, den wir seit Oktober bekommen haben! Ich bringe ihn meiner Schwiegertochter.«

» . . . ?«

»Ja, sehr gut«, sagte die alte Frau, stieß ihren Rock hinunter und steckte den Arm durch den Henkel ihres Korbes. »Ich soll ihm Taschentücher und ein Ende guten Bindfaden schicken.«

Wie heißt der Bahnhof, wo ich umsteigen muß? Vielleicht erfahre ich ihn niemals. Ich stand auf und lehnte die Arme auf den Fensterrahmen und hatte die Füße verschränkt. Die eine Wange brannte mir wie in der Kinderzeit auf der Fahrt ans Meer. Wenn der Krieg vorbei ist, will ich einen Kahn haben und mich auf diesen Flüssen treiben lassen, mit einer weißen Katze und einem Topf Reseda, die mir Gesellschaft leisten.

Die Flanke des Hügels hinab marschierten die Truppen, blinkten rot und blau im Licht. In der Ferne, sehr deutlich sichtbar, flogen andere auf Fahrrädern dahin. Nein wirklich, *ma France adorée*, diese Uniform ist lächerlich! Deine Soldaten sind dir wie leuchtende, respektlose Abziehbildchen auf den Busen gedrückt!

Der Zug verlangsamte die Fahrt, hielt an ... Alle stiegen aus, nur ich nicht. Ein großer Junge, der sich die Stiefel mit einem Stück Schnur auf dem Rücken befestigt hatte und dessen blecherner Weinbecher innen zu einem schönen, unmöglichen Rosa verfärbt war, sah sehr freundlich aus. »Steigt man hier vielleicht um, wenn man nach X will?« Ein andrer Soldat, dessen Käppi aus einem feuchten Knallbonbon stammte, stellte meinen Koffer mit Schwung auf die Erde. Was für liebe Kerls die Soldaten sind! *»Merci, Monsieur, vous êtes tout à fait aimable . . .«* – »Nicht hier entlang«, sagte ein Bajonett. »Hier auch nicht!« sagte ein anderes. Daher folgte ich der Menschenmenge. »Ihren Paß, Mademoiselle ...« – *» We, Sir Edward Grey . . .«* Ich rannte über den verschlammten Platz und ins Café hinein.

Ein grünes Zimmer mit einem in den Raum vorspringenden Ofen und Tischen auf jeder Seite. Über die Bar mit den hübschen bunten Flaschen lehnt sich eine Frau, die Brüste auf den verschränkten Armen. Durch eine offenstehende Tür kann ich eine Küche und die Köchin in weißem Überkleid sehen, wie sie Eier in eine Schüssel schlägt und die Schalen in die Ecke wirft. Die blauen und roten Jacken der essenden Männer hängen an den Wänden. Ihre Gehänge und kurzen Säbel sind auf Stühlen aufgehäuft. Himmel, was für ein Lärm! Die sonnige Luft scheint davon wie aufgerissen und zittert. Ein kleiner, sehr blasser Junge schwenkte von Tisch zu Tisch, nahm die Bestellungen entgegen und goß mir ein Glas rötlichbraunen Kaffee ein. Zschsch! machten die Eier. Sie waren in einer Bratpfanne. Die Frau eilte hinter der Theke hervor und begann dem Jungen zu helfen. *Toute de suite, tout' suite!* zirpte sie den lauten, ungeduldigen Stimmen zu. Dann klapperten die Teller, und plopp-plopp wurden die Korken gezogen.

Plötzlich sah ich in der Tür einen Mann mit einem Eimer voller Fische stehen – braungesprenkelte Fische, wie man sie in Glasbehältern sieht, wo sie durch Wälder schönen, gepreßten Seetangs ziehen. Er war ein alter Mann in einer zerlumpten Jacke – demütig stand er da und wartete, daß jemand ihn abfertigte. Ein schütterer Bart fiel ihm über die Brust; die Augen unter den buschigen Brauen waren auf den Eimer geheftet, den er trug. Er sah aus, als sei er einem frommen Bild entstiegen und erflehe die Verzeihung der Soldaten, daß er überhaupt da war.

Aber was hätte ich tun können? Ich konnte nicht mit zwei an einem Strohstrang baumelnden Fischen in X erscheinen; und ich bin überzeugt, daß es in Frankreich eine strafbare Handlung ist, Fische aus dem Abteilfenster zu werfen, dachte ich, als ich betrübt in einen kleineren, armseligeren Zug stieg. Vielleicht hätte ich sie mitnehmen sollen für – *ah, mon Dieu!* –, schon wieder hatte ich den Namen meines Onkels und meiner Tante vergessen. Buffard – Buffon – wie war er doch gleich?

Wieder las ich den unvertrauten Brief in der vertrauten Handschrift.

Meine liebe Nichte,
Da sich das Wetter jetzt beruhigt hat, würden dein Onkel und ich erfreut sein, wenn du uns einen kleinen Besuch abstatten könntest. Telegraphiere mir, wenn du kannst. Ich werde dich draußen vor dem Bahnhof treffen, wenn ich frei bin. Andernfalls wird unsre gute Freundin, Madame Grinçon, die im kleinen Zollhaus an der Brücke wohnt, *juste en face de la gare*, dich zu unserm Haus führen. *Je vous embrasse bien tendrement.*

Julie Boiffard

Eine Visitenkarte war beigefügt: *M. Paul Boiffard.*
Boiffard! Natürlich, das war der Name! *Ma tante Julie et mon oncle Paul*—plötzlich standen sie mir vor Augen, wirklicher und greifbarer als alle Verwandten, denen ich je begegnet war. Ich sah *ma tante Julie*, stolz mit der Suppenterrine in beiden Händen, und *mon oncle Paul*, wie er mit einer rotweiß karierten, um den Hals geknoteten Serviette am Tisch sitzt. Boiffard – Boiffard – ich muß mir den Namen einprägen. Angenommen, der *Commissaire Militaire* fragt mich, wer die Verwandten sind, zu denen ich reise, und ich vermassele den Namen – oh, wie verhängnisvoll das wäre! Buffard – nein Boiffard! Und dann, als ich den Brief zusammenfaltete, sah ich zum erstenmal, was in eine Ecke der leeren Rückseite gekritzelt war: *Venez vite, vite!* Was für eine merkwürdige, impulsive Frau! Mein Herz begann zu hämmern ...
»So, jetzt haben wir's nicht mehr weit«, sagte die Dame mir gegenüber. »Sie fahren also nach X, Mademoiselle?«
»*Oui, Madame.*«
»Ich auch ... Sind Sie schon einmal dort gewesen?«
»Nein, Madame. Es ist das erstemal.«
»Eigentlich ist es eine merkwürdige Zeit für einen Besuch.«
Ich lächelte matt und versuchte, nicht dauernd auf ihren Hut zu starren. Es war eine ganz einfache kleine Frau, aber sie trug eine schwarze Samttoque, auf der sich zuoberst eine unbeschreiblich erstaunt aussehende Möwe niedergelassen hatte. Ihre runden, so forschend auf mich gerichteten Augen waren fast nicht zu ertragen. Ich verspürte einen unwider-

stehlichen Drang, sie wegzuscheuchen oder mich vorzubeugen und Madame von dem Vorhandensein der Möwe zu berichten: ›*Excusez-moi, Madame*, aber vielleicht haben Sie nicht bemerkt, daß ein *espèce de mouette est couchée sur votre chapeau?*‹

Ob der Vogel absichtlich dort saß? Ich darf nicht lachen ... Ich darf nicht lachen. Ob sie sich jemals im Spiegel betrachtet hatte – mit dem Vogel auf ihrem Kopf?

»Es ist gegenwärtig sehr schwierig, nach X hineinzugelangen und den Bahnhof zu passieren«, sagte sie und nickte mir mit dem Kopf und mit der Möwe zu. »Ah, was für Umstände! Man muß seinen Namen aufschreiben und den Zweck des Besuchs erklären.«

»Oh, ist es wirklich so schlimm?«

»Ja, natürlich! Verstehen Sie, die ganze Ortschaft ist vom Militär besetzt, und« – sie zuckte die Achseln – »da müssen sie eben streng sein. Manche Leute kommen überhaupt nicht über den Bahnhof hinaus. Sie kommen an, sie werden in den Warteraum gesteckt, und dort bleiben sie.«

Konnte ich aus ihrer Stimme eine seltsame, kränkende Schadenfreude heraushören?

»Ich denke, daß diese Strenge durchaus notwendig ist«, sagte ich kalt und streichelte meinen Muff.

»Notwendig?« rief sie. »Das wollte ich meinen! Mademoiselle, Sie können sich nicht vorstellen, wie es sonst zugehen würde. Sie wissen ja, wie die Frauen sich Soldaten gegenüber benehmen« – sie machte eine Handbewegung, die unabänderlich war –, »verrückt, völlig verrückt! Aber –« und nun stieß sie ein kleines, triumphierendes Lachen aus – »sie können nicht nach X hinein! *Mon Dieu*, nein! Das ist außer Frage!«

»Wahrscheinlich versuchen sie es gar nicht erst«, sagte ich.

›Meinst du?‹ sagte die Möwe.

Madame sagte zuerst gar nichts. »Natürlich gehen die Vorgesetzten sehr streng gegen die Soldaten vor. Es bedeutet sofortige Haft – und dann ohne weiteres raus an die Front!«

›Warum gehst *du* nach X?‹ fragte die Möwe. ›Was um alle Welt hast *du* hier zu suchen?‹

»Bleiben Sie lange in X, Mademoiselle?«
Sie hatte gewonnen, sie hatte gewonnen. Ich war entsetzt. Ein Laternenpfahl mit dem verhängnisvollen Namen flog am Zug vorüber. Ich konnte kaum Luft bekommen – der Zug hielt. Ich lächelte Madame freundlich zu und hüpfte den Tritt zum Bahnsteig hinab.
Es war sehr heiß in dem kleinen Raum, der vollständig möbliert war: an den beiden Tischen saßen zwei Colonels. Es waren stämmige Männer mit grauem Schnurrbart und auf den Wangen einen Hauch sonnenverbrannter Röte. Pompös und allmächtig sahen sie aus. Der eine rauchte etwas, was Damen gern als schwere ägyptische Zigarette bezeichnen, eine Zigarette mit langer, sahnefarbener Asche; der andre spielte mit einer vergoldeten Feder. Ihre Köpfe rollten wie große, überreife Früchte auf ihrem engen Uniformkragen. Als ich meinen Paß und meine Fahrkarte abgab, hatte ich ein gräßliches Gefühl, daß ein Soldat vortreten und mir sagen würde, ich müsse knien. Ich hätte mich widerspruchslos hingekniet.
»Was ist denn das?« sagte Gott Nummer I verdrossen. Mein Paß gefiel ihm ganz und gar nicht. Der bloße Anblick schien ihn zu ärgern. Er bedachte ihn mit einer ablehnenden Geste, mit einer Miene, die bedeutete: ›*Non, je ne peux pas manger ça!*‹
»Nein, das geht nicht! Das genügt keineswegs! Hier – lesen Sie selbst!«, und er blickte mit äußerstem Widerwillen auf meine Photographie, und dann blickten seine Kieselsteinaugen mit noch größerem Widerwillen auf mich.
»Ja, die Photographie ist erbärmlich«, sagte ich und wagte vor Entsetzen kaum zu atmen, »aber sie wurde mehrfach mit einem Visum versehen.«
Er wuchtete seine Körperfülle hoch und ging zu Gott Nummer II hinüber.
»Courage!« sagte ich zu meinem Muff und drückte ihn fest an mich. »Courage!«
Gott Nummer II hielt mir einen Finger entgegen, und ich holte Tante Julies Brief und die Visitenkarte hervor. Doch er schien sich nicht im mindesten für sie zu interessieren. Trä-

ge stempelte er meinen Paß ab, kritzelte ein Wort auf meine Fahrkarte – und ich stand wieder auf dem Bahnsteig.
»Hier entlang – hier ist der Ausgang!«

Schrecklich blaß, mit einem matten Lächeln um die Lippen, die Hand zum Gruß erhoben, stand der kleine Korporal da. Ich ließ mir nichts anmerken, ich bin sicher, daß ich mir nichts anmerken ließ. Er trat hinter mich.
»Und dann folgst du mir, als ob du mich nicht siehst«, hörte ich ihn halb flüstern, halb singen.
Wie schnell er ging – durch den schlüpfrigen Schlamm und auf die Brücke zu. Auf dem Rücken trug er einen Postbeutel, in der Hand ein eingewickeltes Paket und den *Matin*. Wir schienen uns durch ein Labyrinth von Polizisten zu winden, und ich konnte mit dem kleinen Korporal, der zu pfeifen begann, nicht mehr Schritt halten. Vom Zollhaus beobachtete ›unsre gute Freundin, Madame Grinçon‹, die Hände in einen Schal gewickelt, unser Näherkommen, und ans Zollhaus lehnte sich eine sehr kleine, verwitterte Droschke. *Montez vite, vite!* sagte der kleine Korporal und schleuderte meinen Koffer, den Postsack, das Paket und den *Matin* auf den Boden.
»A-ie! A-ie! Nur nicht so verrückt! Hetzen Sie sich nicht! Man wird Sie sehen!« jammerte ›unsre gute Freundin, Madame Grinçon‹.
»Ah, je m'en f . . .«, sagte der kleine Korporal.
Der Kutscher fuhr mit einem Ruck los. Er peitschte den knochigen Gaul, und wir flogen auf und davon, während beide Türen, die den vollen Seitenteil der Droschke bildeten, auf- und zuklapperten und – knallten.
»Bon jour, mon amie.«
»Bon jour, mon ami.«
Und dann schossen wir beide vor und packten die klappernden Türen. Sie wollten nicht geschlossen bleiben. Es waren dumme Türen.
»Lehn dich zurück! Laß mich's tun!« rief ich. »Hier wimmelt's nur so von Polizisten!«
Vor der Kaserne bäumte sich der Gaul auf und blieb stehen.

Eine Menge lachender Gesichter füllte die Fenster aus. *»Prends ça, mon vieux«*, sagte der kleine Korporal und reichte das Paket hinaus.
»In Ordnung«, rief jemand.
Wir winkten und sausten wieder los. Einen Fluß entlang, eine seltsame weiße Straße hinab, kleine Häuser auf jeder Seite, die heiter im späten Nachmittagslicht dastanden.
»Spring raus, sobald er wieder hält! Die Tür steht offen. Lauf sofort hinein! Ich komme nach. Der Kutscher ist schon bezahlt. Ich bin sicher, daß dir das Haus gefallen wird. Es ist schlohweiß. Und das Zimmer ist auch weiß. Und die Leute sind –«
»So weiß wie Schnee!«
Wir blickten uns an. Wir begannen zu lachen. »Jetzt!« sagte der kleine Korporal.
Ich flog hinaus und zur Tür hinein. Dort stand (wahrscheinlich) meine Tante Julie. Und im Hintergrund wartete (vermutlich) mein Onkel Paul.
»Bon jour, Madame!« »Bon jour, Monsieur!«
»Alles in Ordnung, Sie sind in Sicherheit!« sagte meine Tante Julie. Mein Himmel, wie ich sie liebte! Und sie öffnete die Tür zum weißen Zimmer und schloß sie hinter uns. Runter mit dem Koffer, mit dem Postbeutel, mit dem *Matin!* Ich warf meinen Paß in die Luft, und der kleine Korporal fing ihn auf.

II.

Was für eine erstaunliche Sache! Wir waren jeden Tag dort gewesen, zum Mittagessen und zum Abendessen, doch jetzt, allein und in der Dämmerung, konnte ich es nicht finden. In meinen geliehenen *sabots* stiefelte ich durch den zähen Schlamm – bis ganz ans Ende des Dorfes –, und keine Spur davon zu sehen. Ich konnte mich nicht mal erinnern, wie es aussah oder ob draußen ein Schild mit dem Namen hing oder ob im Fenster Flaschen oder Tische zu sehen waren. Die Häuser des Dörfchens hatten schon mit schweren Holzläden für die Nacht dichtgemacht. Im zerfetzten, flirrenden Licht

und dem dünnen Regen sahen sie sonderbar und geheimnisvoll aus, wie eine Kompanie von Bettlern, die sich auf der Anhöhe niedergelassen hatte, die Jacken prall von widerrechtlich angeeignetem Gold. Doch niemand war unterwegs, bloß die Soldaten. Eine Gruppe Verwundeter stand unter einem Laternenpfahl und tätschelte einen räudigen, zitternden Hund. Vier große Burschen kamen singend die Straße herauf: *»Dodo, mon homme, fais vit' dodo ...«* und bogen ab, die Anhöhe hinunter zu ihren Schuppen hinter dem Bahnhof. Sie schienen den letzten Tagesschimmer mitzunehmen. Ich begann langsam zurückzugehen.
›Es muß eins von diesen Häusern gewesen sein! Ich erinnere mich, daß es weit von der Straße zurücktrat, und es war keine Treppe da, nicht mal ein Vorflur – man schien durch die Glastür unmittelbar ins Haus zu fallen.‹
Und dann kam ganz plötzlich der kleine Aufwärter aus genau so einem Haus. Er sah mich, griente vergnügt und begann durch die Zähne zu pfeifen.
»Bon soir, mon petit.«
»Bon soir, Madame.« Und er folgte mir durchs Café zu ›unserm‹ Tisch, am Fenster, ganz am andern Ende, und mit einem Veilchenstrauß gekennzeichnet, den ich gestern dort in einem Glas stehengelassen hatte.
»Sind Sie zu zweien?« fragte der Aufwärter und wedelte mit einem rotweißen Lappen über den Tisch. Seine langen, weit ausholenden Schritte hallten über den kahlen Fußboden. Er verschwand in der Küche und kam wieder, um die Lampe anzuzünden. Unter einem weiten Schirm, der dem Hut eines Heuers glich, hing sie von der Decke. Warmes Licht füllte den leeren Raum, der eigentlich eine Scheune mit wackligen Tischen und Stühlen war. Ein schwarzer Ofen ragte ins Zimmer hinein. Seitlich von ihm war ein Tisch mit einer Reihe Flaschen, hinter denen die Madame saß, die das Geld einkassierte und Eintragungen in ein rotes Buch machte. Gegenüber von ihrem Pult führte eine Tür in die Küche. Die Wände waren mit einer Tapete bedeckt, deren sahneweißer Untergrund mit grünen, kugelrunden Bäumen geschmückt war. Hunderte und Aberhunderte von Bäumen reckten ihre

Pilzköpfe zur Decke auf. Ich überlegte, wer wohl gerade diese Tapete ausgesucht hatte, und weshalb. Ob die Madame dachte, daß es schön aussah oder lustig und hübsch war, wenn man zu allen Jahreszeiten sein Essen mitten in einem Wald verzehren konnte ... Zu beiden Seiten der Uhr hing je ein Bild: das eine zeigte einen jungen Herrn in engen schwarzen Hosen, der über die Lehne einer Gartenbank hinweg mit einer birnenförmigen Dame in Gelb flirtete: *Premier Rencontre;* das andre zeigte ›Schwarz‹ und ›Gelb‹ in verliebtem Durcheinander: *Triomphe d'Amour*.
Die Uhr tickte ihren beruhigenden Vers: *C'est ça, c'est ça*. In der Küche spülte der Aufwärter das Geschirr ab. Ich hörte das gespenstische Geschnatter der Teller.
Und Jahre verstrichen. Vielleicht ist der Krieg schon längst vorbei... vielleicht ist draußen überhaupt kein Dorf... und die Straßen liegen still unterm Rasen. Ich stelle mir vor, daß man genau das am allerletzten aller Tage tun wird: in einem leeren Café sitzen und auf das Ticken einer Uhr lauschen, bis ...
Madame kam aus der Küchentür, nickte mir zu und nahm ihren Platz hinter dem Tisch ein, die dicken Hände um das rote Buch gefaltet. *Ping!* machte die Tür. Eine Handvoll Soldaten kam herein. Sie zogen ihre Jacken aus und begannen Karten zu spielen und den hübschen jungen Aufwärter zu necken und ihn aufzuziehen, doch er warf seinen kleinen Rundkopf in den Nacken, rieb sich seine dicken Ponyhaare aus den Augen und entgegnete keck mit stimmbrüchigen Lauten. Manchmal brummte seine Stimme dunkel und rauh aus tiefster Kehle, und dann wieder – mitten in einem Satz – brach sie und zerspillerte in einem komischen Gequieke. Es schien ihm selbst Spaß zu machen. Man hätte sich nicht gewundert, wenn er auf Händen in die Küche spaziert wäre und einem das Essen radschlagend aufgetragen hätte.
Ping! machte die Tür wieder. Noch zwei Männer traten ein. Sie setzten sich an den Tisch gleich neben dem von Madame, und sie lehnte sich mit vogelähnlicher Bewegung, den Kopf auf die Seite gelegt, zu ihnen hinüber. Oh, sie platzten vor Ärger! Ihr Leutnant war ein Dummkopf, schnüffelte her-

um, überfiel sie – und dabei hatten sie sich doch bloß Knöpfe angenäht. Ja, das war alles gewesen, Knöpfe angenäht – und schon erscheint dieser junge Stutzer. »Heda, was macht ihr denn da?« Sie imitierten seine törichte Stimme. Madame ließ die Mundwinkel hängen und nickte teilnahmsvoll. Der junge Aufwärter stellte ihnen Gläser hin. Er nahm eine Flasche mit rötlichgelbem Inhalt und stellte sie auf die Tischkante, doch als einer der Kartenspieler aufschrie, drehte er sich heftig um, und krach!, kippte die Flasche und ergoß sich auf den Tisch und auf den Fußboden und zerbrach in klimpernde Bruchstücke. Betroffenes Schweigen. Nur das Tropftropf des Weins vom Tisch auf den Fußboden. Es sah sehr merkwürdig aus, dieses langsame Niedertropfen – als weinte der Tisch. Dann brüllte einer von den Kartenspielern los: »Da hast du's, mein Junge! So muß man's machen! Jetzt hast du's geschafft! . . . *Sept, huit, neuf.*« Sie begannen wieder zu spielen. Der junge Aufwärter sagte kein einziges Wort. Er stand mit gesenktem Kopf und geöffneten Händen da, und dann kniete er nieder und sammelte das Glas ein, Scherbe für Scherbe; ein Tuch saugte den Wein auf. Erst als Madame fröhlich rief: »Warte nur ab, bis *er* es entdeckt!«, hob er endlich den Kopf.
»Er kann mir nichts sagen, wenn ich's bezahle!« murrte er mit zuckendem Gesicht und stolzierte mit dem tropfnassen Tuch in die Küche.
»Il pleure de colère«, sagte Madame entzückt und richtete sich mit ihren molligen Händen das Haar.
Langsam füllte sich das Café. Es wurde sehr warm. Blauer Rauch stieg von den Tischen auf und hing in Nebelschwaden über dem Hut des Heuers. Es roch erstickend nach Zwiebelsuppe und Stiefeln und feuchtem Stoff. Wieder klimperte die Tür durch das Getöse. Sie öffnete sich, um einen schmächtigen Wicht einzulassen, der mit dem Rücken an der Tür lehnte und die Hand über die Augen hielt.
»Hallo – bist du deinen Verband los?«
»Wie geht's jetzt, *mon vieux?*«
»Laß sie mal anschauen!«
Aber er gab keine Antwort. Er zuckte die Achsel und ging

unsicher auf den Tisch zu, setzte sich und lehnte sich an die Wand. Langsam ließ er die Hand sinken. Aus seinem weißen Gesicht glommen seine Augen so rot wie die eines Kaninchens. Sie liefen randvoll und flossen über, liefen randvoll und flossen über. Er zog ein weißes Tuch aus der Tasche und wischte sich die Augen.

»Es ist der Rauch«, sagte einer. »Der Rauch ätzt dir die Augen!«

Seine Kameraden beobachteten ihn ein Weilchen; sie sahen, wie sich seine Augen wieder füllten. Das Wasser rann ihm übers Gesicht, über das Kinn und auf den Tisch. Er rieb die Stelle mit dem Jackenärmel ab, und dann, wie selbstvergessen, fuhr er fort, mit seiner Hand wieder und wieder über den Tisch zu wischen, und starrte dabei vor sich hin. Und dann begann er, gleichzeitig mit der Handbewegung, seinen Kopf zu schütteln.

Er stieß ein lautes, seltsames Ächzen aus und zog wieder das Tuch hervor.

»Huit, neuf, dix«, sagten die Kartenspieler.

»P'tit«, noch mehr Brot!«

»Zwei Kaffee!«

»Un Picon!«

Der junge Aufwärter lief hin und her: er war wieder zu sich gekommen, nur seine Wangen glühten noch. Zwischen den Kartenspielern loderte ein fürchterlicher Streit auf, wütete zwei Minuten lang und erlosch in flackerndem Gekicher. »Uuuuf!« ächzte der Mann mit den Augen und wiegte sich und wischte die Augen ab. Doch niemand beachtete ihn, ausgenommen Madame.

Sie sah zu den zwei Soldaten in ihrer Nähe und verzog das Gesicht.

»Mais vous savez, c'est un peu dégoutant, ça«, sagte sie streng.

»Ah, oui, Madame«, antworteten die Soldaten und beobachteten ihren gesenkten Kopf und die hübschen Hände, als sie zum hundertstenmal eine Spitzenrüsche auf ihrem hochgestellten Busen zurechtzupfte.

»V'là Monsieur!« krächzte mir der junge Aufwärter über seine Schulter hinweg zu. Aus irgendeinem albernen Grund

tat ich, als hätte ich es nicht gehört, beugte mich über den Tisch und roch an den Veilchen, bis die Hand des kleinen Korporals sich über meine Hand legte.

»Sollen wir zur Eröffnung *un peu de charcuterie* nehmen?« fragte er zärtlich.

III.

»In England«, sagte der blauäugige Soldat, »trinkt man Whisky zu den Mahlzeiten! *N'est-ce pas, Mademoiselle?* Ein Gläschen unverdünnten Whisky vor dem Essen, Whisky-Soda zum *biftek* und hinterher noch mehr Whisky mit heißem Wasser und Zitrone.«

»Ist das wahr?« fragte mich sein Freund, der gegenübersaß, ein großer, rotgesichtiger Bursche mit einem schwarzen Bart und großen, feuchten Augen und mit Haaren, die wie von der Mähmaschine geschnitten aussahen.

»Nicht so ganz«, sagte ich.

»Si, si«, rief der blauäugige Soldat. »Ich muß es doch wissen. Ich bin Geschäftsmann. Englische Handelsreisende besuchen mich, und immer ist es das gleiche.«

»Bah, Whisky kann ich nicht ausstehen«, sagte der kleine Korporal. »Am Morgen danach ist er einfach widerlich. Erinnerst du dich, *ma fille*, an den Whisky in der kleinen Bar auf dem Montmartre?«

»Souvenir tendre«, seufzte der Schwarzbärtige, steckte zwei Finger in seine zugeknöpfte Jacke und ließ den Kopf hängen.

Er war sehr betrunken.

»Aber ich kenne etwas, was Sie noch nie getrunken haben«, sagte der blauäugige Soldat und zeigte mit dem Finger auf mich, »etwas wirklich Gutes!« Er schnalzte mit der Zunge. *»E-patant!* Und was so seltsam ist: man kann's kaum von Whisky unterscheiden, nur ist es« – seine Hand suchte nach dem richtigen Wort – »feiner, süßer vielleicht, nicht so scharf, und am Morgen danach ist man so vergnügt wie ein Kaninchen!«

»Wie heißt es?«

»Mirabelle!« Er rollte das Wort im Mund herum, unter der Zunge. »Ah-ha, das ist der wahre Stoff!«
»Ich könnte noch einen Pilz essen«, sagte der Schwarzbart. »Ich möchte sehr gern noch einen Pilz essen. Ich könnte bestimmt noch einen Pilz essen, wenn ihn mir Mademoiselle eigenhändig gäbe!«
»Sie sollten ihn probieren«, sagte der blauäugige Soldat, legte beide Hände auf den Tisch und redete so eindringlich, daß ich mich zu fragen begann, wieviel nüchterner er als der Schwarzbart war. »Sie sollten ihn probieren, gleich heute abend! Ich möchte gern von Ihnen hören, ob Sie nicht auch finden, daß Mirabelle wie Whisky schmeckt!«
»Vielleicht haben sie ihn hier«, sagte der kleine Korporal und rief den jungen Aufwärter. *»P'tit!«*
»Non, Monsieur«, sagte der Junge, der überhaupt nicht zu lächeln aufhörte. Er stellte Dessertteller vor uns hin, die mit blauen Papageien und Hirschkäfern bemalt waren.
»Wie heißt der da auf Englisch?« fragte Schwarzbart und zeigte auf den Papagei. Ich sagte es ihm: *»Parrot.«*
»Ah, mon Dieu! . . . Pär-rott!« Er legte die Arme um seinen Teller. »Ich liebe dich, ma petite Pär-rott! Du bist süß, du bist blond, du bist englisch! Du kennst nicht den Unterschied zwischen Whisky und Mirabelle!«
Der kleine Korporal und ich blickten einander lachend an. Er kniff, wenn er lachte, die Augen so zusammen, daß man nichts als die langen, gebogenen Wimpern sah.
»Ich kenne aber ein Lokal, wo sie Mirabelle haben«, sagte der blauäugige Soldat. »Im *Café des Amis!* Wollen dort hingehen – ich zahl's – ich halte euch alle frei!« Seine Geste deutete Tausende von Pfund an.
Doch mit einem lauten, schnarrenden Geräusch schlug die Uhr an der Wand halb neun – und kein Soldat darf nach acht Uhr abends in einem Café sitzen.
»Die geht vor«, sagte der blauäugige Soldat. Die Uhr des kleinen Korporals gab auch halb neun an. Ebenso die riesige Rübe, die der Schwarzbart hervorzog und behutsam auf den Kopf eines Hirschkäfers legte.
»Ach was«, sagte der blauäugige Soldat, »wir wollen's ris-

kieren!« Er steckte die Arme in seine klobige Rauhhaarjakke. »'s ist die Sache wert!« sagte er. »'s ist die Sache wert! Ihr werdet's schon merken!«

Draußen schienen die Sterne zwischen strähnigen Wolken, und der Mond flackerte wie eine Kerzenflamme über einem spitzen Kirchturm. Die Schatten der dunklen Bäume spielten zierlich wie Federflaum auf weißen Häusern. Nicht ein Laut war zu hören außer dem Hsch! Hsch! eines fernen Zuges, einer großen Bestie gleich, die sich im Schlaf herumwälzt.

»Du frierst!« flüsterte der kleine Korporal. »Du frierst, *ma fille!*«

»Nein, bestimmt nicht!«

»Aber du zitterst!«

»Ja. Aber ich friere nicht.«

»Wie sind die Frauen in England?« fragte Schwarzbart. »Wenn der Krieg vorbei ist, gehe ich nach England. Ich suche mir eine kleine englische Frau und heirate sie, sie und ihren Pär-rott.« Er stieß eine laute, würgende Lache aus.

»Dummkopf!« sagte der blauäugige Soldat, schüttelte ihn und wandte sich an mich. »Erst nach dem zweiten Glas kommt man richtig auf den Geschmack«, flüsterte er. »Das zweite Gläschen, und dann – ah! – dann wissen Sie Bescheid!«

Das *Café des Amis* leuchtete im Mondschein. Wir blickten rasch die Straße hinauf und hinab. Dann rannten wir die vier Holzstufen hinauf und öffneten die klirrende Glastür, die in einen niedrigen, von einer Hängelampe beleuchteten Raum führte, in dem zehn Leute zu Abend aßen. Sie saßen auf zwei Bänken an einem schmalen Tisch.

»Soldaten!« kreischte eine Frau und sprang hinter einer weißen Suppenterrine hervor – ein Gerippe von einer Frau in einem schwarzen Tuch. »Soldaten! Um diese Zeit! Seht auf die Uhr! Seht mal hin!« Und mit der tropfenden Suppenkelle zeigte sie auf die Uhr.

»Die geht vor!« sagte der blauäugige Soldat. »Die geht vor, Madame! Und machen Sie nicht soviel Lärm, bitte ich Sie! Wir wollen was trinken, und dann gehen wir wieder.«

»So, wollt ihr?« rief sie, rannte um den Tisch herum und pflanzte sich vor uns auf. »Genau das werdet ihr nicht tun!

Zu dieser Nachtstunde in das Haus einer anständigen Frau eindringen — eine Szene machen — und mir die Polizei ins Haus locken! O nein! O nein! Es ist eine Schande, das ist's!«
»Pst!« machte der kleine Korporal und hielt die Hand hoch. Totenstille.
In dieser Stille hörten wir vorbeigehende Schritte.
»Die Polizei!« flüsterte Schwarzbart und zwinkerte einem hübschen Mädchen mit Ringen an den Ohren zu, die ihn als Antwort frech anlachte. »Scht!«
Die Gesichter richteten sich auf und lauschten. ›Wie schön sie sind!‹ dachte ich. ›Sie sind wie eine Familie aus dem Neuen Testament, die gemeinsam Abendbrot ißt.‹ ... Die Schritte verhallten.
»Das wäre euch ganz recht geschehen, wenn sie euch erwischt hätten!« geiferte die zornige Frau. »Euretwegen tut's mir leid, daß die Polizisten nicht reingekommen sind. Ihr hättet's verdient — ihr hättet's verdient!«
»Ein Gläschen Mirabelle, und wir gehen wieder!« bat der blauäugige Soldat beharrlich.
Noch schimpfend und murrend holte sie vier Gläser und eine große Flasche aus einem Schrank. »Aber denkt bloß nicht, daß ihr's hier trinken könnt!« Der kleine Korporal rannte in die Küche. »Nicht dorthin, Idiot, nicht dorthin! Können Sie nicht sehen, daß da ein Fenster ist, und eine Mauer gegenüber, wo die Polizisten jeden Abend hingehen ...«
»Scht!« Wir erschraken wieder.
»Ihr seid verrückt, und ihr werdet im Gefängnis landen, ihr alle vier!« sagte die Frau. Sie stürmte aus dem Zimmer. Wir gingen auf Zehenspitzen hinter ihr in eine dunkle, übel riechende Spülkammer voller Kochtöpfe mit fettigem Wasser und Salatblättern und Fleischknochen.
»Da!« sagte sie und stellte die Gläser hin. »Trinkt und geht!«
»Ah! Endlich!« Die zufriedene Stimme des blauäugigen Soldaten tröpfelte durch die Finsternis. »Was meint ihr? Ist es nicht genauso, wie ich's gesagt habe? Hat es nicht ein Aroma wie erstklassiger, *erst-klas-siger* Whisky?«

Frühlingsbilder

— — — — — — — — — — — — — — —

I.

Es regnet. Große, weiche Tropfen klatschen den Leuten auf Hände und Wangen; riesige warme Tropfen wie geschmolzene Sterne. »Frische Rosen! Frische Lilien! Frische Veilchen!« krächzt das alte Weib in der Gosse. Doch die in einer Krause aus Grün zusammengebündelten Lilien sehen eher wie welker Blumenkohl aus. Auf und ab zieht sie ihren quietschenden Handkarren. Er strömt einen schlechten, widerlichen Geruch aus. Niemand will etwas kaufen. Man muß mitten auf der Fahrbahn gehen, denn auf dem Bürgersteig ist kein Platz. Jeder einzelne Laden schäumt förmlich über; jeder Laden weist eine zerfetzte Rüsche aus schmuddeliger Spitze und schmutzigen Bändern auf, um zu bezaubern und anzulocken. Tische sind auf die Straße hinausgestellt worden, Tische mit Spielzeugkanonen und Soldaten und Zeppelinen und Photorahmen, komplett mit liebäugelnden Schönheiten. Dort sind riesige Körbe mit gelben Strohhüten wie Pyramiden aus Backwerk, Schnüre mit bunten Stiefeln und Schuhe, die so klein sind, daß kein Mensch sie tragen kann. Ein Geschäft ist voll von kleinen Gummiquadraten, blau für die Mädchen und rosa für die Knaben, in der Mitte *Bébé* aufgedruckt ...

»Frische Lilien! Frische Rosen! Schöne frische Veilchen!« kräht das alte Weib und stößt gegen einen andern Karren. Doch dieser Karren steht still. Er ist vollbepackt mit Lattich. Seine Eigentümerin, eine dicke alte Frau, räkelt sich quer darüber; sie schläft fest; ihre Nase steckt zwischen den Lattichwurzeln ... Wer wird hier jemals irgend etwas kaufen? ... Die Verkäufer sind Frauen. Sie sitzen auf kleinen Klappstühlchen und schauen verträumt und geistesabwesend drein. Hin und wieder steht eine von ihnen auf und nimmt einen kleinen Staubwedel, einer qualmenden Fackel gleichend, läßt ihn quer über ein paar Sachen hinschnellen und setzt sich wieder. Selbst der alte Mann mit der gelben Brille und einem

Ballon von Bauch, der den Drehstand mit Juxpostkarten um und um dreht, kann sich nicht entscheiden . . .
Plötzlich erklingt aus dem leeren Geschäft an der Ecke ein Klavier, und eine Geige und eine Flöte fallen ein. Die Fenster des Geschäfts sind ganz und gar bekritzelt. *Neue Lieder. Erster Stock. Eintritt frei.* Da aber die Fenster des ersten Stockwerks offenstehen, bemüht sich niemand, hinaufzugehen. Grinsend lungern sie herum, während die rauhen Stimmen in die warme Regenluft hinausschweben. In der Tür steht ein magerer Mann in einem Paar aufgeplatzter Filzpantoffeln. Durch seine aufgeplatzte Hutkrempe hat er sich eine Feder gesteckt – und mit was für einer Miene trägt er sie! Die Feder ist prachtvoll. Sie bedeutet goldene Epauletten, Schoßrock, weiße Glacéhandschuhe und vergoldeten Stab. Unter ihr kann er großtun, und seine Stimme quillt volltönend und üppig aus seinem Brustkorb.
»Heraufspaziert! Heraufspaziert! Die neuen Lieder sind da! Jeder Sänger ist ein Künstler von europäischem Ruf. Das Orchester ist berühmt und unübertroffen. Bleibt, solange ihr wollt! Die Chance eures Lebens – einmal verpaßt, kommt sie nie wieder!« Aber niemand rührte sich. Warum sollte man auch? Jedermann kennt die Mädchen – die berühmten Künstlerinnen! Die eine ist in sahneweißen Kaschmir gekleidet, die andre in blauen. Beide haben dunkle, gekreppte Haare und eine hinters Ohr gesteckte Rose . . . Jedermann kennt die Knopfstiefel des Klavierspielers und weiß, daß der linke, der das Pedal betätigt, über der ›Zwiebel‹ an der großen Zehe aufgeplatzt ist. Die abgekauten Fingernägel des Geigers, die langen, viel zu langen Manschetten des Flötisten – all das ist so alt wie die neuen Lieder.
Die Musik spielt noch lange, und die stolze Stimme orgelt weiter. Dann ruft einer etwas die Treppe hinab, und der Schausteller, immer noch mit seinen großartigen Allüren, verzieht sich. Die Stimmen brechen ab. Das Klavier, die Geige und die Flöte vertröpfeln und sind still. Nur die Spitzengardine sendet ein flatterndes Lebenszeichen aus dem ersten Stockwerk. Es regnet immer noch; es wird dämmerig . . . Frische Rosen! Frische Lilien! Kauft meine Veilchen . . .

II.

Hoffnung! Du elendes – du sentimentales, welkes Weibsbild! Zerreiß deine letzte Saite und laß mich endlich in Ruhe! Dein endloses Geklimper macht mich noch wahnsinnig; mein Herz pocht im Takt dazu. Es ist Morgen. Ich liege im leeren Bett – diesem breiten Bett, groß wie eine Wiese und ebenso kalt und ungeschützt. Durch die Jalousie dringt Sonnenschein vom Fluß herauf und flutet in zitternden Wellen über die Stubendecke. Draußen höre ich einen Hammer klopfen, und tief unten im Haus fliegt eine Türe auf und fällt ins Schloß. Ist das mein Zimmer? Sind das meine über einen Sessel gelegten Sachen? Unter dem Kopfkissen tickt meine Uhr – Zeichen und Symbol einer einsamen Frau. Die Glokke läutet! Oh! Endlich! Ich springe aus dem Bett und laufe an die Tür. Spiel schneller, schneller, Hoffnung!

»Ihre Milch, Mademoiselle«, sagte die Concierge und sieht mich streng an.

»Oh, besten Dank!« rufe ich und schwenke vergnügt die Milchflasche. »Keine Briefe für mich?«

»Nichts, Mademoiselle.«

»Aber der Briefträger – war der schon da?«

»Vor mindestens einer halben Stunde, Mademoiselle.«

Schließ die Tür. Steh einen Augenblick im kleinen Vorflur. Höre – höre auf ihr verhaßtes Saitengetön. Schmeichle ihr, buhle um ihre Gunst, flehe sie an, nur noch einmal die reizende kleine Musik für nur eine einzige Saite zu spielen. Vergebens.

III.

Jenseits des Flusses auf dem schmalen Steinweg, der dem Ufer entlangläuft, geht eine Frau. Sie kam die Treppe vom Quai herunter und geht langsam, eine Hand auf der Hüfte. Es ist ein schöner Abend; der Himmel hat die Farbe von Fliederbüschen und der Fluß die Farbe von Veilchenblüten. Hohe, helle Bäume voll zitternden Lichts stehen längs des Pfades, und die auf und ab tanzenden Boote schicken schwe-

re Schaumlocken aus, die fast um ihre Füße plätschern. Jetzt ist sie stehengeblieben. Jetzt hat sie sich plötzlich umgedreht. Sie lehnt sich an einen Baum, das Gesicht in den Händen; sie weint. Und jetzt geht sie auf und ab und ringt die Hände. Wieder lehnt sie sich an den Baum, diesmal mit dem Rücken, mit erhobenem Kopf und die Hände umklammert, als lehne sie sich gegen einen lieben Menschen. Um ihre Schultern trägt sie einen kleinen grauen Schal; mit seinen Zipfeln bedeckt sie das Gesicht und wiegt sich hin und her.
Aber man kann nicht ewig weinen, deshalb wird sie endlich ernst und ruhig, ordnet ihr Haar und streicht über ihre Schürze. Sie geht ein paar Schritte. Nein, zu bald, zu bald! Wieder fliegen ihre Arme auf, sie rennt zurück, wieder preßt sie sich gegen den hohen Baum. In den Häusern flammt in Vierekken goldenes Licht auf; die Straßenlaternen schimmern durch die jungen Blätter; Fächer aus gelbem Licht folgen den tanzenden Booten. Einen kurzen Augenblick hebt sie sich weiß, grau und schwarz wie ein Tupfen von dem Baum ab, schmilzt in die Steine und Schatten hinein. Und dann ist sie verschwunden.

Spät abends

— — — — — — — — — — — — — — —

(Virginia sitzt am Kaminfeuer. Mantel und Hut hat sie auf einen Stuhl geworfen; die Überschuhe stehen, leicht dampfend, am Kamingitter.)

VIRGINIA *(legt den Brief hin)*: Der Brief gefällt mir nicht – ganz und gar nicht. Ich möchte mal wissen, ob er absichtlich so abweisend klingt oder ob das einfach seine Art ist. *(Sie liest)*: ›Vielen Dank für die Socken. Da mir letzthin fünf Paar Socken geschickt wurden, freut es Sie bestimmt zu hören, daß ich die Ihrigen einem Freund in meiner Kompanie schenkte.‹ Nein, es kann keine Einbildung sein; er muß es so gemeint haben: es ist eine furchtbare Zurückweisung!

Oh, ich wünschte, ich hätte ihm nicht den Brief geschickt, in dem ich ihm schrieb, er solle sich schonen. Ich gäbe wer weiß was dafür, könnte ich den Brief zurückbekommen! Außerdem hatte ich ihn an einem Sonntagabend geschrieben – das war so verhängnisvoll! Niemals sollte ich sonntagabends Briefe schreiben – dann lasse ich mich immer so gehen! Ich verstehe nicht, weshalb die Sonntagabende immer einen so komischen Einfluß auf mich haben. Dann sehne ich mich einfach, jemanden zu haben, dem ich schreiben – oder den ich lieben kann. Ja, das ist es: sie stimmen mich traurig und liebebedürftig. Komisch, nicht wahr?

Ich sollte wieder anfangen, in die Kirche zu gehen; es ist verhängnisvoll, vor dem Kaminfeuer zu sitzen und zu grübeln. Und dort hat man immer die Choräle: in den Chorälen kann man sich unbesorgt gehen lassen. *(Sie summt)*: ›Und nun für unsre Liebsten, Teuersten‹ – *(aber ihr Blick fällt auf die nächste Seite im Brief)*: ›Es war überaus liebenswürdig von Ihnen, sie selber zu stricken.‹ Nein, so etwas! Wirklich, das ist zuviel! Männer sind abscheulich eingebildet. Er glaubt tatsächlich, daß ich sie selbst gestrickt habe! Ich kenne ihn ja kaum; ich habe nur ein paarmal mit ihm gesprochen. Warum zum Kuckuck sollte ich ihm Socken stricken? Er muß ja denken, daß ich ganz verknallt in ihn bin, wenn ich mich ihm so an den Kopf werfe. Denn man wirft sich doch bestimmt einem Mann an den Kopf, wenn man ihm Socken strickt — wo er fast ein Fremder ist! Ihm mal ein Paar kaufen — das ist was ganz anderes. Nein, ich werde ihm nicht wieder schreiben — das steht fest. Und außerdem — was für einen Zweck hätte es? Ich könnte mich wirklich in ihn verlieben — und er würde sich nicht die Bohne aus mir machen, so sind die Männer.

Ich möchte mal wissen, warum ich anscheinend nach einem gewissen Zeitpunkt die Leute verscheuche. Komisch, nicht wahr? Zuerst mögen sie mich gern; sie finden mich ungewöhnlich und originell; doch sowie ich ihnen zeige — und ihnen sogar zu verstehen gebe, daß ich sie gern habe, scheinen sie zu erschrecken und fangen an, sich zu verkrümeln. Vielleicht werde ich deswegen später mal verbittert. Vielleicht wissen sie irgendwie, daß ich zuviel zu geben habe. Das ist's vielleicht, was sie erschreckt. Oh, ich weiß, daß ich eine so grenzenlose, grenzenlose Liebe zu verschenken habe — ich würde mich so restlos und so völlig um jemanden kümmern — ihn behüten — ihm alles Schreckliche fernhalten — und ihn fühlen lassen, daß, wenn er jemals irgend etwas getan haben will, ich da bin, es zu tun. Wenn ich nur merkte, daß jemand mich braucht, daß ich jemandem von Nutzen bin, würde ich ein andrer Mensch werden. Ja, das ist für mich das Geheimnis des Lebens: spüren, daß man geliebt und gebraucht wird, wissen, daß jemand sich für alles gänzlich auf mich stützte — ewig so! Und ich bin stark und viel, viel reicher als die meisten Frauen. Ich bin überzeugt, daß die meisten Frauen nicht dieses ungeheure Sehnen haben, sich — zu verwirklichen. Vermutlich ist es beinah so etwas wie — zu erblühen! Ich bin ganz zusammengefaltet und ins Dunkle gestellt, und niemand beachtet es. Das ist vermutlich der Grund, weshalb ich eine so ungeheure Zärtlichkeit für Pflanzen und kranke Tiere und Vögel verspüre — es ist eine Möglichkeit, diesen Überfluß, diese Last an Liebe loszuwerden. Und dann natürlich auch, weil sie so hilflos sind — das kommt hinzu. Aber ich habe so ein Gefühl, daß ein Mann, wenn er wirklich liebt, genauso hilflos wäre. Doch, ich bin überzeugt, daß die Männer sehr hilflos sind ...

Ich weiß nicht, warum, aber heute abend ist mir sehr nach Weinen zumute. Es ist bestimmt nicht wegen des Briefs – der ist bei weitem nicht wichtig genug. Aber ich muß mich dauernd fragen, ob es niemals anders wird oder ob ich immer so weitermachen soll, bis ich alt bin – immer sehnen und sehnen. Selbst jetzt bin ich nicht mehr die jüngste. Ich habe Falten, und meine Haut ist schon gar nicht mehr so, wie sie früher war. Richtig hübsch war ich niemals, nicht auf die übliche Art, aber ich hatte eine schöne Haut und schöne Haare – und einen guten Gang ... Gerade heute habe ich in einem Spiegel einen Blick auf mich geworfen – ich sah schlampig und ältlich aus. Also nein – vielleicht nicht ganz so schlimm; ich übertreibe immer, wenn es mich betrifft. Doch ich bin jetzt schrullig wegen mancher Dinge, und das ist bestimmt eine Alterserscheinung. Der Wind zum Beispiel – ich kann es jetzt nicht ertragen, mich vom Wind durchblasen zu lassen, und nasse Füße sind mir furchtbar. Nie habe ich mich um derlei Dinge gekümmert – im Gegenteil, ich genoß sie beinah –, irgendwie ließen sie mich das Einssein mit der Natur spüren. Doch jetzt werde ich verdrießlich und möchte heulen und sehne mich nach etwas, was mir drüber hinweghilft. Vermutlich ist das der Grund, weshalb Frauen sich das Trinken angewöhnen. Komisch, nicht wahr?

Das Feuer ist ausgegangen. Ich werde den Brief verbrennen. Was bedeutet er mir schon? Pah! Er ist mir egal. Was bedeutet er mir schon? Mögen ihm die fünf andern Frauen Socken schicken! Und vermutlich war er gar nicht das, was ich mir eingebildet habe. Ich kann es richtig hören, wie er sagt: ›Es war überaus liebenswürdig von Ihnen, sie selbst zu stricken.‹ Er hat eine bezaubernde Stimme. Ich glaube, seine Stimme war's, die mich so angezogen hat – und seine Hände; sie sahen so stark aus – es waren richtige Männerhände. Ach, werde nur nicht sentimental – verbrenne ihn ... Nein, jetzt kann ich's nicht – das Feuer ist ausgegangen. Ich werde zu Bett gehen. Ich wüßte nur zu gern, ob er wirklich abweisend sein wollte. Oh, ich bin so müde. Jetzt kommt es oft beim Zubettgehen vor, daß ich mir die Decke über den Kopf ziehe – und einfach heulen möchte. Komisch, nicht?

— — — — — — — — — — — — — — —

DAME: Doch, es geht, Liebes, es ist reichlich Platz da! Wenn die Dame neben mir sich auf den Platz gegenüber setzen könnte ... würde es Ihnen etwas ausmachen? Dann könnte meine Freundin neben mir sitzen! Vielen Dank! Ja, Liebes, beide Wagen im Kriegsdienst; ich habe mich richtig ans Busfahren gewöhnt. Wenn wir ins Theater wollen, rufe ich natürlich Cynthia an. *Einen* Wagen hat sie noch. Ihr Chauffeur ist einberufen ... Eine Ewigkeit her ... Inzwischen gefallen, denke ich. Ich kann mich nicht recht erinnern. Ihr neuer Chauffeur gefällt mir gar nicht. Ein angemessenes Risiko macht mir nichts aus, aber er ist so dickköpfig – er geht auf alles los, was er sieht. Weiß der Himmel, was passieren würde, wenn er in etwas hineinsaust, das ihm nicht ausweichen will. Aber das arme Wesen hat einen verkümmerten Arm, und mit einem seiner Füße ist etwas nicht in Ordnung, hat sie mir, glaube ich, erzählt. Das ist wohl schuld dran, daß er so unbekümmert ist. Ich meine – wirklich – also nicht wahr?
FREUNDIN: ...?
DAME: Ja, sie hat es verkauft. Es war viel zu klein, meine Liebe. Es hatte ja nur zehn Schlafzimmer. Erstaunlich! Von außen würde man es nicht geglaubt haben, nicht wahr? Und mit den Gouvernanten und den Kinderfrauen – und so weiter. Alle männlichen Diener mußten außer Haus schlafen ... Du weißt ja, was das bedeutet!
FREUNDIN: ...!
SCHAFFNER: Fahrgeld bitte! Das Fahrgeld zahlen!
DAME: Wieviel macht es: Tuppence, nicht wahr? Zweimal Tuppence, bitte! Laß nur, ich habe ein paar Kupfer, irgendwo müssen sie sein.
FREUNDIN: ...!
DAME: Doch, es geht schon. Ich habe welche. Wenn ich sie nur finden könnte!
SCHAFFNER: Fahrgeld zahlen, bitte!
FREUNDIN: ...!
DAME: Wirklich? Ja, das stimmt. Ich erinnere mich jetzt.

Ja, ich habe auf der Herfahrt bezahlt. Also gut, dann lass' ich dich, nur dies eine Mal. Im Krieg, meine Liebe ...
SCHAFFNER: Wie weit wollen Sie fahren?
DAME: Bis Boltons.
SCHAFFNER: Noch ein 'a'penny für jede!
DAME: Nein – o nein! Auf der Herfahrt habe ich nur Tuppense bezahlt. Sind Sie ganz sicher?
SCHAFFNER *(wütend):* Lesen Se's doch selber auf'm Brett!
DAME: Oh, also meinetwegen! Da ist noch ein Penny. *(Zur Freundin):* Ist es nicht erstaunlich, wie ungefällig diese Männer sind? Er wird ja schließlich dafür bezahlt, seinen Posten auszufüllen. Aber sie sind fast alle so. Ich habe gehört, daß die Autobusse nach einiger Zeit die Wirbelsäule angreifen. Das wird's sein, vermute ich ... Über Teddy hast du wohl gehört, nicht wahr?
FREUNDIN: ...
DAME: Er hat seinen ... er hat seinen ... Na, was ist es denn? Was kann es bloß sein? Wie lächerlich von mir!
FREUNDIN: ...?
DAME: O nein! Major ist er schon seit einer Ewigkeit!
FREUNDIN: ...?
DAME: Oberst? O nein, meine Liebe, es war etwas viel Höheres. Nicht seine Kompanie – seine Kompanie hat er schon lange. Nicht sein Bataillon ...
FREUNDIN: ...?
DAME: Regiment! Ja, ich glaube, er hat ein Regiment bekommen. Aber was ich eigentlich sagen wollte: er wurde ernannt zum ... oh, wie dumm ich bin! Was ist höher als ein Brigadegeneral? Ja, das war's, glaube ich. Generalstabschef! Seine Frau ist natürlich selig.
FREUNDIN: ...?
DAME: Ach, meine Liebe, heutzutage schlägt doch jeder über die Stränge, einerlei, was für eine Stellung er einnimmt. Und Teddy ist so ein Schatz, da seh' ich wirklich nicht ein, wieso ... Zu schrecklich, nicht wahr?
FREUNDIN: ...
DAME: Das hast du nicht gewußt? Sie arbeitet im Kriegsministerium, und zwar sehr zufriedenstellend. Ich glaube, sie

hat neulich eine Gehaltserhöhung bekommen. Sie hat irgendwas damit zu tun, die Todesfälle bekanntzugeben oder die Vermißten zu suchen. Ich weiß nicht genau, was es ist. Jedenfalls sagt sie, es sei unvorstellbar deprimierend, und sie müsse die herzzerreißendsten Briefe von Eltern lesen, und so weiter. Glücklicherweise hat sie in ihrem Zimmer eine sehr vergnügte Gruppe – alles Offiziersfrauen, sie kochen sich ihren Tee und holen reihum den Kuchen von Stewarts. Jede Woche hat sie einen freien Nachmittag, da geht sie einkaufen und läßt sich frisieren. Letztesmal haben wir beide uns Yvettes Frühlingsmodenschau angesehen.

FREUNDIN: . . .?

DAME: Nein, eigentlich nicht. Diese Mantelkleider habe ich allmählich furchtbar satt, du auch? Ich meine – und das habe ich auch zu ihr gesagt –, was hat es für einen Sinn, eine ungeheure Summe für ein bei Yvette gearbeitetes Kleid zu zahlen, wenn man schlußendlich keinen Unterschied zwischen dem und einem billigen, fertiggekauften sieht. Natürlich hat man die Genugtuung, selber zu wissen, daß das Material gut ist und so weiter, aber man sieht es nicht. Nein, ich habe ihr geraten, ein gutes Schneiderkostüm zu nehmen. Es sieht schließlich immer anständig aus, nicht wahr?

FREUNDIN: . . .!

DAME: Nein, das habe ich ihr nicht gesagt, aber das hatte ich im Sinn. Sie ist viel zu dick für diese Mantelkleider. Ihre Hüften sind viel zu breit geworden. Ich hätte mir beinah ein ziemlich hübsches von unbestimmbarem Blau für mich selbst bestellt, eingefaßt mit dem neuen Hummerrot... Denk dir, ich habe meine gute Kate nicht mehr!

FREUNDIN: . . .!

DAME: Ja, ist es nicht ärgerlich? Gerade, als ich sie mehr oder weniger eingearbeitet hatte! Aber sie hatte rein den Verstand verloren – wie ja alle heutzutage – und beschlossen, in die Munitionsfabrik zu gehen. Als sie mir kündigte, habe ich ihr gesagt, falls sie einen Posten bekäme (was ich für höchst unwahrscheinlich halte), ginge sie selbstverständlich unter der Voraussetzung, daß sie nicht wiederkommen und die andern Diener durcheinanderbringen dürfe.

SCHAFFNER *(wütend):* Jede noch einen Penny, wenn Sie weiterfahren wollen!
DAME: Oh, wir sind da! Wie erstaunlich! Ich hätte es nie gemerkt!
FREUNDIN: . . . ?
DAME: Am Dienstag? Bridge am Dienstag? Nein, meine Liebe, Dienstag kann ich's leider nicht einrichten. Jeden Dienstag beschäftige ich nämlich die Verwundeten. Ich lasse sie von der Köchin zum Zoo oder dergleichen bringen, nicht wahr? Mittwoch – Mittwoch bin ich gänzlich frei!
SCHAFFNER: Wenn Sie sich nicht beeilen, wird's Mittwoch sein, eh' Sie vom Bus runter sind!
DAME: Das genügt jetzt, Sie!
FREUNDIN: . . .!!

(Eine Dame und ihr Mann sitzen beim Frühstück. Er ist ganz ruhig, liest die Zeitung und ißt; doch sie ist merkwürdig aufgeregt, reisefertig angezogen und gibt nur vor, zu essen.)
SIE: Oh, falls du deine Flanellhemden brauchst, sie liegen im Wäscheschrank im untersten Fach rechts.
ER *(bei einer Vorstandssitzung der Fleisch-Export-Gesellschaft):* Nein.
SIE: Du hast nicht gehört, was ich gesagt habe. Ich habe gesagt, falls du deine Flanellhemden brauchst, sie liegen im Wäscheschrank im untersten Fach rechts.
ER *(zustimmend):* Bin sehr dafür!
SIE: Es kommt mir ziemlich merkwürdig vor, daß du selbst am Morgen des Tages, an dem ich weggehe, deine Zeitung nicht mal fünf Minuten beiseite legen kannst!
ER *(freundlich):* Mein liebes Weib, ich möchte nicht, daß du gehst. Ich habe dich sogar gebeten, nicht zu gehen. Ich kann nicht um die Welt einsehen . . .
SIE: Du weißt ganz genau, daß ich nur gehe, weil ich unbedingt gehen muß. Ich habe es dauernd aufgeschoben und aufgeschoben, und das letztemal sagte der Zahnarzt . . .
ER: Ja! Ja! Laß uns das nicht noch mal erörtern. Wir haben es gehörig durchgekaut, was?
DIENSTMÄDCHEN: Die Droschke ist da, M'm.
SIE: Stellen Sie bitte mein Gepäck hinein!
DIENSTMÄDCHEN: Ja, M'm.
SIE *(stößt einen abgrundtiefen Seufzer aus):* . . .
ER: Dir bleibt nicht mehr sehr viel Zeit, wenn du den Zug erreichen willst.
SIE: Ich weiß. Ich gehe ja. *(In verändertem Tonfall:)* Liebster, laß uns nicht so auseinandergehen! Es macht mich so unglücklich. Wie kommt es bloß, daß es dir immer einen ausgesprochenen Genuß zu bereiten scheint, mir ein Vergnügen zu verderben?
ER: Ich glaube nicht, daß es so vergnüglich ist, zum Zahnarzt zu gehen.

SIE: Oh, du weißt, daß ich es nicht so meine. Das sagst du bloß, um mich zu verletzen. Du weißt, daß du dem wahren Sachverhalt ausweichst.
ER *(lachend):* Und daß du den Zug verpaßt! Am Donnerstagabend bist du wieder zurück, ja?
SIE *(mit leiser, verzweifelter Stimme):* Ja, am Donnerstagabend. Also leb wohl! *(Tritt auf ihn zu und nimmt seinen Kopf in die Hände.)* Besteht wirklich etwas zwischen uns? Sieh mich wenigstens an! Ist dir – alles – ganz – einerlei?
ER: Mein liebes Mädchen! Das ist ja wie der Abgang in einem Film!
SIE *(läßt die Hände sinken):* Also gut. Leb wohl. *(Sieht sich mit raschen, tragischen Blicken im Eßzimmer um und geht.)*

(Auf dem Weg zum Bahnhof.)

SIE: Wie seltsam das Leben ist! Ich hatte keineswegs erwartet, daß mir so zumute sein würde. Der ganze Glanz scheint irgendwie weggewischt. Oh, ich gäbe wer weiß was drum, wenn die Droschke umkehrte und zurückführe. Und das Seltsamste ist, daß ich glaube, wenn er mich wirklich von seiner Liebe überzeugt hätte, wäre es mir viel leichter gefallen, ihn zu verlassen. Aber das ist verrückt. Wie stark das Heu duftet! Sicher wird es sehr heiß. Die Wiesen hier werde ich also nie wiedersehen! Nie, nie! Doch andrerseits bin ich froh, daß es sich so abgespielt hat: dadurch bin ich ein für allemal gerechtfertigt, endgültig und gänzlich! Eine Frau will er überhaupt nicht haben. Für ihn ist eine Frau bedeutungslos. Er ist nicht der Typ, der für irgendeinen Menschen – sich selbst ausgenommen – tief empfindet. Ich bin für ihn die Person geworden, die daran denkt, die Manschettenknöpfe aus seinen Hemden zu nehmen, ehe sie in die Wäsche gehen – und weiter nichts. Und das ist nicht genug für mich! Ich bin jung – ich bin zu stolz! Ich bin nicht der Typ, der auf dem Lande dahinvegetiert und verzückt über ›unsern‹ Salat redet ...
Seit du mich geheiratet hast, wolltest du ständig nur eins: mich unterwerfen, mich zu deinem Schatten machen und so völlig auf mich zählen, daß du nur aufblicken mußt, um mir

gewissermaßen die richtige Zeit vom Gesicht abzulesen, als wäre ich eine Uhr. An mir persönlich warst du nie interessiert, hast nie meine Seele entdecken wollen. Nein, du wolltest bloß, daß ich mich in dein friedliches Dasein einfüge. Oh, wie mich deine Blindheit empört hat! Wie ich dich deswegen hasse! Ich bin froh, bin dankbar, so dankbar, daß ich dich verlassen habe! Ich bin kein naives Mädchen – ich bin nicht eingebildet, aber ich kenne meine Möglichkeiten. Nicht ohne Grund habe ich mich immer nach Reichtum und Leidenschaft und Freiheit gesehnt und gewußt, daß sie mir rechtmäßig zustehen! *(Sie lehnt sich gegen das Wagenpolster und murmelt:)* »Du bist eine Königin! Gönne mir die Freude, dir dein Königreich zu schenken!« *(Sie blickt lächelnd auf ihre königlichen Händchen.)* Ich wünschte, mein Herz würde nicht so heftig klopfen! Es tut mir geradezu weh! Es macht mich müde und aufgeregt. Es ist wie jemand, der in furchtbarer Eile ist und gegen eine Tür hämmert... Die Droschke schleicht ja nur! In diesem Tempo kommen wir nie rechtzeitig zum Bahnhof! Schneller! Schneller! Mein Geliebter, ich komme, so schnell ich nur kann. Ja, ich leide ebenso wie du. Es ist furchtbar, es ist unerträglich, diese letzte halbe Stunde, in der wir einander nicht haben . . . O Gott, das Pferd ist wieder in Schritt gefallen! Warum peitscht er nicht ein auf das große, dicke Biest? . . . Unser wundervolles Leben: zusammen werden wir die ganze Welt bereisen! Die ganze Welt wird uns gehören – dank unsrer Liebe! Oh, sei geduldig! Ich komme, so schnell ich irgend kann! . . . Ah, jetzt geht's bergab! Jetzt kommen wir tatsächlich schneller voran. *(Ein alter Mann versucht die Straße zu überqueren.)* Geh mir aus dem Weg, du alter Dummkopf! Er verdiente, überfahren zu werden . . . Liebster – Liebster; ich bin beinah da. Sei nur geduldig!

(Auf dem Bahnhof)

Stellen Sie es in ein Raucherabteil Erster Klasse! Nun ist's doch noch reichlich Zeit. Volle zehn Minuten, bis der Zug abfährt. Kein Wunder, daß er noch nicht hier ist. Es darf

nicht so aussehen, als hielte ich Ausschau nach ihm. Aber ich muß gestehen, daß ich enttäuscht bin. Ich hätte nicht im Traume gedacht, daß ich die erste wäre. Ich hatte gedacht, er wäre vor mir hier und hätte ein Abteil belegt und Zeitungen und Blumen gekauft ... Wie merkwürdig! Im Geist hatte ich wirklich schon seinen Strauß rosa Nelken gesehen ... Er weiß, wie sehr ich Nelken liebe. Aber rosa liebe ich nicht so besonders. Dunkelrote oder blaßgelbe sind mir lieber. Wenn er jetzt nicht kommt, wird er es bestimmt nicht mehr schaffen. Der Schaffner fängt schon an, die Türen zu schließen. Was kann nur geschehen sein? Etwas Schreckliches! Vielleicht hat er sich im letzten Augenblick erschossen ... Den Gedanken, dein Leben zerstört zu haben, könnte ich nicht ertragen ... Aber du zerstörst mein Leben ja gar nicht. Oh, wo bist du? Ich werde wohl einsteigen müssen ... Wer ist das? Das ist nicht er! Er kann's nicht sein – doch, er ist es! Um Himmels willen, was hat er nur auf dem Kopf? Eine schwarze Mütze! Wie scheußlich! Er ist völlig verändert! Warum trägt er denn eine schwarze Mütze? Ich hätte ihn fast nicht erkannt.
Ganz albern sieht er aus, wie er jetzt in dieser entsetzlichen Mütze lächelnd auf mich zukommt.
ER: Mein Liebstes, ich kann's mir nie verzeihen – aber etwas Lächerliches, Tragikomisches ist passiert! *(Sie steigen ein.)* Ich habe meinen Hut verloren. Er ist einfach verschwunden. Ich habe das halbe Hotel danach absuchen lassen. Keine Spur! Deshalb habe ich mir schließlich in meiner Verzweiflung das hier von einem andern Mann leihen müssen, der auch dort wohnte. *(Der Zug setzt sich in Bewegung.)* Du bist mir doch nicht böse? *(Er versucht sie zu umarmen.)*
SIE: Nicht! Wir sind ja noch nicht aus dem Bahnhof heraus!
ER *(leidenschaftlich):* Großer Gott! Was kümmert's mich, wenn uns die ganze Welt sähe? *(Versucht wieder, sie zu küssen.)* Mein Wunder! Meine Wonne!
SIE: Bitte nicht! Es ist mir unangenehm, mich in der Bahn küssen zu lassen.
ER *(tief gekränkt):* Oh, dann nicht! Du bist mir also böse. Es ist ernst. Du kommst nicht darüber hinweg, daß ich mich

verspätet hatte. Aber wenn du nur wüßtest, was für Qualen ich ausgestanden habe ...

SIE: Wie kannst du nur glauben, daß ich so kleinlich bin! Ich bin dir überhaupt nicht böse.

ER: Warum läßt du dich dann nicht küssen?

SIE *(lacht hysterisch)*: Du siehst so anders aus – fast wie ein Fremder!

ER *(springt auf, stellt sich vor den Spiegel und betrachtet sich besorgt – und einfältig, wie sie findet)*: Aber sie ist doch gut.

SIE: Oh, sehr gut! Tadellos! Oh! Oh! Oh! *(Sie beginnt vor Wut zu lachen und zu weinen.)*

(Sie kommen an)

SIE *(während er ein Taxi holt)*: Ich muß damit fertig werden. Es ist eine fixe Idee. Unglaublich, daß ein Mann dadurch so verändert werden kann. Ich muß es ihm sagen. Es ist doch sicher ganz einfach, ihm zu sagen: Findest du nicht, daß du dir lieber einen Hut kaufen solltest, da wir jetzt in der Großstadt sind? Das wird ihm klarmachen, wie gräßlich die Mütze gewesen ist. Und das Erstaunliche ist, daß er es nicht selbst einsieht. Ich meine, wenn er sich im Spiegel betrachtet und die Mütze nicht völlig lächerlich findet, dann müssen unsre Ansichten ja sehr verschieden sein ... Abgrundtief verschieden! Ich meine, wenn ich ihn auf der Straße gesehen hätte, würde ich gesagt haben: in einen Mann, der so eine Mütze trägt, könnte ich mich unmöglich verlieben. Ich hätte ihn nicht mal kennenlernen wollen. Er ist überhaupt nicht mein Stil. *(Sie blickt sich um.)* Alle lachen darüber. Es wundert mich gar nicht. Was für abstehende Ohren er dadurch bekommt ... und überhaupt keinen Hinterkopf.

ER: Das Taxi ist da, mein Liebstes! *(Sie steigen ein.)*

ER *(versucht ihre Hand zu nehmen)*: Was für ein Wunder, daß wir zwei hier fahren, einfach so, miteinander!

(Sie zupft ihren Schleier zurecht.)

ER *(sehr verliebt, versucht ihre Hand zu fassen)*: Ich nehme nur ein Zimmer, mein Liebstes!

SIE: O nein! Natürlich mußt du zwei Zimmer nehmen!
ER: Aber findest du nicht, es wäre klüger, keinen Argwohn zu erregen?
SIE: Ich muß mein eigenes Zimmer haben! *(Für sich:* Du kannst deine Mütze hinter deine eigene Tür hängen!) *(Fängt an zu lachen)*
ER: Ah! Gott sei Dank! Meine Königin ist wieder ihr eigenes glückliches Selbst!

(Im Hotel)

MANAGER: Ja, Sir, ich verstehe. Ich habe genau das Richtige für Sie, Sir, glaube ich. Bitte hier entlang! *(Er führt sie in ein kleines Wohnzimmer mit einem anschließenden Schlafzimmer.)* Das würde Ihren Wünschen entsprechen, nicht wahr? Und wenn Sie wollen, können wir Ihnen das Sofa in ein Bett umwandeln.
ER: Oh, ausgezeichnet! Ausgezeichnet!
(Der Manager geht.)
SIE *(wütend):* Ich habe dir doch gesagt, daß ich mein eigenes Zimmer haben will! Mich so zu überlisten! Ich habe dir gesagt, daß ich kein gemeinsames Schlafzimmer wünsche! Wie kannst du es wagen, mich so zu behandeln? *(Sie macht ihn nach.)* ›Oh, ausgezeichnet!‹ Das werde ich dir nie verzeihen!
ER *(überwältigt):* Großer Gott, was ist denn nur? Ich verstehe es nicht... Ich tappe im dunkeln. Warum hast du plötzlich, an diesem schönsten aller Tage, aufgehört, mich zu lieben? Was habe ich getan? Sag's mir!
SIE *(sinkt auf das Sofa):* Ich bin sehr müde. Wenn du mich wirklich liebst, laß mich bitte allein! Ich – ich möchte nur ein wenig allein sein.
ER *(zärtlich):* Natürlich! Ich werde versuchen, es zu verstehen. Ich fange an, es zu verstehen. Ich werde eine halbe Stunde weggehen, und dann wirst du dich vielleicht ruhiger fühlen, mein Liebstes! *(Er blickt sich verwirrt um.)*
SIE: Was ist?
ER: Mein Herz – du sitzt – auf meiner Mütze. *(Sie stößt*

einen durchdringenden Schrei aus und eilt ins Schlafzimmer hinüber. Er geht. Sie wartet einen Augenblick, dann zieht sie ihren Schleier herunter und hebt ihren Koffer auf.)

(Im Taxi)

SIE: Ja, zum Waterloo-Bahnhof! *(Sie lehnt sich an.)* Oh, ich bin entkommen – ich bin entkommen! Den Nachmittagszug für meine Heimkehr werde ich gerade noch rechtzeitig erreichen. Oh, es ist wie ein Traum – vor dem Abendessen bin ich wieder zu Hause! Ihm werde ich erzählen, daß es in der Stadt zu heiß war – oder daß der Zahnarzt weg war. Kommt ja nicht darauf an. Ich habe ein Recht auf mein Heim ... Es wird wundervoll sein, vom Bahnhof heimzufahren – die Wiesen werden köstlich duften. Fürs Abendbrot ist noch kaltes Huhn von gestern da, und Orangengallert ... Ich bin verrückt gewesen, aber jetzt bin ich wieder normal. Oh, mein Gatte!

Ein Vorstadtmärchen

Mr. und Mrs. B. saßen im behaglichen roten Eßzimmer ihrer ›gemütlichen kleinen Bude kaum eine halbe Stunde Wegs von der City‹ und frühstückten.
Im Kamin brannte ein tüchtiges Feuer – denn das Eßzimmer war gleichzeitig Wohnzimmer –, die beiden Fenster, die auf den kalten, leeren Vorgarten blickten, waren geschlossen, und die Luft roch angenehm nach Eiern und Speck und Toast und Kaffee. Seit die Sache mit der Rationierung endgültig vorbei war, bestand Mr. B. auf einer vollständigen und guten Verpflegung, bevor er den sehr handgreiflichen Gefahren des Tages gegenübertrat. Es war ihm gleich, wer darum wußte; im Hinblick auf sein Frühstück war er ein waschechter Engländer – er mußte es haben; ohne sein Frühstück würde er zusammenbrechen, und wenn man ihm erzählte, daß die Kerls auf dem Kontinent nach einer Semmel und einer Tasse Kaffee die Hälfte der Vormittagsarbeit erledigten, die er leistete, dann wußte man einfach nicht, wovon man redete.
Mr. B. war ein stämmiger, noch jugendlicher Mann, dem es – leider – nicht gelungen war, seinen Posten hinzuwerfen und ins Heer einzutreten; vier Jahre lang hatte er versucht, jemanden zu besorgen, der seinen Platz einnehmen könnte, aber es hatte nie geklappt. Er saß am Kopfende des Tisches und las die *Daily Mail*. Mrs. B. war eine noch jugendliche kleine Dickmadam, einem Täubchen nicht unähnlich. Sie saß ihm gegenüber, hinter der spiegelnden Kaffeemaschine, zupfte an sich herum und achtete gleichzeitig liebevoll ermahnend auf Klein B., der, in eine Serviette gehüllt, zwischen ihnen thronte und auf die Spitze eines weich gekochten Eies klopfte.
O weh, Klein B. war keineswegs das Kind, das solche Eltern mit Fug und Recht erwarten durften. Er war kein herumwackelndes Dickerchen, kein Fettmops, kein fester kleiner Pudding. Er war zu klein für sein Alter, hatte Beine wie Makkaroni und winzige Pfötchen, dünnes, weiches Haar, das sich wie Mäusefell anfühlte, und große, weit offene Augen.

Aus irgendeinem seltsamen Grund schien alles, was das Leben bot, für Klein B. die unrechte Nummer zu sein: zu groß und zu wild für ihn. Alles rannte ihn über den Haufen, nahm ihm den Wind aus den matten Segeln und ließ ihn keuchend und erschrocken zurück. Mr. und Mrs. B. waren völlig machtlos, es zu verhindern: sie konnten ihn nur noch aufsammeln, nachdem das Unglück geschehen war, und versuchen, ihn wieder in Gang zu bringen. Und Mrs. B. liebte ihn so, wie nur schwächliche Kinder geliebt werden, und wenn Mr. B. dachte, was für ein großartiger kleiner Bursche er doch auch war, und an den Mumm des kleinen Männchens dachte, dann – mußte er – weiß der Himmel ...

»Warum gibt es nicht zwei Sorten Eier?« fragte Klein B. »Warum gibt es nicht kleine Eier für Kinder und große Eier wie das hier für die Erwachsenen?«

»Schottische Hasen«, las Mr. B. vor. »Prächtige schottische Hasen für fünfeinhalb Shilling. Wie wär's, wenn wir einen kauften, liebes Kind?«

»Es wäre eine nette Abwechslung, nicht wahr?« entgegnete Mrs. B. »Geschmort.«

Und über den Tisch hinweg sahen sie einander an, und zwischen ihnen schwamm der schottische Hase in seiner köstlichen Soße, und dazu die Kügelchen von der Füllung und ein weißer Topf Johannisbeergelee.

»Wir hätten ihn fürs Wochenende nehmen können«, sagte Mrs. B. »Aber der Metzger hat mir ein nettes kleines Lendenstück versprochen, und es ist eher schade ...« Ja, das stimmte, und doch ... Lieber Himmel, es war sehr schwer zu entscheiden. Der Hase wäre eine wundervolle Abwechslung gewesen – andrerseits: war ein gutes kleines Lendenstück nicht unübertrefflich?

»Und dann die Hasensuppe«, sagte Mr. B. und trommelte mit den Fingern auf den Tisch. »Die beste Suppe von der Welt!«

»O-oh«, rief Klein B. plötzlich und so laut, daß sie richtig zusammenschraken, »seht mal die Unmenge Spatzen, die auf unsern Rasen geflogen sind!« Er schwenkte seinen Löffel. »Seht bloß mal!« rief er. »Seht!« Und während er sprach, und obwohl die Fenster geschlossen waren, hörten sie das laute und schrille Piepsen und Zwitschern, das aus dem Garten kam.

»Iß jetzt dein Frühstück auf, sei ein artiger kleiner Junge!« sagte seine Mutter, und sein Vater sagte: »Kümmere dich um dein Ei, alter Junge, und trödle nicht so!«

Tschilp-tschelp, tschilp-tschelp! riefen die Spatzen.

»Am besten, wir verschieben es auf nächste Woche«, sagte Mr. B., »und vertrauen auf unser Glück, daß sie dann noch zu haben sind!«

»Ja, das wäre vielleicht gescheiter«, sagte Mrs. B.

Mr. B. entdeckte noch eine Rosine in seiner Zeitung.

»Hast du schon welche von den inspizierten Datteln gekauft?« fragte er.

»Gestern ist es mir geglückt, zwei Pfund zu bekommen«, sagte Mrs. B.

»Oh, ein Dattelpudding ist etwas sehr Gutes!« sagte Mr. B. Und sie blickten einander über den Tisch hinweg an, und zwischen ihnen schwamm ein dunkler, runder, mit einer Sahnesoße bedeckter Pudding. »Es wäre eine nette Abwechslung, nicht wahr?« meinte Mrs. B.

Draußen auf dem gefrorenen grauen Gras hopsten und flatterten die komischen, eifrigen Spatzen. Nicht einen Augenblick waren sie still. Sie riefen und schlugen mit ihren unbeholfenen Flügeln. Klein B., der sein Ei aufgegessen hatte, kletterte von seinem Stühlchen hinunter und nahm sein Marmeladebrot, um es am Fenster zu essen.

»Wir wollen ihnen ein paar Krümchen geben«, sagte er. »Bitte, mach das Fenster auf, Vater, und wirf ihnen etwas hinaus! *Bitte,* Vater!«

»Oh, quängele nicht so, Kind!« sagte Mrs. B., und sein Vater sagte: »Ich kann das Fenster nicht aufmachen, alter Junge. Sie würden dir den Kopf abbeißen!«

»Aber sie sind hungrig!« rief Klein B., und die Stimmen der Spatzen klirrten, wie wenn lauter kleine Messer gewetzt würden. *Tschilp-tschelp, tschilp-tschelp!* schrien sie.

Klein B. ließ sein Marmeladebrot in den Porzellanblumentopf fallen, der am Fenster stand. Er schlüpfte hinter die dikken Vorhänge, um besser sehen zu können, und Mr. und Mrs.

B. lasen sich laut vor, was man jetzt ohne Rationierungsbüchlein bekommen konnte – ab Ende Mai keine Marken mehr; eine Käseschwemme – ein Überangebot – ganze Käselaiber kreisten wie Himmelskörper zwischen ihnen in der Luft.
Während Klein B. die Spatzen auf dem grauen, gefrorenen Gras beobachtete, wurden sie plötzlich – noch immer flügelschlagend und zwitschernd – größer und veränderten sich. Sie verwandelten sich in winzig kleine Jungen in braunen Röckchen, die draußen vor dem Fenster auf und ab tanzten und hüpften und piepsten: ›Möcht' was zu essen! Möcht' was zu essen!‹ Klein B. hielt sich mit beiden Händen am Vorhang fest. »Vater – es sind keine Spatzen! Es sind kleine Jungen! Hör doch, Vater!« Aber Mr. und Mrs. B. wollten nicht hören. Er versuchte es noch einmal. »Mutter!« flüsterte er. »Sieh doch die kleinen Jungen! Es sind keine Spatzen, Mutter!« Aber niemand beachtete seine Albernheiten.
»All dies Gerede von einer Hungersnot«, rief Mr. B., »ist nichts als Schwindel und nichts als Vorwand!«
Mit weiß schimmernden Gesichtern und Ärmchen, die in den zu großen Röcken flatterten, hüpften die kleinen Jungen. ›Möcht' was zu essen! Möcht' was zu essen!‹
»Vater!« stammelte Klein B. »Hör doch, Vater! Mutter, bitte, hör doch!«
»Nein, so etwas!« sagte Mrs. B. »Was für einen Lärm diese Vögel machen! Noch nie habe ich so etwas gehört!«
»Hol mir meine Schuhe, alter Junge!« sagte Mr. B.
Tschilp-tschelp, tschilp-tschelp! riefen die Spatzen.

Wo war denn das Kind hingeraten? »Komm und trink deinen guten Kakao aus, mein Liebling!« sagte Mrs. B.
Mr. B. hob die schwere Tischdecke auf und flüsterte: »Komm her, Rover!«, aber kein Hündchen war zu sehen.
»Er ist hinter dem Vorhang!« sagte Mrs. B.
»Er ist bestimmt nicht aus dem Zimmer gegangen«, sagte Mr. B.
Mrs. B. trat ans Fenster, und Mr. B. folgte ihr. Und sie schauten hinaus. Draußen auf dem grauen, gefrorenen Gras waren

die kleinen Jungen mit weißen, weißen Gesichtern und schlugen mit den Ärmchen wie mit Flügeln, und der kleinste, der winzigste von ihnen allen – war Klein B. Mr. und Mrs. B. hörten seine Stimme lauter als all die andern Stimmen. ›Möcht' was zu essen! Möcht' was zu essen!‹

Irgendwie, irgendwie brachten sie das Fenster auf. »Du sollst zu essen bekommen! Ihr alle! Kommt *sofort* herein! Alter Junge! Kleiner Mann!«

Aber es war zu spät. Die kleinen Jungen waren wieder in Spatzen verwandelt und flogen fort – außer Sicht – außer Rufweite.

Während jener heißen Tage hatte Eve – die seltsame Eve – stets eine Blume bei sich. Immer wieder roch sie daran, zwirbelte sie zwischen den Fingern, legte sie an ihre Wange, hielt sie an die Lippen und kitzelte Katies Hals damit, um die Blüte zu guter Letzt zu zerrupfen und sie – ein Blütenblatt nach dem andern – zu essen.

›Rosen schmecken köstlich, meine liebe Katie‹, sagte sie oft, wenn sie in der halb dunklen Kleiderablage standen, wo hinter ihr an den Huthaken blumenverzierte Hüte wie ein sonderbarer Wandschmuck hingen, ›aber Nelken sind einfach himmlisch! Sie schmecken wie – wie – ach, nun ja!‹ Und ihr kleines, dünnes Lachen flog fort und zerflatterte zwischen den riesengroßen, sonderbaren Blütenköpfen auf der Wand hinter ihr. (Aber wie grausam war doch ihr kleines, dünnes Lachen! Es hatte einen langen, scharfen Schnabel und Krallen und zwei Knopfaugen, fand Katies einfallsreiche Phantasie.)

Heute war es eine Nelke. In die Französischstunde nahm sie eine Nelke mit, eine tief, tief dunkelrote, die aussah, als wäre sie in Wein getaucht worden, um nachher im Dunkeln zu trocknen. Mit halb geschlossenen Augen hielt sie sie vor sich auf dem Pult und lächelte.

»Ist sie nicht ein Schatz?« fragte sie. Aber: *»Un peu de silence, s'il-vous-plaît«*, ertönte es von Monsieur Hugo. Oh, blöd! Es war zu heiß! Gräßlich heiß! Der reinste Backofen! Die beiden Schiebefenster des französischen Klassenzimmers standen unten offen, und die dunklen Stores waren zur Hälfte heruntergezogen. Obwohl keine Luft hereinkam, schwang die Kordel an dem Store hin und her, und der Store hob sich. Doch kein Lüftchen regte sich draußen über dem grellen Licht. Im dämmerigen Klassenzimmer schienen sogar die Mädchen in ihren hellen Blusen und steifen Schmetterlingsschleifen (als Haarband zuoberst im Haar) einen warmen, schwachen Lichtschimmer auszuströmen, und Monsieur Hugos weiße Weste glomm wie ein Haifischbauch.

Ein paar Mädchen waren sehr rot im Gesicht, und manche waren blaß. Vera Holland hatte sich ihre schwarzen Locken *à la japonaise* mit einem Federhalter und einem roten Bleistift aufgesteckt; sie sah reizend aus. Francie Owen schob ihre Ärmel fast bis zu den Achseln hinauf, und dann tuschierte sie die kleine blaue Ader in ihrer Ellbogenbeuge, preßte den Arm zu und sah nach, was aus dem Tintenklecks geworden war; es war eine Grille von ihr, sich mit Tinte zu beklecksen; auf ihren Daumennagel hatte sie stets ein Gesicht mit schwarzen Struwwelpeterhaaren gemalt. Sylvia Mann band Krawatte und Kragen ab und legte sie vor sich aufs Pult, so gelassen, als wollte sie sich in ihrem Schlafzimmer zu Hause die Haare waschen. Wenn das nicht frech war! Jennie Edwards riß eine Seite aus ihrem Heft und schrieb darauf: ›Wollen wir den alten Hugo-Wugo bitten, uns für einen Dreier Vanilleeis für den Heimweg zu stiften?‹, und reichte ihn Connie Baker, die dunkelrot anlief und beinah losgeschrien hätte. Alle samt und sonders räkelten sich und gähnten und blickten auf die runde Uhr, die anscheinend auch blasser geworden war; die Zeiger krochen kaum weiter.

»*Un peu de silence, s'il-vous-plaît*«, ertönte es von Monsieur Hugo. Er hob seine gedunsene Hand auf. »Meine Damen, da es so heiß ist, wollen wir heute nicht weitere Notizen machen, sondern ich werde Ihnen« – er hielt inne, und sein Gesicht verzog sich in einem breiten, sanften Lächeln – »ein kleines französisches Gedicht vorlesen!«

»All-mäch-tiger!« stöhnte Francie Owen.

Monsieur Hugos Lächeln wurde noch herzlicher. »Oh, Miss Owen, Sie brauchen nicht zuzuhören! Sie können sich anmalen! Sie können neben Ihrer schwarzen Tinte auch noch meine rote Tinte verwenden.«

Wie gut sie das kleine blaue Buch mit den roten Ecken kannten, das er aus der Tasche in seinem Rockschoß zog. Es hatte ein grünseidenes, mit Vergißmeinnicht besticktes Lesezeichen. Sie kicherten oft darüber, wenn er das Buch herumreichte. Der arme alte Hugo-Wugo! Er liebte es so, Gedichte vorzulesen! Sanft und ruhig begann er, und dann schwoll seine Stimme allmählich an und vibrierte und nahm zu an Laut-

stärke, dann bat und bettelte und flehte sie, dann schwang sie sich siegessicher auf und hinauf, bis sie gewissermaßen ins Licht barst, um dann — wieder allmählich — zu verebben, sanft und ruhig zu werden und ins Nichts zu ersterben.
Falls man sich ohnehin schwach fühlte, war es natürlich überaus schwierig, nicht den schlimmsten Lachkrampf zu bekommen. Nicht etwa, weil es im Grunde komisch war, sondern weil man sich so unbehaglich und seltsam und töricht vorkam und sich irgendwie für den alten Hugo-Wugo schämte. Aber — mein Himmel — wenn er's einem doch in dieser Hitze aufdrängte . . .!
»Mut, mein Schatz!« sagte Eve und küßte die verschmachtete Nelke.
Er begann, und die meisten Mädchen sackten vornüber aufs Pult, den Kopf auf den Armen, beim ersten Schuß getroffen. Nur Eve und Katie saßen aufrecht und still da. Katie konnte noch nicht genug Französisch, um ihn zu verstehen, doch Eve hörte zu, die Brauen in die Höhe gezogen, die Augen halb verschleiert, und mit einem Lächeln, das wie der Schatten ihres grausamen kleinen Lachens war, wie der Flügelschatten jenes grausamen kleinen Lachens, das ihre Lippen umspielte. Mit ihren Fingern machte sie einen warmen weißen Kelch — darin die Nelke. Oh, dieser Duft! Er wehte zu Katie hinüber. Es war zuviel! Katie wandte sich ab und zum grellen Licht draußen vor dem Fenster.
Tief unten war, wie sie wußte, ein gepflasterter Hof mit Stallungen. Das war der Grund, weshalb das Französische Klassenzimmer stets leicht nach Ammoniak roch. Es war nicht unangenehm — für Katie war es sogar ein Teil der französischen Sprache: etwas Scharfes und Lebhaftes und — und Beißendes!
Jetzt konnte sie hören, wie ein Mannn über die Pflastersteine polterte und wie die Eimer klirrten, die er trug. Und jetzt hörte sie: *Hu-horr-hörr! Hu-horr-hörr!*, da er die Pumpe bearbeitete und Wasser hervorsprudelte. Jetzt schleuderte er das Wasser auf irgend etwas — vielleicht gegen die Räder eines Wagens. Und im Geiste sah sie das vom Boden abgestemmte Rad, wie es kreiselte und mit seinen roten und schwarzen

Speichen blinkte, während dicke Wassertropfen wegspritzten. Und die ganze Zeit, die der Mann arbeitete, pfiff er laut und keck, und sein Pfeifen schwebte über dem Lärm des Wassers wie ein Vogel, der über das Meer gleitet. Er ging weg; als er wiederkam, führte er ein hufeklapperndes Pferd. *Hu-horr-hörr! Hu-horr-hörr!* quiekte die Pumpe. Jetzt schleuderte er das Wasser über die Vorderfüße des Pferdes und fiel darüber her, um sie zu striegeln.

Sie konnte ihn tatsächlich sehen – in einem verschossenen Hemd, die Ärmel hochgekrempelt, die Brust entblößt, ganz mit Wasser bespritzt –, und während er laut und unbekümmert pfiff und umherging und sich duckte und bückte, begann Hugos Stimme sich zu erwärmen, voller zu tönen, an Lautstärke zuzunehmen, sich aufzuschwingen und zu erheben – um irgendwie mit dem Mann draußen (oh, dieser Duft von Eves Nelke!) Takt zu halten, bis ein einziges großes, brausendes, stürmendes, siegessicheres Etwas ins Licht barst, und dann ...

Der ganze Raum zerbrach in Stücke.

»Besten Dank, meine Damen!« rief Monsieur Hugo und hüpfte auf seinem hohen Katheder wie ein Kork über Schiffstrümmern.

Und Eve sagte: »Behalt sie, Liebes! *Souvenir tendre!*«, und steckte Katie die Nelke tief in ihren Blusenausschnitt.

Frühling. Wenn die Leute die Straße verlassen und aufs Gras treten, werden ihre Blicke starr und träumerisch, wie die Blicke von Leuten, die ins warme Meer hinauswaten. Es sind noch keine Gänseblümchen da, aber der süße Geruch des Grases steigt auf, steigt in kleinen Wellen auf, je weiter sie gehen. Die Bäume stehen in vollem Laub. So weit man blikken kann, entfalten sie ihre Fächer und Reifröcke und hohen, üppigen Straußfedern in mannigfaltigstem Grün. Ein leichter Wind fährt über sie hin, weht sie zueinander und weht sie wieder frei; am blauen Himmel treibt ein Trupp kleiner weißer Wolken wie eine Brut junger Entchen. Die Leute wandern übers Gras – die alten neigen eher dazu, nach ihrem langen Winternickerchen zu schnaufen und zu watscheln; die jungen aber fassen sich plötzlich bei der Hand und streben der Baumwand in der Mulde oder dem Schutz einer dunklen, goldgetupften Ginstergruppe zu – und gehen sehr schnell, rennen beinah, als hätten sie ein niedliches kleines Tier gehört, das sich im Dickicht verfangen hat und ihnen zuruft, es zu erretten.

Ganz oben auf einer kleinen grünen Anhöhe steht eine sehr beliebte Bank. Daneben ragt eine junge Kastanie auf, die in den Umrissen einem Pilz gleicht. Die Erde darunter ist weggebröckelt und eingestürzt und bildet jetzt drei oder vier Erdlöcher – Gruben – Vertiefungen, und in einer von diesen hatten zwei kleine Leutchen mit einer winzigen Spitzhakke, einer leeren Streichholzschachtel, einem stumpfen Nagel und einer Schaufel als Mobiliar Wohnung bezogen. Er hatte rotes Haar, als lange Ponyfrisur geschnitten, hellblaue Augen, eine verwaschene rote Kittelschürze und braune Knöpfstiefel. Ihre luftigen Locken wurden von einem blauen Band zusammengehalten, und sie trug zwei Kleider, zuunterst das von dieser Woche und obendrüber das von der vergangenen Woche. Dadurch sah sie ziemlich pummelig aus.

»Wenn du mir keine Stöckchen für mein Feuer besorgst«, sagte sie, »dann gibt's kein Essen!« Sie verzog die Nase und

sah ihn streng an. »Anscheinend hast du vergessen, daß ich Feuer machen muß.« Er schien es sehr leicht zu nehmen und wippte auf den Zehen. »Aber – wo kann ich denn Stöcke finden?«
»Oh«, sagte sie und warf die Hände auf, »irgendwo natürlich.« Und dann flüsterte sie laut genug, daß er es hören konnte: »Es brauchen keine richtigen zu sein – du weißt doch!«
»Uuuh«, hauchte er als Antwort. Und dann schrie er mit lauter, deutlicher Stimme: »Gut, dann werde ich mal gehen und ein paar Stöckchen besorgen.«
Im Nu kehrte er mit einem ganzen Armvoll zurück.
»Ist das alles für einen Penny?« sagte sie und breitete ihre Röcke aus, um die Stöcke in Empfang zu nehmen.
»Oh, ich weiß nicht«, antwortete er, »weil sie mir ein Mann gegeben hat, der gerade umziehen wollte.«
»Vielleicht sind's Reste von zerbrochenen Sachen«, sagte sie. »Als wir umgezogen sind, gingen zwei Bilder kaputt, und mein Daddy hat sie zum Feuermachen genommen, und meine Mummy hat gesagt – hat sie gesagt –«, eine kleine Pause –, »das sind Soldatenmanieren!«
»Was'n das?«
»Meine Güte!« Sie sah ihn mit großen Augen an. »Weißt du das nicht?«
»Nein«, sagte er. »Was bedeutet es?«
Sie zwirbelte an einem Endchen ihres Rocksaums, quetschte ihn zusammen und blickte weg. »Oh, plag mich nicht, Kind!« sagte sie. Es macht ihm nichts aus. Er nahm die Spitzhacke und hackte ein kleines Stück aus dem Küchenfußboden.
»Hast du eine Zeitung?«
Er zupfte eine aus der Luft und reichte sie ihr. *Zt!Zt!Zt!* Sie zerriß sie in drei Stücke, kniete nieder und legte die Stöckchen darüber. »Die Streichhölzer bitte!« Die handgreifliche Schachtel war eine glänzende Errungenschaft, ebenso der stumpfe Nagel. Aber komisch, *zip, zip, zip,* es wollte nicht brennen. Sie sahen einander bestürzt an.
»Versuch's mal auf der andern Seite«, sagte sie. *Zip.* »Ah, jetzt geht es!« Die Glut war wunderbar, und sie setzten sich auf die Erde und begannen die Pastete zu backen.

Zur Bank neben der Kastanie kamen zwei fette alte Babies und plumpsten sich hin. Sie trug eine mit Flieder herausgeputzte Haube, die mit lila Samtbändern festgebunden war, dazu einen schwarzseidenen Mantel und eine Spitzenschleife – und ihre in schwarze Glacéhandschuhe gezwängten Hände ließen ein bißchen blaurotes Fleisch sehen. Die Haut seines geschwollenen alten Gesichts war stramm und blank, und als er sich hinsetzte, umklammerte er seinen riesigen weichen Bauch so vorsichtig, als dürfe er ihn nicht stauchen oder beunruhigen.
»Sehr heiß«, sagte er und stieß einen tiefen, seltsamen Trompetenton aus, der ihr offenbar vertraut war, denn sie ging nicht darauf ein. Sie blickte über die herrliche Weite hin und sagte zitterig: »Nelly hat sich gestern abend in den Finger geschnitten!«
»Oh, wirklich?« erwiderte der alte Schnaufer. Dann: »Wie hat sie denn das gemacht?«
»Beim Abendbrot«, antwortete sie. »Mit einem Messer.«
Sie blickten beide vor sich hin und schnauften.
Dann: »Schlimm?«
Die schwache, erschöpfte alte Stimme, die irgendwie an ein Endchen etwas muffig riechender dunkler Spitze erinnerte, sagte: »Nicht sehr.«
Wieder stieß er den tiefen, seltsamen Ton aus. Er nahm den Hut ab, wischte über das Schweißband und setzte ihn wieder auf.
Die Stimme neben ihm sagte mit einem Anflug von Gehässigkeit: »Ich glaube, sie war unachtsam«, und er erwiderte, die Backen aufblasend: »Mußte ja so kommen.«
Doch dann flog ein kleiner Vogel auf einen Ast der jungen Kastanie über ihnen – und verströmte eine große Sangesflut auf die alten Köpfe.
Er nahm den Hut ab, hievte sich in die Höhe und schwenkte ihn dorthin, wo der Vogel saß. Weg war er.
»Möchte nicht, daß uns Vogeldreck auf den Kopf fällt«, sagte er und ließ seinen Bauch vorsichtig, vorsichtig wieder auf die Bank sinken.

Das Feuer brannte.
»Steck deine Hand in den Backofen«, sagte sie, »und fühle, ob er warm ist!«
Er steckte die Hand hinein, zog sie aber quietschend wieder heraus und tanzte auf und ab. »Er ist furchtbar heiß!«
Das schien ihr sehr zu gefallen. Sie stand ebenfalls auf, ging zu ihm und tippte ihn mit einem Finger an.
»Spielst du gern mit mir?« Und er antwortete mit seiner energischen kleinen Stimme: »Ja!« Daraufhin rannte sie von ihm weg und rief: »Ich kann nie fertig werden, wenn du mich ewig mit deinen Fragen plagst!«
Während sie im Feuer stocherte, sagte er: »Unser Hund hat Kätzchen.«
»Kätzchen?« Sie ließ sich auf die Fersen fallen. »Kann ein Hund Kätzchen haben?«
»Natürlich«, sagte er. »Kleine, verstehst du?«
»Aber Katzen haben Kätzchen!« rief sie. »Hunde nicht. Hunde haben« — sie verstummte — starrte vor sich hin, suchte das Wort — konnte es nicht finden — es war weg! »Sie haben ...«
»Kätzchen«, sagte er. »Unser Hund hat zwei bekommen.«
Sie stampfte mit dem Fuß auf. Sie wurde rot vor Ärger. »Es heißt *nicht* Kätzchen«, jammerte sie, »es heißt ...«
»Es heißt — es heißt — es heißt«, schrie er und schwenkte die Schaufel.
Sie warf sich ihr oberstes Kleid über den Kopf und begann zu weinen. »Es heißt nicht — nicht — nicht ...«
Plötzlich und ganz unvermittelt hob er seine Kittelschürze und machte Pipi.
Bei dem Geräusch trat sie wieder in Erscheinung.
»Sieh dir mal an, was du gemacht hast!« rief sie, zu entsetzt, um noch länger zu weinen. »Du hast mein Feuer ausgelöscht!«
»Ach, macht nichts! Woll'n umziehen! Du kannst die Spitzhacke und die Streichholzschachtel nehmen.«
Sie zogen um — in die nächste Grube. »Hier ist es viel hübscher«, sagte er.
»Fort mit dir!« rief sie. »Hol mir ein paar Stöckchen für mein Feuer!«

Den beiden alten Babies oben begann der Magen zu knurren, und dem Zeichen Folge leistend, standen sie schweigend auf und watschelten von dannen.

Die Blume Sicherheit

— — — — — — — — — — — — — — —

›Aber ich sage Euch, Mylord Fool, aus dem Nesselbusch Gefahr holen wir uns die Blume Sicherheit.‹

Als sie dort lag und zur Decke aufblickte, hatte sie ihren großen Augenblick – ja, da hatte sie ihn! Und er stand in keinem Zusammenhang mit irgendetwas, was sie vorher gedacht oder gefühlt hatte, auch nicht mit den Worten, die der Arzt kaum erst zu äußern aufgehört hatte. Einzigartig und leuchtend und vollkommen war er – wie eine Perle, die zu makellos ist, um ihr eine zweite an die Seite zu stellen . . . Könnte sie beschreiben, was geschehen war? Unmöglich. Selbst wenn es ihr nicht bewußt gewesen wäre (und bestimmt war es ihr nicht dauernd bewußt gewesen), daß sie gegen den Lebensstrom – ja, den Strom des Lebens selbst! – angekämpft hatte, war es nun so, als hätte sie plötzlich zu kämpfen aufgehört. Oh, weit mehr als das! Sie hatte nachgegeben, restlos nachgegeben, bis herunter zum winzigsten Puls und Nerv, und hatte sich an des Stroms leuchtende Brust fallen lassen, und er hatte sie getragen . . . Sie war nun selbst ein Teil ihres Zimmers, ein Teil des herrlichen Anemonenstraußes und der weißen Tüllvorhänge, die von der leichten Brise unaufhörlich hereingeweht wurden, und der Spiegel und der weißen Seidenteppiche; sie war ein Teil des schrillen, bebenden, zitternden Lärms, der draußen, unterbrochen von kleinen Glokken und rufenden Stimmen, unaufhörlich vorüberflutete – ja, ein Teil der Blätter und des Lichts.

Vorbei. Sie setzte sich auf. Der Arzt war wieder hereingekommen. Dieser seltsame kleine Mann, dem das Stethoskop noch um den Hals hing – denn sie hatte ihn gebeten, ihr Herz zu untersuchen – und der jetzt seine frisch gewaschenen Hände rieb und knetete, hatte ihr gesagt . . .

Es war das erstemal, daß sie ihn je erblickt hatte. Roy, der sich natürlich nie die kleinste dramatische Gelegenheit entgehen lassen konnte, hatte seine ziemlich zweifelhafte Adresse in Bloomsbury von dem Mann erfahren, dem er immer al-

les anvertraute und der, obwohl er sie selbst gar nicht kannte, ›über sie beide genau im Bilde war‹.
»Liebste«, hatte Roy gesagt, »wir wollen lieber einen uns völlig unbekannten Arzt zuziehen – nur für den Fall, daß es – nun ja, daß es das ist, was wir beide nicht hoffen. In solchen Dingen kann man nicht vorsichtig genug sein. Die Ärzte reden eben *doch!* Zu behaupten, daß sie schweigen, ist ein verdammter Unsinn.« Und dann: »Obwohl es mir im Grunde gänzlich einerlei ist, wer in aller Welt es erfährt. Wenn du es wolltest, würde ich's in alle vier Winde ausposaunen oder den *Daily Mirror* beauftragen, unsre beiden Namen auf die Titelseite zu drucken, in einem pfeildurchbohrten Herzen, nicht wahr?«
Trotz alledem hatten seine Vorliebe für Heimlichkeiten und Vertuschen und sein Wunsch, ›unser Geheimnis in Schönheit zu belassen‹ (sein Ausdruck!), den Sieg davongetragen, und er war in einem Taxi weggefahren, um diesen etwas verblasen aussehenden kleinen Arzt zu holen.
Sie hörte ihre gleichmütige Stimme sagen: »Würden Sie bitte Mr. King nichts davon erzählen? Nur, daß ich etwas herunter bin und daß mein Herz Ruhe braucht. Denn über mein Herz hatte ich mich beklagt.«
Roy hatte nur allzu recht gehabt, was für ein Mensch dieser Arzt sei. Er warf ihr einen sonderbaren, raschen, lauernden Blick zu, nahm mit zitternden Säuferfingern das Stethoskop ab und verwahrte es in seiner Besuchstasche, die wie ein zerschlissener alter Leinenschuh aussah.
»Keine Sorge, meine Liebe«, sagte er heiser, »ich stehe Ihnen bei.«
Daß man von einer so widerlichen kleinen Kröte einen Gefallen erbitten mußte! Sie sprang auf, riß ihr violettes Tuchjäckchen an sich und ging vor den Spiegel. Es klopfte leise, und Roy – er sah wirklich blaß aus und hatte sein schiefes Lächeln aufgesetzt – kam ins Zimmer und fragte den Arzt nach dem Befund.
»Eigentlich«, erwiderte der Arzt, nahm seinen Hut, hielt ihn vor die Brust und trommelte mit den Fingern darauf, »habe ich nichts weiter zu sagen, als daß Ihre – hm – Madam etwas

Ruhe braucht. Sie ist etwas heruntergewirtschaftet. Das Herz ist etwas überanstrengt. Sonst fehlt ihr nichts.«
Eine Drehorgel auf der Straße unten stimmte eine lustige, lachende, spöttisch losstürmende Melodie mit kleinen Trillern und durcheinanderpurzelnden Tönen an.

Nichts weiter ist zu sagen,
nichts weiter ist zu sagen,

spottete sie. So nah klang es, daß sie nicht überrascht gewesen wäre, wenn der Arzt die Kurbel gedreht hätte.
Sie sah, wie sich das Lächeln über Roys ganzes Gesicht ausbreitete und wie seine Augen aufleuchteten. Das ›Ah!‹, das er ausstieß, klang erleichtert und glücklich. Und einen einzigen kurzen Augenblick gestattete er sich sogar, sie anzusehen, ohne sich auch nur die Spur darum zu kümmern, ob der Arzt es bemerkte: mit dem Blick, den sie so gut an ihm kannte, trank er sie förmlich in sich ein, während sie die blassen Bänder ihres Unterhemds schloß und in ihr violettes Tuchjäckchen schlüpfte. Rasch wandte er sich wieder dem Arzt zu: »Sie muß weg! Sie muß sofort ans Meer!« sagte er, und dann, schrecklich besorgt: »Aber wie ist's mit dem Essen?«
Daraufhin mußte sie ihn, während sie vor dem langen Spiegel ihr Jäckchen zuknöpfte, unweigerlich auslachen.
»Lache du nur!« wehrte er sich und lachte den Arzt und sie nun hingerissen an. »Aber wenn ich mich nicht um ihr Essen kümmerte, würde sie nichts als Kaviarsandwich und – weiße Trauben essen! Und wie ist's mit Wein? Darf sie Wein trinken?«
Wein würde ihr nicht schaden.
»Champagner!« bat Roy. Wie er es alles genoß!
»Oh, soviel Champagner, wie sie nur mag«, sagte der Arzt, »und einen Brandy-Soda zum Mittagessen, falls sie Lust darauf hat!«
»Hast du das gehört?« fragte er ernst und zog die Wangen ein, um nicht laut herauszulachen. »Hast du Lust auf einen Brandy-Soda?«
Und in der Ferne flehte die Drehorgel leise und abgekämpft:

Brandy-Soda bitte!
Brandy-Soda bitte!

Der Arzt schien es auch herauszuhören. Er reichte ihr die Hand und folgte Roy auf den Flur, wo das Honorar beglichen wurde.
Sie hörte, wie die Haustür ins Schloß fiel, und dann – schnelle, schnelle Schritte im Flur. Diesmal stürmte er geradezu in ihr Zimmer, und sie lag in seinen Armen, zerdrückt und klein, während er sie mit warmen, raschen Küssen überschüttete und dazwischen murmelte: »Mein Liebstes, meine Schöne, meine Wonne! Du bist mein, du bist in Sicherheit!« Und dann stöhnte er dreimal leise: »Oh! Oh! Oh! Was für eine Erlösung!« Er hatte noch immer seine Arme um sie geschlungen, lehnte aber nun wie erschöpft den Kopf an ihre Schulter. »Wenn du wüßtest, was für Angst ich ausgestanden habe!« murmelte er. »Ich hatte schon geglaubt, diesmal ginge es uns an den Kragen! Wirklich! Und das wäre so – fatal gewesen – so fatal!«

Das falsche Haus

»Zwei links – zwei rechts – Wollevordienadel – zweizusammenstricken!« Sie murmelte ihr Strickmuster vor sich hin wie ein altes Lied, ein Lied, so oft gesungen, daß schon das bloße Atmen gleichbedeutend mit dem Singen war. Wieder war ein Jäckchen für das Missionspaket beinah fertig geworden!

»Ihre Jäckchen, Mrs. Bean, sind so willkommen! Sehen Sie doch die armen kleinen Würmchen an – ohne einen Fetzen auf dem Leibe!« Und die Missionsdame zeigte ihr eine Photographie widerlicher schwarzer Dingerchen mit zitronenförmigen Bäuchen ...

»Zwei links – zwei rechts!« Das Strickzeug sank ihr in den Schoß; sie stieß einen langen, tiefen Seufzer aus, starrte einen Augenblick vor sich hin und nahm dann das Strickzeug auf und strickte weiter. Woran dachte sie, wenn sie so seufzte? An gar nichts. Es war eine Gewohnheit. Sie seufzte immer. Vor allem auf der Treppe, wenn sie treppauf und treppab ging, blieb sie stehen, raffte mit der einen Hand ihr Kleid zusammen, hielt sich mit der andern am Geländer fest, starrte auf die Stufen – und seufzte.

»Wollevordienadel ...« Sie saß am Eßzimmerfenster, das auf die Straße hinausblickte. Es war ein eisig kalter Herbsttag; der Wind rannte wie ein magerer Hund durch die Straße; die Häuser gegenüber sahen aus, als wären sie mit einer häßlichen Stahlschere ausgeschnitten und auf den grauen Papierhimmel geklebt worden. Keine Menschenseele war zu sehen.

»Zweizusammenstricken.« Die Uhr schlug dreimal. Erst drei? Es schien schon zu dämmern; die Dämmerung schwebte ins Zimmer, eine schwere, pulvergraue Dämmerung, die sich auf die Möbel senkte und den Spiegel überzog. Jetzt schlug die Küchenuhr dreimal – sie ging also zwei Minuten nach –, denn *das* hier war die Uhr, nach der sie sich richtete, und *nicht* die Küchenuhr. Sie war allein im Haus. Dollicas war einkaufen gegangen; seit Viertel vor zwei war sie schon weg.

Sie wurde wirklich immer langsamer! Was stellte sie nur mit ihrer Zeit an? Man kann doch nicht mehr als eine bestimmte Zeitspanne brauchen, um ein Hühnchen zu kaufen... Und dann hatte sie auch die Gewohnheit, die Herdringe hinfallen zu lassen, wenn sie Feuer machte! Wegen dieser Gewohnheit Dollicas' preßte sie jetzt die Lippen zusammen, wie sie es schon seit fünfunddreißig Jahren tat.
Von der Straße drang ein schwaches Geräusch herauf, das Getrappel von Pferdehufen. Sie lehnte sich weiter vor, um nachzuschauen. Barmherziger Himmel! Es war ein Leichenzug! Zuerst der gläserne Leichenwagen, der mit dem glänzenden, lackierten Sarg (aber ohne Kränze) flott einherrollte, mit drei Männern vorne und zweien, die hinten standen, dann einige Kutschen, manche mit Rappen, manche mit Braunen bespannt. Der Staub wälzte sich die Straße herauf und verhüllte den Leichenzug beinah. Sie musterte die Häuser gegenüber, um zu sehen, bei welchem die Markisen heruntergezogen waren. Wie greulich die Männer aber aussahen! Sie lachten und machten Späße. Einer beugte sich auf die Seite hinaus und schnaubte sich mit seinem schwarzen Handschuh die Nase – gräßlich! Sie wickelte ihr Strickzeug zusammen und versteckte die Hände darin. Dollicas hätte sicher gewußt, wer... Jetzt kamen sie hier vorbei... Es war wohl am andern Ende...
Was war denn das? Was ging da vor sich? Was konnte es bedeuten? Gott steh mir bei! Ihr altes Herz sprang wie ein Fisch hoch und rutschte dann weg, während der gläserne Wagen vor ihrer Tür hielt und die drei Männer vom Bock herunterkletterten und die andern beiden sich hinaufschwangen und der Längste nach einem erstaunten Blick auf die Fenster rasch und geduckt den Gartenweg heraufkam.
»Nein!« ächzte sie. Aber ja, der Schlag fiel, und für einen kurzen Moment schlug er sie nieder. Sie keuchte, es überlief sie eiskalt und setzte sich in ihren Händen und Knien fest. Sie sah, wie der Mann einen Schritt zurücktrat und wieder so verwundert zu den nicht heruntergezogenen Markisen aufblickte – und dann –
»Nein!« ächzte sie, und stolpernd, sich an Sachen festhaltend,

gelang es ihr, zur Tür zu kommen, bevor der Schlag noch einmal fiel. Sie öffnete, ihr Kinn zitterte, ihre Zähne klapperten, und irgendwie konnte sie hervorstoßen: »Das falsche Haus!« Oh! Er war entsetzt. Als er zurücktrat, sah sie hinter ihm die an der Gartentür zusammengedrängten schwarzen Hüte. »Das falsche Haus!« stotterte er. Sie konnte nur nikken. Sie war im Begriff, die Tür zu schließen, da fischte er aus seinem Rockschoß ein schwarzes, messingbeschlagenes Notizbuch und öffnete es flink.
»Shuttleworth Crescent Nummer zwanzig?«
»S-straße! Der Crescent ist um die Ecke!« Ihre Hand hob sich, um es ihm zu zeigen, sank aber zitternd herunter.
Er zog den Hut, während sie schon die Tür schloß und sich dagegenlehnte und im dämmerigen Flur wimmerte: »Gehen Sie! Gehen Sie!«
Trapp-trapp-trapp! Trapp und trapp! Trapp-trapp-trapp! drang es von draußen herein, und dann ein schwaches *Trapp-trapp!*, und dann Stille. Sie waren weg. Sie waren außer Sicht. Aber noch immer lehnte sie gegen die Tür, starrte in den Flur, starrte auf den Mantelständer, der wie ein großer Hummer aussah, und Huthaken waren seine Fühler. Aber sie dachte an nichts; sie dachte nicht einmal an das, was sich abgespielt hatte. Ihr war, als sei sie in eine Höhle gefallen, deren Wände Finsternis waren ...
Als sie die Gartentür zuklappen und kurze, schnelle Schritte über den Kies knirschen hörte, kam sie, zutiefst erschüttert, wieder zu sich. Es war Dollicas, die ums Haus herum zur Hoftür eilte. Dollicas durfte sie nicht hier finden; und schwankend, wie eine Kerzenflamme schwankend ging sie ins Eßzimmer und zu ihrem Fensterplatz zurück.
Dollicas war in der Küche. *Peng!* fiel eine der eisernen Ringe auf die Herdplatte. Dann erklärte ihre Stimme: »Ich setze gerade den Teekessel auf, M'm!« Seit sie beide allein waren, hatte sie sich's angewöhnt, von Zimmer zu Zimmer zu rufen. Die alte Frau räusperte sich und versuchte, sich zu beherrschen. »Bitte bring die Lampe, Dollicas!«
»Die Lampe?« Dollicas kam auf den Flur und blieb in der Tür stehen. »Aber es ist ja erst vier, M'm?«

»Einerlei!« sagte Mrs. Bean matt. »Bring sie her!« Und einen Augenblick später erschien die ältliche Magd und trug in beiden Händen die sanfte Lampe. Ihr breites, weiches Gesicht hatte denselben Ausdruck wie immer, wenn sie etwas trug: den einer Schlafwandlerin. Sie stellte die Lampe auf den Tisch, schraubte den Docht tiefer, dann höher und dann wieder tiefer. Dann richtete sie sich auf und blickte zu ihrer Herrin hinüber.

»Je, M'm, worauf treten Sie denn da?«

Es war das Missionsjäckchen.

»Tz!Tz!« Als Dollicas es aufhob, dachte sie: ›Die alte Dame hat geschlafen. Sie ist noch nicht ganz wach.‹ Tatsächlich, die alte Dame sah ganz trübe und benommen drein, und als sie ihr Strickzeug wiederaufnahm, zog sie die Nadel heraus und begann aufzurebbeln, was sie gestrickt hatte.

»Vergiß die Muskatblüte nicht!« rief sie. Ihre Stimme klang dünn und hohl. Sie dachte an das Huhn fürs Abendbrot. Und Dollicas verstand es und antwortete: »Es ist ein schönes junges Tierchen!«, und zog die Markise herunter, ehe sie wieder in die Küche ging . . .

Kinder sind unberechenbare kleine Wesen. Warum mußte ein kleiner Junge wie Dicky, der meistens so brav und gutherzig, zärtlich, gehorsam und für sein Alter bewundernswert vernünftig war, ohne die geringste Warnung plötzlich Anwandlungen bekommen und ›tollwütig‹ werden, wie seine Schwestern es nannten, so daß nichts mit ihm anzufangen war?
»Dicky, komm her! Sofort kommst du her, Dicky! Hörst du nicht, daß deine Mutter dich ruft? Dicky!«
Aber Dicky kam nicht. Oh, natürlich hatte er es gehört. Seine einzige Antwort war ein helles, klingendes kleines Lachen. – Und dann sauste er weg, versteckte sich, rannte durch das hohe Gras auf dem Rasen, stürmte am Holzschuppen vorbei, flitzte in den Küchengarten und duckte sich dort, um hinter den bemoosten Stämmen der Apfelbäume nach seiner Mutter Ausschau zu halten und dann wie ein wilder Indianer auf und ab zu springen.
Während der Teestunde hatte es angefangen. Dickys Mutter und Mrs. Spears, die den Nachmittag bei ihr verbrachte, hatten ruhig über ihrer Näherei im Wohnzimmer gesessen, als sich beim Kindertee folgendes abspielte, wie das Mädchen berichtete. Sie aßen alle ganz friedlich und manierlich ihr erstes Butterbrot, und das Mädchen hatte gerade Milch und Wasser in die Becher eingeschenkt, als Dicky plötzlich den Brotteller genommen und ihn sich verkehrtherum auf den Kopf gestülpt und das Brotmesser an sich gerissen hatte.
»Schaut mich mal an!« hatte er geschrien.
Seine Schwestern blickten erschrocken auf, und ehe das Mädchen zu ihm laufen konnte, wackelte der Brotteller, rutschte herunter, flog zu Boden und zerschellte. In diesem entsetzlichen Moment erhoben die kleinen Mädchen ihre Stimmen und kreischten, so laut sie nur konnten.
»Mutter, komm! Dicky hat was angestellt!«
»Dicky hat einen schönen großen Teller zerbrochen!«
»Mutter, komm! Verbiet's ihm!«

Natürlich kam Mutter angeflogen. Aber es war zu spät. Dikky war vom Stuhl gesprungen, war durch die Glastür auf die Veranda gelaufen und – ja, da stand sie nun und spielte hilflos mit dem Fingerhut. Was sollte sie tun? Sie konnte nicht hinter dem Kind herrennen. Sie konnte nicht zwischen Apfel- und Pflaumenbäumen die Verfolgungsjagd aufnehmen. Das hätte ihrer Würde geschadet. Es war mehr als ärgerlich – es war zum Verzweifeln, besonders deshalb, weil Mrs. Spears – ausgerechnet die Mutter der zwei Musterknaben – im Salon auf sie wartete.
»Warte nur, Dicky!« rief sie. »Mir wird schon was einfallen, wie ich dich bestrafe!«
»Ist mir egal!« piepste die helle Stimme, und wieder ertönte das klingelnde kleine Lachen. Der Junge war richtig außer sich . . .
»Oh, Mrs. Spears, verzeihen Sie bitte, daß ich Sie so lange allein gelassen habe!«
»Das macht doch nichts, Mrs. Bendall«, entgegnete Mrs. Spears mit ihrer sanften, zuckersüßen Stimme und zog, wie bei ihr üblich, die Brauen in die Höhe. Sie schien vor sich hinzulächeln, als sie die Falten glattstrich. »Von Zeit zu Zeit kommt es eben mal zu einem kleinen Mißgeschick. Hoffentlich war es nichts Ernstes?«
»Es war Dicky!« sagte Mrs. Bendall und suchte ziemlich krampfhaft nach ihrer einzigen feinen Nadel. Dabei erklärte sie Mrs. Spears den ganzen Vorfall. »Und das schlimmste ist, daß ich nicht weiß, wie ich ihn zur Vernunft bringen kann. Wenn er so eine Anwandlung hat, macht ihm nichts den geringsten Eindruck.«
Mrs. Spears riß ihre blassen Augen auf. »Selbst Schläge nicht?« fragte sie.
Aber Mrs. Bendall, die jetzt ihre Nadel einfädelte, verzog die Lippen. »Wir haben unsre Kinder nie geschlagen!« sagte sie. »Bei den Mädchen war es wohl auch niemals nötig. Und Dicky ist noch so ein Baby – und unser einziger Junge. Da finden wir . . .«
»Oh, meine Liebe«, sagte Mrs. Spears und legte ihre Näherei hin, »dann wundert's mich gar nicht, daß Dicky seine klei-

nen Anwandlungen hat. Hoffentlich macht es Ihnen nichts, wenn ich mich einmische? Aber Sie begehen bestimmt einen großen Fehler, wenn Sie Ihre Kinder ohne Schläge erziehen. Es kann wirklich keinen Ersatz dafür geben. Und ich spreche aus Erfahrung, meine Liebe. Ich habe es mit sanfteren Mitteln versucht« – Mrs. Spears zog, ein wenig zischend, den Atem ein –, »habe den Jungen die Zunge mit Schmierseife eingerieben oder sie den ganzen Samstagnachmittag auf dem Tisch stehen lassen. Doch nichts, glauben Sie mir, nichts ist so wirksam, wie wenn man sie ihrem Vater übergibt.«

Mrs. Bendall war im Grunde ihres Herzens empört, als sie von der Schmierseife erfuhr. Doch Mrs. Spears schien gar nichts darin zu finden, deshalb ließ sie es dabei bewenden.

»Dem Vater?« fragte sie. »Also schlagen Sie sie nicht selbst?«

»Niemals!« Mrs. Spears schien den Gedanken entrüstet von sich zu weisen. »Ich finde nicht, daß es Aufgabe der Mutter ist, die Kinder zu verprügeln. Das ist die Pflicht des Vaters. Und außerdem macht es sehr viel mehr Eindruck!«

»Ja, das kann ich mir vorstellen«, sagte Mrs. Bendall zaghaft.

Mrs. Spears lächelte Mrs. Bendall freundlich und ermutigend zu: »Meine beiden Jungen würden sich genauso wie Dicky benehmen, wenn sie nicht Angst hätten. Da sie aber ...«

»Oh, Ihre Jungen sind ja wirklich Musterknaben!« rief Mrs. Bendall.

Und das waren sie. In Gegenwart von Erwachsenen konnte man keine ruhigeren und manierlicheren Jungen finden. Mrs. Spears' Gäste machten sogar oft die Bemerkung, man würde nie vermuten, daß Kinder im Haus seien. Und das traf auch sehr oft zu.

Denn in der Halle, unter einem großen Bild mit dicken, vergnügten Mönchen, die am Flußufer angelten, hing eine schwere schwarze Reitpeitsche, die schon Mr. Spears Vater gehört hatte. Und aus leichtverständlichen Gründen spielten die beiden Jungen lieber nicht in Sicht der Reitpeitsche – lieber hinter der Hundehütte oder im Werkzeugschuppen oder beim Kehrricht.

»Es ist ein Fehler«, seufzte Mrs. Spears, als sie leise atmend ihre Näherei zusammenlegte, »den Kindern gegenüber schwach zu sein, nur weil sie klein sind. Es ist ein trauriger Fehler, in den man nur zu leicht verfällt. Aber es ist unfair am Kind gehandelt. Das muß man nie vergessen. Was Dicky zum Beispiel heute nachmittag angestellt hat, kommt mir ganz so vor, als hätte er es absichtlich getan. Auf diese Art zeigt Ihnen das Kind, daß es Schläge braucht!«

»Glauben Sie wirklich?« Mrs. Bendall war eine hilflose kleine Frau, die sich leicht beeinflussen ließ.

»Allerdings. Ich bin ganz überzeugt davon! Und dann und wann ein kräftiger, vom Vater verabreichter Denkzettel«, dozierte Mrs. Spears, »wird Ihnen in Zukunft viel Ärger ersparen. Sie können es mir glauben, meine Liebe!« Ihre trokkene, kalte Hand legte sich nachdrücklich auf Mrs. Bendalls Hand.

»Sowie Edward nach Hause kommt, spreche ich mit ihm!« erklärte Dickys Mutter sehr entschieden.

Die Kinder lagen schon im Bett, als die Gartentür zuklappte und Dickys Vater mit dem Fahrrad unter dem Arm die steile Betontreppe heraufschwankte. Im Büro hatte er einen schlimmen Tag gehabt, und jetzt war er erhitzt und staubig und abgespannt. Doch Mrs. Bendall war inzwischen über ihren neuen Plan in Aufregung geraten und machte ihrem Mann selbst die Tür auf.

»O Edward, ich bin ja so dankbar, daß du nach Hause gekommen bist!« rief sie.

»Warum? Was ist passiert?« Edward stellte sein Fahrrad hin und nahm den Hut ab. Wo der Rand in die Stirn eingeschnitten hatte, war eine dunkelrote Rille zu sehen. »Was ist denn nur los?«

»Komm – komm in den Salon!« sprudelte Mrs. Bendall in größter Eile hervor. »Du glaubst gar nicht, wie unartig Dikky gewesen ist! Du kannst es dir einfach nicht vorstellen – da du ja den ganzen Tag im Büro sitzt –, wie ein Kind von seinem Alter sich benehmen kann. Er ist einfach fürchterlich. Ich habe keine Macht über ihn, gar keine. Ich habe alles versucht, Edward, aber es nützt alles nichts! Das einzige, was wir tun können«, schloß sie außer Atem, »ist, ihn zu verprügeln – du mußt ihn verprügeln, Edward!«

In der Ecke des Salons stand eine Etagere, und auf dem obersten Bord befand sich ein brauner Porzellanbär mit einer roten Zunge. Im Dämmerlicht schien er Dickys Vater anzugrinsen und ihm zuzurufen: ›Hurra, dafür bist du also nach Hause gekommen!‹

Edward starrte den Bären an und sagte: »Aber warum, zum Kuckuck, soll ich ihn denn schlagen? So etwas haben wir ja noch nie getan?«

»Verstehst du denn nicht«, sagte seine Frau, »es ist das einzige, was wir tun können. Ich kann mit dem Kind nicht fertig werden! ...« Die Worte flogen ihr über die Lippen, sie umschwirrten ihn, schwirrten um seinen müden Kopf. »Ein Kindermädchen können wir uns unmöglich leisten. Das Dienstmädchen hat schon mehr als genug zu tun. Und seine Ungezogenheit übersteigt alle Begriffe. Du verstehst es nicht, Edward — du kannst es nicht verstehen —, du bist den ganzen Tag im Büro.«

Der Bär streckte ihm die Zunge heraus. Die scheltende Stimme ereiferte sich mehr und mehr. Edward sank in einen Sessel. »Womit soll ich ihn denn schlagen?« fragte er matt.

»Mit deinem Pantoffel natürlich!« Und sie kniete sich hin, um ihm die staubigen Schuhe aufzuschnüren.

»Oh, Edward!« jammerte sie. »Du hast noch deine Radfahrklammern an — hier im Salon! Nein, wirklich ...«

»Also das reicht jetzt!« Edward stieß sie fast beiseite. »Gib mir den Pantoffel her!« Er ging die Treppe hinauf und fühlte sich wie in einem dunklen Netz eingefangen. Und jetzt wollte er selber Dicky schlagen. Ja, verdammt, irgend etwas mußte er schlagen! Mein Gott, was für ein Leben! Die Augen waren noch voll Staub und brannten, und die Arme fühlten sich schwer an.

Er stieß die Tür zu Dickys Kämmerchen auf. Dicky stand im Nachthemd auf dem Fußboden. Bei seinem Anblick stieg jählings der Zorn in ihm hoch.

»Du weißt ja wohl, weshalb ich gekommen bin, Dicky?« sagte Edward.

Dicky antwortete nicht.

»Ich bin gekommen, um dich zu schlagen!«

Keine Antwort.
»Hebe dein Nachthemd hoch!«
Jetzt sah Dicky auf. Er wurde dunkelrot. »Muß ich?« flüsterte er.
»Los jetzt, los! Mach ein bißchen schnell!« sagte Edward, packte den Pantoffel und verabreichte Dicky drei derbe Klapse. »Das laß dir jetzt zur Lehre dienen, damit du dich ordentlich zu Mutter benimmst!«
Dicky stand da und ließ den Kopf hängen.
»Mach jetzt und geh zu Bett!« sagte sein Vater.
Er rührte sich noch immer nicht. Aber eine etwas wackelige Stimme sagte: »Ich habe mir noch nicht die Zähne geputzt, Daddy.«
»Was ist noch?«
Dicky blickte auf. Seine Lippen zitterten, aber seine Augen waren trocken. Er hatte keine Träne vergossen und keinen Mucks hören lassen. Er schluckte nur und sagte heiser: »Ich habe mir noch nicht die Zähne geputzt, Daddy!«
Beim Anblick des kleinen Gesichts drehte sich Edward heftig um und stürzte, ohne zu wissen, was er tat, aus dem Kinderzimmer und die Treppe hinunter in den Garten. Großer Gott! Was hatte er getan? Er schritt aus und stellte sich in den Schatten des Birnbaums an der Hecke. Er hatte Dicky geschlagen, hatte sein kleines Männchen mit einem Pantoffel geschlagen – und weshalb, zum Teufel? Er wußte es nicht einmal. Er war plötzlich in sein Kämmerchen gestürmt – und da hatte der kleine Kerl in seinem Nachthemd gestanden. Dickys Vater ächzte und griff in die Hecke. Und er hatte nicht geweint! Nicht eine Träne hatte er vergossen! Wenn er wenigstens geweint hätte oder wütend geworden wäre! Aber nein – nur: ›Daddy!‹ Wieder hörte er die zitternde Flüsterstimme. Hatte ihm wortlos verziehen! Aber er selbst würde sich's nie verzeihen – nie! Feigling! Dummkopf! Rohling! Und plötzlich erinnerte er sich, wie Dicky, als sie einmal zusammen gespielt hatten, von seinem Knie gefallen war und sich das Handgelenk verstaucht hatte. Da hatte er auch nicht geweint! Und diesen kleinen Helden hatte er soeben verprügelt!

Etwas muß geschehen, dachte Edward. Er ging steifbeinig ins Haus zurück, die Treppe hinauf und in Dickys Kämmerchen. Der kleine Junge lag im Bett. Im dämmerigen Licht hob sich sein dunkler Kopf mit der Ponyfrisur deutlich vom weißen Kissen ab. Er lag ganz still da, und selbst jetzt weinte er noch nicht. Edward schloß die Tür und lehnte sich dagegen. Am liebsten hätte er sich vor Dickys Bett niedergekniet und selbst geweint und ihn um Verzeihung gebeten. Aber so etwas tat man natürlich nicht. Er war verlegen, und sein Herz verkrampfte sich.

»Noch nicht eingeschlafen, Dicky?« fragte er leichthin.

»Nein, Daddy.«

Edward ging zu ihm und setzte sich auf sein Bett, und Dikky schaute ihn durch seine langen Wimpern an.

»Alles in Ordnung, mein Kleiner?« flüsterte Edward.

»J-ja, Daddy«, antwortete Dicky.

Edward streckte die Hand aus und griff behutsam nach Dikkys heißer kleiner Pfote.

»Du mußt nicht mehr an das denken, was vorhin gewesen ist, mein Kleiner!« sagte er heiser. »Das ist jetzt vorbei, verstehst du? Vorbei und vergessen! So was soll nie wieder passieren, nicht wahr?«

»Ja, Daddy.«

»Du kannst also wieder vergnügt sein und lachen, mein Kleiner«, sagte Edward. Und er probierte selbst einen erstaunlichen, zitternden Ersatz eines Lächelns. »Und alles vergessen – hm? Mein Kleiner ... Mein alter Junge ...«

Dicky lag noch immer wie zuvor. Das war schrecklich. Dikkys Vater sprang auf und trat ans Fenster. Im Garten war es beinah dunkel. Das Mädchen kam aus dem Haus gerannt, riß und rupfte weiße Wäschestücke von den Büschen und türmte sie sich über den Arm. Doch am grenzenlosen Himmel glänzte der Abendstern, und ein hoher Eukalyptus zeichnete sich schwarz gegen das blasse Glühen ab und bewegte leise die langen Blätter. Das alles sah er, während er in der Hosentasche nach Geld tastete. Er holte es hervor, wählte unter den Münzen ein neues Sixpencestück und ging damit zu Dicky.

»Da hast du was, mein Kleiner! Kauf dir was dafür!« sagte Edward weich und legte die Silbermünze auf Dickys Kopfkissen.
Aber konnte selbst das – konnte selbst ein ganzes Sixpencestück austilgen, was geschehen war?

Gift

— — — — — — — — — — — — — — —

Der Briefträger hatte sich sehr verspätet. Als wir von unserm Vormittagsspaziergang zurückkamen, war er noch nicht dagewesen.
»*Pas encore, Madame*«, sang Annette und lief rasch wieder in die Küche.
Wir trugen unsre Päckchen ins Eßzimmer. Der Tisch war gedeckt. Beim Anblick des für zwei Personen gedeckten Tisches – nur für zwei, aber so vollendet und makellos vollkommen, daß für einen dritten schlechterdings kein Platz war –, durchrieselte es mich wie immer mit einer so sonderbaren, jähen Erregung, als hätte mich der silberne Blitzstrahl getroffen, der über das weiße Tischtuch, die funkelnden Gläser und die dunkle Schale mit Freesien hinzuckte.
»Hol der Kuckuck den alten Briefträger! Wo kann er denn bloß abgeblieben sein?« sagte Beatrice – und zu mir: »Leg die Sachen hin, Schatz!«
»Wo soll ich sie hinlegen?«
Sie hob den Kopf und lächelte ihr süßes, neckendes Lächeln. »Irgendwohin, Dummerchen!«
Doch ich wußte nur zu gut, daß es für sie kein ›Irgendwohin‹ gab, und hätte lieber noch Monate und Jahre dagestanden und die bauchige Likörflasche und die Bonbons hochgehalten, statt es zu wagen, ihrem erlesenen Ordnungssinn einen kleinen Schock zu versetzen.
»Komm – ich nehme sie dir ab!« Sie stellte beides achtlos auf den Tisch – neben ein Körbchen Feigen und ihre langen Handschuhe. »Der Mittagstisch. Kurzgeschichte von – von –« Sie nahm meinen Arm. »Wollen auf die Terrasse gehen!« Ich fühlte, wie sie schauderte. »*Ça sent de la cuisine*«, sagte sie, als würde ihr übel.
Letzthin – wir lebten seit zwei Monaten im Süden – war es mir aufgefallen, daß sie immer ins Französische verfiel, wenn sie vom Essen oder vom Klima oder scherzend von ihrer Liebe zu mir sprechen wollte.
Wir saßen auf der Brüstung, über uns das Sonnensegel. Bea-

trice beugte sich weit vor und blickte auf die weiße Landstraße mit der Schutzwehr aus Kakteenspießen. Die Schönheit ihres Ohrs, ja schon allein ihres Ohrs war ein so großes Wunder, daß ich mich, hingerissen von seinem Anblick, am liebsten an die Weite des Meers gewendet hätte, um ihm vorzustammeln: ›Also ihr Ohr—Ohren hat sie—die sind so...!‹ Sie war ganz in Weiß gekleidet und trug Perlen um den Hals und einen Maiglöckchenstrauß im Gürtel. Am dritten Finger ihrer linken Hand trug sie einen Perlring — einen Trauring trug sie nicht.

›Warum sollte ich, *mon ami?* Warum wollen wir etwas vortäuschen? Und wen würde es interessieren?‹

Natürlich gab ich ihr recht, obwohl ich insgeheim, im innersten Herzenswinkel, meine Seele dafür gegeben hätte, wenn ich ihr meinen Trauring auf den Finger hätte stecken dürfen — neben ihr in einer großen, ja in einer großen und eleganten Kirche voller Leute stehend, mit einem alten, verehrungswürdigen Pfarrer und *Braust der Engel Jubelchor* und Palmen und Weihrauchduft, wissend, daß draußen ein roter Teppichläufer und Konfetti uns erwarteten, und irgendwo ein Hochzeitskuchen und ein Atlasschuh, der unserm Wagen nachgeworfen wurde.

Nicht etwa, daß ich mir aus so greulichen Schaustellungen etwas machte, sondern weil ich glaubte, daß dadurch vielleicht das Gefühl völliger Freiheit — *ihrer* völligen Freiheit natürlich — etwas verringert werden könnte.

O Gott! Was für ein Martyrium das Glück ist—was für eine Qual! Ich blickte an der Villa hoch, zu den Fenstern unsres Zimmers, das sich so geheimnisvoll hinter den grünen Strohmatten versteckte. War es möglich, daß sie jemals durch das grüne Licht zu mir gekommen war und ihr verstohlenes Lächeln aufgesetzt hatte, das sehnsüchtige, strahlende Lächeln, das nur für mich war? Sie legte mir die Hand auf den Nakken; die andre Hand strich mir sanft, grauenhaft sanft die Haare aus der Stirn.

›Wer bist du?‹ — Wer war sie? Sie war — *das* Weib.

...Am ersten warmen Frühlingsabend, wenn die Lichter wie Perlen durch die fliederfarbene Luft schimmern und die Stimmen in der jungen Blütenfülle der Gärten murmeln, war *sie* es, die im hohen Haus mit den Tüllvorhängen sang. Fuhr man bei Mondschein durch die fremde Stadt, war es ihr Schatten, der auf das zitternde Gold der Jalousie fiel. Wenn die Lampe angezündet war, gingen in der neugeborenen Stille *ihre* Schritte an deiner Tür vorüber. Und sie war es, die, blaß in Pelze gehüllt, aus dem vorbeigleitenden Auto ins herbstliche Dämmerlicht blickte . . .

Kurz gesagt: ich war damals vierundzwanzig. Und wenn sie auf dem Rücken lag und die Perlen unter ihr Kinn geschlüpft waren und sie seufzte: ›Ich bin durstig, Schatz! *Donne-moi un orange!*‹, wäre ich eilfertig und freudig selbst in den Rachen eines Krokodils gesprungen – falls Krokodile Orangen essen –, um ihr eine zu holen.

»Hätt' ich zwei kleine Flügel
und wär' ein Vögelein . . .«

sang Beatrice.

Ich nahm ihre Hand. »Du würdest doch nicht davonfliegen?«

»Nicht weit. Nicht weiter als bis zum Beginn der Straße.«

»Warum denn dorthin, um Himmels willen?«

Sie deklamierte: »›Er kommt nicht, ach, er kommt nicht!‹«

»Wer? Der dumme alte Briefträger? Du erwartest doch keinen Brief!«

»Nein – aber es ärgert einen trotzdem. Oh!« Plötzlich lachte sie und lehnte sich bei mir an. »Da ist er – siehst du ihn – wie ein kleiner blauer Käfer?«

Und wir schmiegten unsre Wangen aneinander und beobachteten den blauen Käfer, der bergauf zu krabbeln begann.

»Liebster!« hauchte Beatrice, und das Wort schien in der Luft zu verweilen und die Luft wie Geigenton zu durchzittern.

»Was ist?«

»Ich weiß es nicht«, lachte sie leise. »Eine Anwandlung von – von Zärtlichkeit, nehme ich an.«

Ich legte meinen Arm um sie. »Dann willst du also nicht wegfliegen?«

Und sie erwiderte schnell und leise: »Nein, nein! Nicht um die Welt! Nicht im Ernst. Mir gefällt es hier. Ich bin so gerne hier. Ich glaube, ich könnte noch Jahre hierbleiben. Ich bin nie so glücklich gewesen wie in diesen zwei letzten Monaten, und du warst so reizend zu mir, Liebster, in jeder Beziehung.«

Sie so sprechen zu hören, war so beseligend – war so außergewöhnlich und überraschend, daß ich versuchen mußte, es ins Scherzhafte zu ziehen.

»Still! Es klingt, als wolltest du dich von mir verabschieden!«

»Ach Unsinn, Unsinn! So etwas darfst du nicht mal im Scherz sagen!« Ihre kleine Hand glitt unter meine weiße Jacke und umklammerte meine Schulter. »Du warst glücklich, nicht?«

»Glücklich? Glücklich? O Gott, wenn du wüßtest, wie mir in diesem Augenblick zumute ist... Glücklich! Meine Wonne! Meine Seligkeit!«

Ich sprang von der Brüstung und umarmte sie und hob sie hoch. Und während ich sie so hielt, drückte ich mein Gesicht an ihre Brüste und flüsterte: »Bist du *mein?«* Und zum erstenmal in all den verzweifelten Monaten, seit ich sie kannte, selbst den letzten Monat sicherlich himmlischen Glücks mitgerechnet, glaubte ich ihr restlos, als sie antwortete: »Ja, ich bin dein.«

Das Knarren der Gartenpforte und die knirschenden Schritte des Briefträgers im Kies rissen uns auseinander. Einen kurzen Moment war ich wie betäubt. Ich stand einfach da und muß, wie ich meinte, ziemlich dumm gelächelt haben. Beatrice ging zu den Liegestühlen hinüber.

»Geh – geh und hol die Briefe!« sagte sie.

Ich – also – ich wirbelte fast davon. Aber ich kam zu spät. Annette lief mir entgegen: *»Pas de lettres!«* sagte sie.

Mein übermütiges Lächeln, mit dem ich ihr dankte, als sie mir die Zeitung gab, muß sie überrascht haben. Ich war verrückt vor Freude. Ich warf die Zeitung in die Luft und jubilierte: »Keine Briefe! Keine Briefe, Schatz!«, und trat an den Liegestuhl, auf dem die geliebte Frau lag.

Eine Sekunde antwortete sie nichts.

Dann – während sie den Streifverband von der Zeitung riß –

sagte sie langsam: »Die Welt vergessend – *von* der Welt vergessen!«
Manchmal ist eine Zigarette genau das richtige, das einem über gewisse Momente hinweghilft. Sie ist sogar mehr als eine Verbündete: sie ist eine verschwiegene, zuverlässige kleine Freundin, die über alles Bescheid weiß und gänzlich versteht. Während man raucht, blickt man auf sie hinunter – lächelt oder zieht die Brauen zusammen, wie es der Anlaß erfordert; man macht einen Lungenzug und entläßt den Rauch in einem trägen Fächer. Ein solcher Moment hatte sich jetzt ergeben. Ich ging zur Magnolie und roch mich satt. Dann kehrte ich zu ihr zurück und beugte mich über ihre Schulter. Doch sie schleuderte die Zeitung rasch auf die Fliesen.
»Es steht nichts drin«, sagte sie. »Nichts! Nur ein Giftmordprozeß. Ein Mann hat seine Frau umgebracht – oder auch nicht –, und zwanzigtausend Menschen haben jeden Tag im Gerichtssaal gesessen, und nach jeder Verhandlung sind zwei Millionen Worte in die Welt hinaustelegraphiert worden!«
»Törichte Welt!« sagte ich und warf mich auf den andern Liegestuhl. Ich wollte die Zeitung vergessen, wollte – natürlich behutsam – zu dem Augenblick zurückkehren, bevor der Briefträger kam. Doch als sie antwortete, konnte ich es ihrer Stimme anhören, daß der Augenblick einstweilen verflogen war. Einerlei. Ich wartete gern – fünfhundert Jahre, wenn's sein mußte –, jetzt, da ich wußte ...
»Gar nicht so töricht«, sagte Beatrice. »Schließlich ist es bei den zwanzigtausend nicht nur eine krankhafte Neugier!«
»Was denn, Schatz?« Weiß der Himmel, es war mir egal.
»Schuldgefühl!« rief sie. »Schuldgefühl! Begreifst du das nicht? Sie sind so fasziniert, wie Kranke von jedem Fetzen Neuigkeit über ihren eigenen Fall fasziniert sind. Der Mann auf der Anklagebank mag ganz unschuldig sein, aber die Leute im Gerichtssaal sind fast allesamt Giftmischer. Hast du nie darüber nachgedacht« – vor Aufregung war sie bleich –, »was für eine Unzahl Vergiftungen täglich vorkommen? Es ist eine Ausnahme, wenn man auf Ehepaare stößt, die einander nicht vergiften – Ehepaare und Liebespaare. Oh«, rief sie, »was für eine Unzahl Tassen Tee, Gläser Wein und Tas-

sen Kaffee, die angetastet wurden! Die Unzahl, die ich bekam – und trank –, ohne es zu wissen, oder – wissend – es riskierte! Der einzige Grund, weshalb so viele Paare« – sie lachte –, »es überleben, ist Angst: weil der eine Teil es nicht wagt, dem andern die tödliche Dosis zu geben. Denn diese Dosis erfordert Mut! Aber früher oder später kommt es unweigerlich dazu. Es gibt kein Zurück, wenn erst einmal die erste kleine Dosis verabreicht wurde. Es ist schon der Anfang vom Ende. Findest du nicht? Verstehst du, was ich meine?«

Sie wartete meine Antwort nicht ab. Sie lehnte sich zurück, öffnete die Nadel, mit der sie die Maiglöckchen befestigt hatte, und strich sich mit dem Strauß über die Augen.

»Meine beiden Männer haben mich vergiftet«, sagte Beatrice. »Mein erster Mann gab mir beinah sofort eine Riesendosis, doch mein zweiter Mann war auf seine Art wirklich ein Künstler. Nur dann und wann eine winzige Prise, schlau maskiert – oh, so schlau! –, bis ich eines Morgens aufwachte und in jeder Muskelfaser bis in die Fingerspitzen und Zehen ein winziges Körnchen spürte. Es war in der letzten Minute ...«

Ich verabscheute es, sie so gelassen von ihren Männern sprechen zu hören – ganz besonders heute. Es kränkte mich. Ich wollte etwas erwidern, aber plötzlich rief sie schmerzlich: »Warum – warum mußte es mir zustoßen? Was hatte ich denn getan? Warum mußte ich mein Leben lang verfolgt werden von ... Es ist die reinste Verschwörung!«

Ich versuchte ihr zu erklären, sie sei zu vollkommen für unsre scheußliche Welt, zu kostbar, zu fein – und das sei der Grund. Es erschrecke die Leute. Ich begann zu scherzen: »Aber ich – ich habe nie versucht, dich zu vergiften!«

Beatrice ließ ein seltsames kleines Lachen hören und zerbiß das Ende eines Maiglöckchenstiels: »Du!« sagte sie. »Du kannst keiner Fliege etwas zuleide tun!«

Merkwürdig. Es schmerzte nämlich. Ganz gräßlich.

Gerade da kam Annette mit unsern *apéritifs* auf die Terrasse. Beatrice beugte sich vor, nahm ein Glas vom Tablett und reichte es mir. Ich bemerkte das Schimmern der Perle an ihrem Perlfinger, wie ich ihn nannte. Wie konnte ich gekränkt sein über das, was sie gesagt hatte?

»Und du«, sagte ich und nahm das Glas in Empfang, »du hast noch nie jemanden vergiftet!«

Das brachte mich auf einen Gedanken, und ich versuchte es zu erklären. »Du – du bist genau das Gegenteil von Giftmischern. Aber wie bezeichnet man jemanden wie dich, die du – statt die Leute zu vergiften – sie alle, den Briefträger, unsern Fahrer, unsern Bootsmann, die Blumenverkäuferin und mich – mit neuem Leben beschenkst, ihnen etwas von deinem eigenen strahlenden Wesen, deiner Schönheit abgibst, deiner ...«

Sie lächelte verträumt; verträumt sah sie mich an.

»Woran denkst du, mein reizender Liebling?«

»Ich habe mich nur gefragt«, antwortete sie, »ob du wohl nach dem Mittagessen zum Postamt hinuntergehen könntest, um dich nach Briefen von der Nachmittagspost zu erkundigen. Würde es dir etwas ausmachen, Liebster? Nicht etwa, daß ich einen Brief erwarte, aber – ich dachte nur, für den Fall ... Es ist doch dumm, die Briefe nicht zu bekommen, wenn sie schon dort sind. Nicht wahr? Dumm, bis morgen früh zu warten!« Ihre Finger drehten den Stiel des Glases herum. Den schönen Kopf hatte sie gesenkt. Ich aber hob mein Glas und trank oder nippte vielmehr, schlürfte langsam und nachdenklich, blickte auf den dunklen Kopf und dachte an – Briefträger und blaue Käfer und Abschiedsworte, die keine Abschiedsworte waren und ...

Gütiger Himmel! Bildete ich's mir ein? Nein, es war keine Einbildung! Mein Drink schmeckte scharf und bitter und *seltsam*.

I.

Als Mitka in den Windham Square einbog, hörte er eine wundervolle Uhr die zehnte Stunde schlagen. Der Ton schien aus weiter Ferne zu kommen, wie von hoch oben in der Luft. Mitka blieb stehen, um zu lauschen und hoch- und umherzublicken. Es war eine warme, stille Nacht. Der Himmel war mit großen Sternen übersät, und der Mondschein lag auf den weißen Häusern und auf den Bäumen und den schmalen Rasenflächen des Gevierts. Bei einigen Häusern stülpten sich rot und weiß gestreifte Markisen über die Balkons. Und überall vor den Fenstern standen Kästen mit blühenden Pflanzen, und durch die geöffneten, hellen Fenster drangen Stimmengeräusche und Gelächter. Im warmen weißen Licht sah der Platz merkwürdig heiter und schön – jedoch nicht ganz wirklich aus. Er glich einem Platz in einem Traum, denn er hatte die Unnahbarkeit eines Traums und den Glauben an seine Unwirklichkeit. Aber für mich, dachte Mitka, während er seinem eigenen deutlichen Schatten nachschritt, ist das feste Land stets wie ein Traum. Ich werde mich mein Leben lang danach sehnen, auf dem Land zu leben, und während meines Sehnens wird mein Leben auf kleinen Schiffen und auf großen Schiffen verstreichen ...

Als er zur Nummer vierunddreißig kam, hörte er den Klang eines Klaviers, und dann schwebte Mildred Wests Stimme zu ihm hinaus. »Es ist alles vergeblich – ich flehe dich an!« Oh, dachte Mitka, sie singt für meinen Bruder! Mein Bruder ist da, mein geliebter Paddy! Und er sprang die Treppe hinauf und zog so kräftig an der Klingel, daß der deutsche Diener aus den schmutzigen Eingeweiden des Hauses hinaufgestürzt kam. Noch ehe Mitka Zeit hatte, seinen Bruder zu verlangen, hörte er Mildreds Stimme vom Flur vor dem Salon rufen: »Wer ist da? Hans, wer ist es?«

Mitka lief am deutschen Diener vorbei in den Flur hinein und rief vergnügt: »Ich bin's! Mitka!«

»Mitka!« Mildreds Stimme klang hoch erfreut. Sie kam die Treppe heruntergerauscht und auf den Flur: »Wirklich, der Mitka! Wo kommst du her?« Sie legte ihm ihre duftenden, nackten Arme um den Hals und küßte ihn, und dann hielt sie ihn ein Stückchen von sich weg. »Laß dich anschauen!« Was gleichzeitig bedeutete: ›Du darfst mich anschauen – ich bin so schön wie immer!‹ Sie trug ein schwarzes Kleid und keinen andern Schmuck außer einem Paar schwarzer Perlen in den Ohren und einer schwarzen Rose, die aus ihrem hellen Haar nickte. Ihre roten Lippen und ihre herrlich geschminkten Augen lächelten Mitka zu, und er roch das Parfüm, das stets seinem Bruder anhaftete – ein Parfüm wie wohlriechendes, trockenes Holz. »Lieber Himmel, Kind, wie braun du bist! Du bist so braun wie eine Nuß!« sagte Mildred. Sie legte ihre Hand unter sein Kinn und hob sein Gesicht auf. »Hast dir auch einen Schnurrbart wachsen lassen, Mitka! Aber dem kann ich nicht recht Glauben schenken – du siehst so jung wie nur je aus!«
Er kniff die Augen zusammen. »Oh, du willst mich wieder zum besten haben«, sagte er. »Aber jetzt macht's mir nichts mehr aus. Seit ich hier fort bin – seit drei Jahren hat mich niemand mehr gehänselt. Ich habe ganz vergessen, wie einem dabei zumute ist.«
»Komm in den Salon hinauf«, sagte sie und lachte über ihn. »Dein Englisch ist schlechter denn je! Komm in den Salon hinauf! Paddy ist da. Er wird staunen, wenn er dich sieht!«
Mitka zauderte. »Könnte ich ihn nicht zuerst für mich alleine sehen?« schlug er vor.
Aber Mildred blieb fest.
»Nein, damit sollst du nicht durchkommen! Wir schauen dir liebend gern zu, wenn du Paddy küßt! Es ist niemand da, vor dem du dich fürchten müßtest! Komm mit!«, und sie nahm seine Hand und lief mit ihm die Treppe hinauf und rief: »Paddy! Paddy! Rate mal, wer hier ist! Schau, wen ich dir bringe!«
Im ersten Augenblick vergaß Mitka alles außer seinem großen, schönen Bruder, der, ganz in Schwarz und Weiß, quer durch das Zimmer auf ihn zukam. Tränen sprangen ihm in

die Augen. Er lief Paddy entgegen und umarmte ihn und drückte ihn fest an sich.
»Warum hast du's mich nicht wissen lassen, mein Kleiner?« fragte Paddy und war beinah ebenso gerührt wie Mitka.
»Ach«, antwortete Mitka, »ich wollte, daß es eine Überraschung für dich ist. Wenn ich so plötzlich auftauche, ist es, als wäre ich nie ganz weggewesen!«
»Hört euch das an!« Mildred legte ihm den Arm um die Schulter und kniff ihn ins Ohrläppchen. »Jetzt mußt du ein kleiner Gentleman sein und meiner Mutter ›guten Abend‹ sagen und dich deinem Publikum vorstellen lassen!«
Der Salon war genauso, wie er ihn in Erinnerung hatte: alles Rosa und Weiß, mit Lampenschirmen wie aufgeplusterte Rosen und Dutzenden von Photographien in Silberrahmen. Die alte Mrs. Farmer, Mildreds Mutter, saß mit einem Gewirr aus Wolle und Stricknadeln auf dem Schoß in ihrer gewohnten Ecke, und genau wie früher stand auf dem kleinen Tisch neben ihr der Papageienkäfig, der mit einem rot und weiß karierten Tuch zugedeckt war. Sie sah gelb und zitterig aus, als er sich über ihre winzige gelbe Hand beugte.
»Aber nein!« stammelte sie. »Aber, aber, aber! Ich kenne Sie, junger Mann, ich kenne Sie!«, und aus ihren verwirrten Augen spähte sie listig zu ihm auf.
»Miss Valerie Brandon!« – und Mitka verbeugte sich vor einem großen Mädchen, das am Flügel stand und *sordino* Akkorde anschlug. Sie war in einen Chiffonschal gehüllt, und Kerzenlicht schimmerte auf ihrem Hals und Haar. »Colonel Foster!« – ein alter Mann am Kamin, die Füße dem leeren Feuerrost zugewandt, die dicken rötlichen Hände über dem runden Bauch gefaltet. »Und das sind meine beiden Jungen!« Mildred deutete scherzend auf zwei sehr dunkelhäutige junge Männer, die in einer Ecke Cribbage spielten. Sie grinsten Mitka an, schurrten mit den Füßen, erhoben sich halb und gaben es dann auf. »Das wäre erledigt!« Mildred stieß einen affektierten Seufzer aus, steckte die Hand in Paddys Jackentasche und holte sich sein Zigarettenetui. »Setz dich aufs Sofa und spiel Händchenhalten mit Paddy!« Sie stand neben der hohen Lampe und blickte auf sie hinunter, und jedesmal,

wenn sie den Rauch über die Lippen blies, hob sie den Kopf und schien ihnen ihre milchweiße Kehle und Brust darzubieten.
»Zuallererst«, sagte Mitka und betrachtete sie auf seine kindlich-bewundernde Art, »muß ich mich unendlich wegen meines Anzugs entschuldigen. Aber weil ich so selten an Land bin, besitze ich keinen Abendanzug. Ich weiß, es ist ein empörendes Geständnis!«
»Wir wollen dir verzeihen!« lachte Mildred. »Jedenfalls ist es ein sehr hübscher blauer Sergeanzug. Wo kommst du her? Wie lange bleibst du?«
»Ich bin aus Alexandrien gekommen«, sagte er, »und ich bleibe fünf Tage. Dann gehe ich nach Marseille, und dann« – er zuckte die Achseln – »wieder nach Alexandria. Hin und her, verstehst du – die ganze Zeit!«
»Und hast du wundervolle Erlebnisse gehabt?« neckte ihn Mildred.
»Ach nein«, antwortete Mitka treuherzig. »Auf See geht es sehr ruhig zu.« Er rieb sich die Hände. »Wirklich sehr ruhig!« Als er schwieg, hörten sie die leisen, gedämpften Akkorde, die vom Flügel herkamen, und den Papagei, der unter dem Dach seines Kafigs herumspazierte.
»Bleibe bei uns, ja?« bat Paddy. »Bleib die fünf Tage hier! In meinem Zimmer steht ein unbenutztes Bett, das kannst du haben!«
»Was? Darf ich tatsächlich? O Paddy, wie lieb von dir!« Mitka hätte ihn am liebsten wieder umarmt. Er überlegte, ob Paddy sich wirklich verändert hatte oder ob es nur die Leute und das englische Zimmer waren, die ihn so weit weg und so fremdländisch erscheinen ließen.
»Ich leihe dir für heute nacht ein Nachthemd«, sagte Mildred. Von den dunkelhäutigen jungen Männern in der Ecke wehte ein Gekicher und das Hops-hops-hops der elfenbeinernen Cribbagepflöckchen her. Aber niemand beachtete es. Der Colonel schlief; sein Doppelkinn steckte in seinem Kragen; Mrs. Farmers kleine Augen flogen von Mildred zu den Brüdern und wieder auf Mildred; vor lauter Anstrengung, zu hören, was sie sagten, war ihr Gesicht verzerrt, und Vale-

rie Brandon setzte sich auf den Klavierhocker und begann leiser denn je zu spielen; sie war ganz in ein goldenes Netz zitternden Kerzenschimmers gehüllt.
»Oh«, sagte Mitka, »wie ich mich freue, hierzusein! So schön ist es! So voller Frieden!« Er lächelte Mildred und Paddy zu.
»Du bist leicht zufriedengestellt, mein Sohn«, sagte Mildred und verzog ihr Gesicht ein wenig.
»Er ist jung!« mischte sich Mrs. Farmer plötzlich mit schriller Stimme ein. »Laß ihn in Ruhe, Mildred! Er wird noch früh genug lernen! Er ist jung!« Während sie sprach, zitterte ihre Spitzenhaube, und sie schnellte einen großen schwarzen Fächer auf und drosch die Luft damit.
»Meine *Güte*, Mutter!« nörgelte Mildred, »du bist aber heute abend im Schwung!« Mitka sah, wie Paddy die Stirn runzelte, und hörte ihn flüstern: »Laß sie in Ruhe, Mildred!« — »Ach was, sie braucht sich nicht einzumischen!« Mildred zuckte die Achseln, als Mrs. Farmer von neuem anhob und losplatzte: »Passen Sie nur auf, junger Mann«, sagte sie, »passen Sie nur ein bißchen auf, ehe Sie sich so über die Außenseite vom Glas freuen!« Mitka war es sehr unbehaglich zumute. ›Wie dumm ich bin!‹ dachte er. ›Aus meinem törichten Glücksgefühl entsteht immer ein Auftritt! Jetzt wird Paddy ärgerlich auf mich sein. Ich weiß es genau!‹
Aber Paddy legte seine Hand auf Mitkas Knie, als hätte er Mitkas Gedanken erraten und wollte ihn beruhigen, und freundlich sagte er: »Nun ist also mein kleiner Bruder wieder mal da!«
Mildred lehnte sich in ihren Sessel zurück und rauchte mit halbgeschlossenen Augen. »O Val«, nörgelte sie, »hör auf mit dem melancholischen Zeug! Du schmilzt mir alle Knochen, Liebes! Bitte hör auf!« Mitka blickte zum Flügel hinüber. Das junge Mädchen hörte zu spielen auf. Sie wickelte sich in ihren weißen Chiffonschal, kreiselte auf dem Klavierhocker herum und blickte sie an.
»Gerne«, sagte sie. »Ich höre auf. Ich weine schon selber seit einer halben Stunde!« Während sie sprach, lächelte sie leise und hatte den Kopf ein wenig auf die Seite gelegt. Sie sah sehr schlank und jung aus, wie sie da auf dem Hocker saß. Sie

hatte schwarze Haare und graue Mandelaugen. »Ich möchte mal wissen«, sagte sie, noch immer spöttelnd, »ob der Papagei schläft!« Seidig raschelnd glitt sie vom Hocker, ging zum Käfig und hob das Tuch auf. »Polly, Polly!« rief sie, und der Papagei antwortete und machte ihre leise Stimme nach: ›Polly, Polly!‹

»Valerie, laß das! Er wird dich zerfetzen!« begann Mildred Einspruch zu erheben. Aber das junge Mädchen öffnete den Käfig und steckte ihre Hand hinein und zog sie wieder heraus, den grau und rot gefleckten Papagei auf dem Finger. Sie kauerte sich auf die Fersen, hielt den Vogel in der Hand und streichelte ihn und lüpfte seine Flügel.

»Haßt er seinen dummen, alten Käfig?« sagte sie. »Und haßt er das dumme, alte Licht, weil er deshalb blinzeln muß?« Der Papagei spazierte auf ihrem Arm bis zu ihrer Schulter hinauf und klatschte mit den Flügeln.

»Da hast du's! Hab's dir ja gesagt! Er wird dir deinen Schal verderben!« rief Mildred.

»Nein, tut er gar nicht«, erwiderte Valerie Brandon, »und ich mag's noch recht gern, seine scharfen alten Krallen auf meiner Schulter zu spüren. Es *amüsiert* mich!« fügte sie langsam hinzu, und langsam drehte sie sich um und lächelte Mitka an, der ganz still dasaß und das merkwürdige Mädchen beobachtete. »Würden *Sie* den hübschen Papagei gern streicheln?« fragte sie.

»Oh, Val, sei kein Dummerchen!«

»Wer möchte unsern hübschen Polly verhätscheln?« lachte sie und biß sich auf die Unterlippe.

»Oh, halt bloß den Mund!« sagte Mildred. Aber Valerie wandte ihre Augen nicht von Mitka ab. Das Zimmer und die Lampen und die Leute verblaßten alle vor dem Mädchen mit dem Papagei, das ihn immer weiter so seltsam anblickte, bis ihm das Herz erschauerte.

»Hübscher Polly!« spottete sie und schmeichelte dem Papagei.

»In der nächsten Minute wird er Sie bekleckern!« kreischte Mrs. Farmer mit äußerster Befriedigung.

»Schlafenszeit für dich, Mutter!« sagte Mildred. »Komm jetzt!«

Paddy zog seine Uhr hervor.
»Ich gehe auch, und Mitka ebenfalls.«
Mildred nickte. »Ich werde den alten Colonel wecken und auf Trab bringen! Und ihr, Jungens«, sagte sie zu den zwei dunkelhäutigen jungen Herren, »verzieht euch! Und laßt euer Fenster auf!« Valerie steckte den Papagei in den Käfig und breitete das karierte Tuch darüber. Sie stand lächelnd da und hatte den Finger auf die Lippen gelegt, als lausche sie auf das, was innen im Käfig vor sich ging, bis Mildred zu ihr kam und den Arm um sie legte. »Komm in mein Zimmer hinauf, wir wollen etwas trinken, wir vier!« sagte sie.
Die Zimmer im obersten Stock des Hauses gehörten Mildred und Paddy. Als die beiden Brüder eintraten, saß sie in einem blauseidenen, mit weißen Flügeln bestickten Kimono auf der Bettkante. Valerie Brandon saß neben ihr, und beide lächelten einander zu. Auf einem kleinen Tisch standen vier Gläser und eine Flasche Wein. »Zu Ehren von Mitka«, erklärte Mildred. »Mach sie auf, Paddy!« Aus irgendeinem törichten Grund wurde Mitka scheu. Er brachte es kaum fertig, die beiden jungen Frauen und das Zimmer anzuschauen, das so von einer ihm unbekannten Mildred erfüllt zu sein schien. Ihre Abendschuhe und ihr Kleid lagen auf einer Couch. Auf dem Tisch mit den Gläsern lag eine Puderquaste, und das große, weiche Bett war halb zurückgeschlagen. »Ich muß euch was verraten«, sagte Mildred. »Mitka ist scheu! Stimmt's? Du bist ziemlich erschrocken, nicht wahr, Mitka? Du hältst uns für unsittlich.«
»Necke ihn nicht!« sagte Paddy. »Du bist heute abend greulich, Mildred!«
»Bin ich das?« fragte Mildred, und als er ihr ein Glas reichte, legte sie ihre Finger über die seinen. »Bin ich das tatsächlich, Paddy?«
»Ach – nein – nicht tatsächlich«, und Mitka hörte das seltsam zufriedene Lachen, das Paddy für sein Weibchen hatte. Ganz allmählich, und ohne recht zu wissen, weshalb er Valerie mied und doch sehen wollte, blickte er sie an. Sie sah ihn wieder an, aber ihre Augen waren verändert. Freundlich und liebevoll und sanft schaute sie zu ihm her, als wollte sie sa-

gen: ›Seien Sie nicht scheu! Wir machen nur Spaß!‹ Sie trank ihren Wein in winzigen Schlückchen, und während sie trank, trank auch er aus seinem Glas und fühlte sich wieder ganz frei und glücklich.
Plötzlich war das Geräusch von Schritten auf der Treppe zu hören. Jemand pfiff. »Da ist Evershed nach Haus gekommen«, sagte Mildred leichthin und blickte Valerie an. Das junge Mädchen stellte ihr Glas hin.
»*Bon soir, mes amis*«, sagte sie.
»Wer ist Evershed?« fragte Mitka.

II.

Als Mitka am nächsten Morgen zum Frühstück hinunterging, war im Eßzimmer niemand außer Mildred und dem alten Colonel Foster. Der Colonel saß am sonnigen Fenster und hatte die Morgenausgabe der *Post* auf seinen Knien ausgebreitet; doch Mildred goß sich gerade erst ihren Tee ein.
»Hallo, du liebes Kind – hast auf mich gewartet«, sagte sie.
»Warum? Sind alle schon weg?« fragte Mitka.
»Ja, Gott sei Dank! In diesem Haus ist das Frühstück ein elender Moment. Die Jungen müssen rechtzeitig ins Büro, und Paddy muß in die City. Später kommt Evershed und will alles speziell zubereitet haben, und der« – sie deutete zum Fenster hinüber – »muß beinah mit einem Löffel gefüttert werden. Ich warte, bis alle weg sind, und esse dann in Frieden. Greif zu, mein Lieber! Hast du gut geschlafen?«
»Erstklassig!« antwortete Mitka.
»Fein«, sagte Mildred zerstreut. Sie sah müde und blaß aus. »Schau mich nicht so an, mein Kind!« bat sie. »Am Morgen sehe ich immer wie ein alter Lappen aus. Den Morgen hasse ich – besonders, falls er so ist wie heute – so unanständig strahlend, wenn die Sonne zu einem Malermeister wird!«
Mitka blickte sie besorgt an. »Mir scheint, du hast schlechte Nerven. Der Morgen ist doch wirklich wunderschön, aber du fühlst dich nicht kräftig genug, um dich im Einklang mit dem Morgen anzukleiden, wie du es mit dem Abend tust.«
»Wie meinst du das?«

»Etwa so«, begann Mitka. »Wenn ich dich abends sehe, denke ich immer, die Frau da trägt die Nacht, als wäre sie ihr Schutzmantel, und ihre Stimme ist beschwingt ... du weißt, wie aufregend die Nacht ist und wie unbekannt. Auch du siehst so aus. Gestern abend im Bett habe ich es Paddy erzählt, und er hat gesagt, ja, ich hätte recht. Er sagt, er hätte bei dir auch immer dieses Gefühl. Und« – er zuckte mit der Achsel und zwinkerte ihr zu – »du solltest den Tag auf die gleiche Art und Weise tragen. Ich bin nämlich der Ansicht, daß Frauen, schöne Frauen, auf diese Art zu Geistern der Natur werden. Ich meine, daß sich die Natur in ihnen spiegelt, wie sie es in Teichen oder in Blumen tut.«
Mildred hörte ihm zu und lachte dabei. »Wie wunderlich du bist«, sagte sie, aber in ihre Gebärden und in ihr Lächeln floß die Anmut zurück, und sie blickte Mitka sehr liebevoll an. »Mitka, verrate mir etwas!«
»Was?«
»Bist du schon verliebt gewesen?«
»Hier bin ich offenbar fehl am Platz«, sagte die Stimme einer Frau, und Valerie Brandon schlenderte an den Tisch und stützte sich mit den Händen darauf. »Guten Morgen!« sagte sie, beugte sich vor und küßte Mildreds Haar.
»Guten Morgen! Wie interessant du in dem weißen Kleid mit dem schwarzen Spitzenschal aussiehst!«
»Ja, nicht wahr? Wie eine spanische Kellnerin in einem *Café chantant*. Ist es nicht heiß? Schon heiß!« Sie setzte sich an den Eßtisch und legte die Hände an die Wangen.
»Kann ich Ihnen Ihr Frühstück geben?« fragte Mitka höflich.
Sie schüttelte den Kopf. »Nein, ich esse nichts. Mildred, worüber hast du dich denn nur bei Toast und Speck mit Mr.« – sie zauderte – »Mr. Mitka unterhalten? Über den Unterschied zwischen Liebe und Leidenschaft – oder daß Frauen ebenso frei wie die Männer sein sollen? Ich weiß nicht, was ich nicht gehört habe, als ich ins Zimmer trat!«
»Nein, das nicht!« Mildred stieß ihren Stuhl zurück. »Hast du eine Zigarette, Mitka? Danke! Sie duften köstlich! Die gleiche Sorte, die du früher hattest.«

»Geben Sie mir auch eine«, bat Valerie und nahm Mildred das Etui weg.
»Ich habe ihn mir heute gründlich angeschaut«, fuhr Mildred fort. »Und ich fand, daß Mitka wirklich etwas überaus Reizvolles an sich hat. Ich meine, obwohl er jung aussieht – trotz des Schnurrbarts –, sieht er so aus, als könnten ihm die erstaunlichsten Dinge zustoßen. Findest du nicht?«
»Ich bin nicht sicher«, antwortete Valerie und musterte ihn ernst.
Mitka blickte zu ihr auf und lächelte. »Ach«, sagte er, »Mildred hänselt mich wieder! Sie liebt es, mich zu necken. Im Grunde ist ihre Ansicht von mir so: das ist kein übler kleiner Bursche. Ein paar Tage ertrage ich ihn.«
»Vermutlich haben Sie recht!« antwortete Valerie. »Oh, was tu' ich denn da? Ich mause Ihr Zigarettenetui!«
»Geh in den Salon und rauche dort weiter«, sagte Mildred. »Ich muß das hier alles aufräumen lassen. Geht alle beide!« Sie ging an die Tür und rief: »Hans! Hans!«
»Madame?« sagte der deutsche Diener und tauchte mit einem dicken Verband um den Hals aus dem Nichts auf.
»Was ist denn mit Ihnen los?« fragte Mildred mit angewiderter Stimme. »Noch mehr Furunkel, Hans? Puh! Wie greulich Sie aussehen!«
»Kommen Sie mit!« sagte Valerie zu Mitka.
»Entschuldigen Sie bitte, Madame«, murmelte der deutsche Diener.
»Nein, so etwas entschuldige ich nicht, Hans! Es kommt bestimmt daher, weil Sie sich nicht waschen!« Sie schalt ihn mit harter, zorniger Stimme, die für Valerie und Mitka noch die ganze Treppe hinauf zu hören war.
»Bei Tage kann man dieses Zimmer einfach nicht aushalten!« sagte Valerie. »Kommen Sie auf den Balkon hinaus!« Dort klappte sie einen Liegestuhl auf und legte sich hin, den einen Arm hinter dem Kopf. Mitka saß auf einem kleinen Schemel und rauchte. Sie waren still. Dann sprach Valerie: »Ich bin gern mit Ihnen zusammen«, sagte sie. »Bei Ihnen wird mir so wohl zumute. Nein, ich scherze nicht. Ich meine es ganz ernst. Sie können sich nicht vorstellen« – sie riß eine Blume

hinter dem Balkongeländer ab und biß auf den Stiel —, »was für eine Wohltat Sie sind und wie selten es ist, jemanden wie Sie zu sehen, der weder falsch — noch häßlich ist.«
Mitka riß die Augen weit auf. »Scherzen Sie wirklich nicht?« fragte er.
»Natürlich nicht!« Es klang sehr verdrießlich, und sie begann, der Blume den Blütenkopf abzubeißen. »Warum sollte ich mir die Mühe machen? Wenn Sie nur wüßten, wie wir alle sind — mein Himmel, dann würden Sie jemanden wie Sie als schöne Abwechslung begrüßen. Es ist nicht etwa so, daß wir schlecht oder boshaft wären«, sagte sie und warf den Blütenstiel weg, »aber wir sind so furchtbar abgestumpft — so abseits vom wirklichen Leben!«
»Was bedeuten die letzten Worte?« fragte Mitka leise.
»Wir sind nicht lebendig«, sagte sie. »O Gott, was für ein Haus voll Menschen sind wir! Was für eine Belegschaft! Sie können sich nicht vorstellen«, wandte sie sich lächelnd an Mitka, »wie komisch Sie gestern abend im Salon neben Mrs. Farmer und dem Colonel und den beiden Südamerikanern und Mildred und mir wirkten! Ich werde es nie vergessen, wie Sie mit Ihren tanzenden Augen ins Zimmer stürmten — oder wie Sie sich umschauten und sagten: ›So schön ist es hier!‹ Ich hätte schreien können!«
»Aber«, sagte Mitka mit verblüffter Stimme, »was ist denn los mit dem Haus? Ist es nicht wie andre Häuser?«
»Oh, *vermutlich!*« erwiderte sie. »Vermutlich wie eine Unmenge andrer Häuser! Ja, das bestimmt! Ich kann den Staub von Hunderten ihresgleichen in meinem Rocksaum spüren.«
»Aber warum bleiben Sie hier, wenn Sie es so verabscheuen?« fragte Mitka, der sich immer mehr wunderte.
»Ach«, lachte Valerie, »das ist eine ganz andre Geschichte! Das können Sie wohl fragen! Ich wüßte gern . . .« Sie erhob sich aus ihrem Liegestuhl, lehnte sich gegen das Balkongeländer und blickte auf Mitka herunter. »Eigentlich ist es doch eine ziemlich dumme Frage. Warum tut überhaupt jeder, was er tut? Weil er nicht anders kann, vermute ich. Man wird von einem Rad erfaßt und rundherum gekreiselt.«
»Das glaube ich nicht«, sagte Mitka. »Ich glaube nicht an

Räder. Wenn Sie sich wirklich offen ins Gesicht blicken und sich sagen, was Sie tun wollen, dann können Sie es tun. Sonst könnte man ja gleich vom Balkon springen! Was für einen Sinn hätte sonst alles?«

»Glauben Sie wirklich, daß die Menschen tun können, was sie wollen?« fragte Valerie langsam. »O je, ich fürchte, Mildred hat recht, wenn sie Sie jung nennt! Ich habe das auch mal geglaubt und dementsprechend gehandelt. Das war *tatsächlich* komisch!«

Mitka sagte: »Das hängt ganz davon ab, was man tun will, nicht wahr?«

»Nein«, sagte sie. »Es gibt nur eins: frei zu werden und frei zu bleiben! O je«, rief sie verbittert, »ich sehe mich schon, wie ich's versuche! Aber ich glaube, daß es das ist, was mir an Ihnen auffiel: Sie sehen wirklich und wahrhaftig frei aus!«

Mitka nickte: »Ja, das ist wahr«, sagte er. »Ja, das bin ich!«

»Aber angenommen«, begann sie und verstummte dann. »Ach je, was nützt es? Warum rede ich denn nur so? Es ist ja Unsinn, hoffnungsloser Unsinn!« rief sie verzweifelt. »Dort unten fährt die alte Mrs. Farmer in ihrem Rollstuhl spazieren. Winken Sie dem Baby!«

»Nicht!« bat Mitka bekümmert. »Bitte, bitte nicht! Sie machen mich furchtbar traurig!« Er ergriff die Enden ihres Schals und spielte damit, während er mit gesenktem Kopf weitersprach. »Den Gedanken, daß jemand so unglücklich ist, finde ich unerträglich! Vielleicht bin ich, wie Sie sagten, sehr jung – ein dummer Junge –, aber ich würde alles in meiner Macht Stehende tun, um Ihnen zu helfen. Glauben Sie mir bitte!« Wenn er aufgeblickt hätte, würde er sich über ihr Gesicht gewundert haben. Es spiegelte eine sonderbare Mischung aus Erleichterung und Spott und Verachtung wider. Aber er blickte nicht auf.

»Dann seien Sie doch mein Freund!« sagte sie leise und nachdenklich. »Ich weiß nicht, warum, aber sowie ich Sie sah, wünschte ich, Sie wären mein Freund. Ich wußte, daß Sie mir irgendwie unermeßlich helfen könnten, unermeßlich, und daß ich irgendwie – das müssen Sie aber nicht mißverstehen – auf Ihre Hilfe gewartet hatte. Seien Sie mein Freund, mein«–

sie ließ die Stimme sinken –, »mein heimlicher Freund! Wollen Sie?«
›O Gott, was für eine Glückseligkeit!‹ dachte Mitka. ›Endlich bittet mich jemand um meine Freundschaft! Mich, der ich nie einen Freund hatte, der nie jemanden hatte, den er ganz und gar lieben konnte!‹ Er ergriff ihre Hand und küßte sie innig und demütig. »Ich will von ganzem Herzen Ihr Freund sein«, sagte er.

III.

»Val? Bist du da? Kann ich reinkommen?«
»Ja, komm! Ich maniküre mich. Wieviel Uhr ist es, Mildred?«
»Ungefähr halb vier. Paddy hat gerade aus der Stadt angerufen. Er möchte, daß ich mit ihm aufs Land hinausfahre. Er hat ein Auto gemietet!«
»Meine Güte, was für ein Luxus!« sagte Valerie und tupfte ein wenig Rot auf jeden Nagel.
»Ja, nicht wahr? Ich glaube, er tut es hauptsächlich wegen Mitka. Kommst du als vierte mit? Zum Abendessen sind wir wieder zurück!«
»Ja, ich käme gern«, erwiderte das junge Mädchen langsam.
»Du gehst doch heute abend nicht mit Evershed aus, nicht wahr?« Das junge Mädchen schüttelte den Kopf.
»Nein, es wurde nichts abgemacht. Doch, ich würde gern mitkommen. Um wieviel Uhr?«
»Er bricht jetzt auf. In etwa einer halben Stunde wird er vermutlich hier sein. Zieh dich lieber jetzt an! Ich weiß, daß es bei dir stundenlang dauert! Wie furchtbar heiß es noch ist! Du glückliches kleines Wesen hast, glaube ich, das kühlste Zimmer im Haus.«
»Letzte Nacht wurde ich jedenfalls hier geschmort«, erwiderte Valerie und blickte vom Polieren der Nägel auf. Sie und Mildred lachten laut heraus.
»Wie findest du Mitka?« fragte Mildred. »Halt, leih mir die Dinger! Ich kann was für meine Hände tun, während du dich anziehst!«
»Mitka ist ein netter kleiner Junge«, sagte Valerie leichthin.

»Ja, nicht wahr? Paddy hängt sehr an ihm. Er ist auch amüsant, findest du nicht?«

»Ja, ziemlich.«

»Du hast tollen Eindruck auf ihn gemacht«, sagte Mildred.

»Ich? Ach, Unsinn!«

»Mein Liebes, es ist die reine Wahrheit! Ich habe ihn heute beim Mittagessen beobachtet. Er konnte den Blick nicht von dir abwenden!«

»Nächstens wirst du den Colonel mit deiner lieben Mutter verheiraten«, sagte Valerie und puderte sich Hals und Arme.

»Auch kein schlechter Gedanke! Aber wegen Mitka meine ich's völlig ernst. Ich könnt's beschwören!«

»Ach was, ist ja einerlei. In fünf Tagen ist er fort. Ich werde mit ihm flirten. Wäre nicht abgeneigt. Was soll ich anziehen? Ich habe nie einen Fetzen anzuziehen! Ich bin schrecklich wütend auf Evershed.«

»Mag ja sein«, sagte Mildred. »Aber du bist dumm, so zu reden! Wo wärst du denn ohne Evershed? Ich will nicht behaupten, daß er besonders interessant ist, aber er ist unvorstellbar reich und in dich verschossen und wahnsinnig anständig, und beklage dich nicht, daß er dich nicht verwöhnt! Setz dein Glück nicht aufs Spiel, liebes Kind! Die Eversheds wachsen nicht auf Bäumen!«

»Aber Mildred, ich langweile, langweile, langweile mich so maßlos! Du weißt ebensogut wie ich, daß ich nie in ihn verliebt war, und er weiß es auch. Deshalb ist er vermutlich so scharf auf mich. Aber ... vielleicht ist's das heiße Wetter, das bei mir eine Krise auslöst. Ich sehne mich nach einer romantischen Liebe ...«

»Und Mitka soll das Opfer sein«, sagte Mildred schlau.

»Merci, Madame!« Valerie schnitt eine kleine Grimasse. *»Je n'aime pas les petits bébés!«*

»Ich glaube dir nicht. Aber du hörst ja nicht auf mich!«

»Doch, ich will, Liebling!« Valerie küßte Mildred sehr behutsam auf die Augenlider. »Ich höre immer auf dich, besonders, wenn du deinen blauen Schleier trägst und wie eine Pariser Madonna aussiehst!«

»Ach, beeil dich lieber!«

»Halt ihn bei der Jacke, Paddy! Laß ihn nicht auf dem Sitz stehen!« rief Mildred. »Mitka, du solltest dich schämen! Die Leute glauben ja, du wärst noch nie in einem Auto gefahren! Sieh ihn bloß an, Valerie!«
Mitka konnte nicht aufhören zu lächeln, sosehr er sich auch bemühte. Es machte ihm nichts, daß Mildred ihn hänselte. Niemand konnte sein Glück zunichte machen. Er saß sehr still neben Paddy. Seine Freundin ihm gegenüber, die ihre kleinen, behandschuhten Hände im Schoß gefaltet hatte, spürte er mehr, als daß er sie sah. So eine wundervolle Verwandlung innerhalb von wenigen Stunden, dachte er. Wer bin ich? Bin ich der gleiche Mann, der gestern abend hierherkam? Ich bin bestimmt nicht der gleiche. Ich gehöre zu jemandem – die Frau, die mir gegenübersitzt, hat mich gebeten, ihr – ihr heimlicher Freund zu sein. Wenn ich jetzt wieder auf See bin, habe ich immer jemanden, mit dem ich in Gedanken sprechen kann und der mit mir zusammen zu den Sternen aufblickt und meine Traurigkeit teilt. Aber ich kann gar nie mehr auf *jene* Art traurig sein – immer kann ich das kostbare, herrliche Wissen haben: wo ich auch sein mag, denkt meine Freundin vielleicht an mich, und wann immer ich zurückkomme, ist sie da, zu der ich zurückkomme. In der größten Eile werde ich von meinem Schiff herkommen. Und eins muß ich lernen – wie ich sie glücklich machen kann. Und dann wird sie eines Tages sagen: das hast du für mich getan, Mitka. Du hast mir diese Freude geschenkt! Ja, Valerie, so wird es geschehen, glaube mir, so wird es sein. Im Herzen wiederholte er ihren Namen so oft, daß er überzeugt war, sie müsse es hören. Aber sie saß ruhig da, mit halb geschlossenen Augen; die leise Brise spielte mit ihrem langen, rötlichen Schal. Auch Mildred lehnte sich lächelnd an; die Luft und die rasche Bewegung hatten sie besänftigt und in schläfriges Entzücken versetzt.
»Sehen sie nicht reizend aus?« sagte Mitka zu Paddy.
Paddy nickte. »Ja, reizend!« Er beugte sich vor und legte seine Hand über Mildreds Hand. »Bist du glücklich, Dredy?« fragte er. Ich weiß, warum er das tut, dachte Mitka. Er sehnt sich danach, daß sie ihn einen Augenblick anschaut. Und er

freute sich für seinen Bruder, als Mildred Paddys Hand drückte und ihm zulächelte. Sie waren auf dem offenen Land und flogen silbrig bestäubte Wege entlang, immer wieder an Feldern und an Wiesen mit Heu vorbei. Der Heugeruch hing wie Honig in der Luft. Mir ist ein bißchen trunken zumute, dachte Mitka. Ob das Land, das ich hier sehe, Wirklichkeit ist? Wenn ja, dann ist es das schönste . . .

Sie hielten vor großen, eisernen Torflügeln.

»Wo sind wir, Paddy?«

»Hier ist ein Haus, wo man Tee bekommen kann.«

Obwohl er wirklich so mutig war und seiner Freundin in Gedanken lange Reden hielt und sie bei ihrem Namen nannte, war Mitka doch scheu. Sie schien ihn auf Abstand zu halten und sich Mildred anzuschließen, um ihn wie einen kleinen Jungen zu hänseln. Ganz, ganz anders als das Mädchen vom Vormittag. Der Nachmittag hätte ein Fehlschlag sein können, wenn Mildred ihn nicht so sehr gehänselt hätte.

»Jetzt kommt deine Chance«, sagte sie zu ihm, als sie den Tee hinter sich hatten. »Führe Valerie in den Park und verirrt euch dort! So eine Chance bekommst du nie wieder – sie vergeht vor Sentimentalität!«

»Meinetwegen«, sagte Valerie. »Kommen Sie, Mitka! Wir bleiben nicht lange. Wir treffen euch beide wieder hier!« Und er wanderte tatsächlich mit ihr zusammen von den andern fort und kleine, blumenumsäumte Pfade entlang. Sie kamen an einen Rasenplatz, der ringsum von Stechpalmen eingeschlossen war. In einer Ecke stand ein Baum mit gelben Blüten. Valerie ging über den Rasen und setzte sich unter den Baum. »War es nicht klug von mir, Mildred beim Wort zu nehmen?« sagte sie.

»Wunderbar!« Mitka lag neben ihr und stützte das Gesicht in die Hände. Sonnen- und Schattenflecke spielten aus dem Baum über sie hin, und sie nahm ein paar der kleinen, glöckchenartigen Blüten, die ins Gras gefallen waren, und ließ sie von einer Hand in die andre rieseln. »Und jetzt«, sagte Mitka, »erzählst du mir alles über dich, ja? Denn verstehst du, seit heute morgen zittere ich ständig, weil ich nur fünf Tage vor mir habe. Es tickt wie eine Uhr in mir: fünf Tage, fünf

Tage, und dann bin ich fort. Ich muß also sehr viel über dich erfahren. In fünf Tagen kann ich nicht genug über eine Freundin erfahren, nicht wahr?«
»Zuviel«, sagte sie und ließ die Blumen durch ihre Finger rieseln.
»Bitte, du darfst nicht lachen«, sagte Mitka ernst.
Sie biß sich auf die Lippen und sah ihn von der Seite an. »Aber was soll ich dir erzählen?«
»Alles«, sagte er eifrig. »Soviel wie möglich!«
Sie schüttelte den Kopf. »Das würde dich traurig machen.«
»Nein, bestimmt nicht. Ich kann's nicht sein. Ich kann nur froh sein. O bitte, fang an – die Zeit ist so knapp!«
Danach schwieg sie und ließ die Blumen in ihren Schoß fallen und las sie wieder auf und schloß sie in ihre Hände ein. »Es ist nichts da, was ich dir erzählen könnte, Mitka«, sagte sie.
Sein Herz pochte, als sie seinen Namen aussprach. »Es ist das erstemal, daß du mich unter diesem Baum bei meinem Namen nennst«, sagte er und blickte zu den hellen Zweigen des gelben Blütenwunders auf. »O bitte, bitte, sei lieb zu mir! Erzähle mir von dir!«
»Was möchtest du wissen?« sagte sie. »Frage mich, und ich verspreche dir zu antworten.« Damit mußte er sich zufriedengeben.
Als sie ihm einiges erzählt hatte – und es war wenig genug und während des Erzählens zurechtgebogen und ausgeschmückt –, lag er still im Gras und blickte sie nicht an. Ganz langsam und nah am Boden spürte er sein Herz pochen.
»Und du verabscheust ihn«, flüsterte er.
»Ich kann ihn nicht ertragen!« Sie schauderte.
Mitka streckte die Hand aus und streichelte ihren kleinen Schuh. »Meine arme Freundin, meine arme Freundin«, sagte er. »Wie furchtbar mutig du bist! Aber es muß doch bestimmt einen Ort geben, wohin du dich retten kannst?« sagte er.
Sie schüttelte den Kopf. »Es gibt keinen. Unmöglich! Glaubst du nicht, daß ich mittlerweile selbst darauf verfallen wäre, wenn es einen gäbe?«

»Dich so in seiner Gewalt zu halten! Mein Gott!« rief Mitka, setzte sich auf und ballte die Fäuste. »Was für ein Teufel muß dieser Mensch sein!«
Sie senkte den Kopf. »Und es wird dadurch so schrecklich, daß er ... daß er ...«
»Oh«, sagte Mitka. »Ja, ich verstehe! O Valerie, meine Freundin! Wie kann ich dich glücklich machen?« Sie schüttelte den Kopf und sah ihn mit ihren grauen Mandelaugen an.
»Wie wunderschön du bist!« sagte Mitka. »Wie herrlich! Und du bist bestimmt meine Freundin?«
»Bestimmt.« Dann dämpfte sie seinen Eifer. »Aber Mitka, du mußt verstehen, daß ich vorsichtig sein muß. Wir müssen *heimliche* Freunde sein. Die Welt darf uns nichts anhaben. Wenn du glaubst, daß ich verändert und kalt bin, mußt du begreifen, daß ich gezwungen bin, so zu sein.«
»Nachdem du's mir erklärt hast, werde ich dich natürlich nie mißverstehen, und – und –« Er lächelte schüchtern. »Glaube mir, liebe Freundin, wir finden einen Ausweg!«
Sie fegte sich die Blütenblätter vom Schoß, stand auf und blickte von ihm weg. »Und du – verachtest mich nicht?« fragte sie.
»Ich verehre dich«, sagte er, »wie Gott!« Langsam gingen sie durch den schattigen Park zurück. »Ist es unter Freunden sonderbar«, fragte Mitka, »wenn ich dir sage, wie schön du bist, und in Worten bewundere, wie du gehst und deinen kleinen Kopf hebst und dann mit deinen Augen lächelst – all das?«

IV.

Als Paddy am nächsten Abend in sein Zimmer hinaufging, um sich zum Essen umzuziehen, fand er seinen kleinen Bruder im Dunkeln auf der Bettkante sitzen. Als er das Licht anschaltete, legte Mitka den Arm über die Augen. »Was ist? Was machst du?« fragte Paddy neugierig. »Fehlt dir etwas, Mitka?«
»Nein«, antwortete eine erstickte Stimme. »Es ist nur das grelle Licht, Paddy. Da muß ich blinzeln.« Aber Paddy gab

sich nicht zufrieden. Er bückte sich und hob Mitkas Taschentuch vom Fußboden auf, zog die Brauen in die Höhe, als er es befühlte, und setzte sich neben ihn. Es war wie in der Vergangenheit, Mitka so anzutreffen – wie in den Jahren, an die zu denken Paddy weder Zeit noch Lust hatte, ausgenommen, wenn er seinen kleinen Bruder sah. Was für ein Kind er ist, dachte Paddy, und Mitka, als hätte er seine Gedanken gehört, sagte: »Ja, Paddy, vor dir schäme ich mich nicht. Ich habe geweint.« Er richtete sich auf und umklammerte Paddys Arm. »Aber nicht, weil ich traurig bin«, stammelte er. »Nein, deshalb nicht! Nur, weil ich jemanden so hasse – so verrückt hasse. Ich habe vor Wut geweint!«

»Ich hatte geglaubt, du würdest mir genau das Gegenteil erzählen«, sagte Paddy. »Ich hatte geglaubt, du hättest geweint, weil du verliebt bist. Bestimmt nicht?«

»O nein«, sagte Mitka, und seine Lippen zitterten, »kein bißchen – nicht so, wie du es meinst. Das könnte ich nicht. Nein, ich habe aus lauter Verzweiflung geweint, Paddy, aus so furchtbarer Wut. Ah« – er hob die Hände und umklammerte seinen Kopf –, »es ist schrecklich, schrecklich!«

»Du willst mir wohl nicht sagen, wer es ist, den du so haßt?« Und bei sich fügte Paddy hinzu: natürlich weiß ich's!

»Nein!« Mitka schüttelte den Kopf. »Das kann ich nicht tun. Frage mich nicht! Aber, Paddy – das Süße und das Bittere sind im Leben eine so furchtbare Mischung, nicht wahr? Ich könnte fast glauben, es wäre besser, wenn man nicht beides gleichzeitig hätte – entweder alles Bittere oder alles Süße – es wäre besser und gerechter, finde ich. Ja, wirklich!« Durch sein wirres schwarzes Haar blickte er zu Paddy auf. »Es ist so – unmöglich«, sagte er, »wenn man gleichzeitig am Kopf und an den Füßen gezogen wird – man kann sich in keiner Richtung wehren. Heute abend«, sagte er, »finde ich nicht, daß Gott grausam oder barmherzig oder liebevoll ist – ich finde, er ist richtig dumm, Paddy, und es ist abscheulich, einen dummen Gott zu haben. Ich würde gern die Hände zu ihm aufwerfen und sagen: ›Was für ein alter Narr du bist–du Dummkopf!‹ Wahrscheinlich – findest du – das niemals?«

Paddy schüttelte den Kopf.

»Niemals, Mitka. Ich bin zu hart. Ich habe zuviel damit zu tun, an mich selbst zu denken, um mir Sorgen wegen Gott zu machen. Begreifst du, kleiner Bruder«, sagte Paddy und legte Mitka den Arm um die Schultern, »du bist wirklich in einer unseligen Lage: du hast dir nie einen Panzer wachsen lassen. Damit man durchs Leben gehen kann, muß man aber einen haben, und obendrein einen dicken! Alles, was dich berührt, hinterläßt ein Mal – verletzt dich – oder entzückt dich –, und da das Leben nicht immer süß ist, wie du es nennst, wirst du unweigerlich ebenso leicht verletzt wie entzückt sein. Ich dagegen bin fast ganz und gar eingepanzert, Mitka; ich könnte der Welt nicht, wie du, mein offenes Herz entgegenbringen. Ich will mächtig sein, das heißt, reich, und von einer einzigen Frau geliebt werden – und für diese beiden Dinge kämpfe ich heimlich und schütze mich gegen alles, was sich ihnen in den Weg stellen kann. Daher ist das Leben für mich ziemlich einfach. Aber für dich«, sagte er – »oh, Mitka, du bist wie ein nacktes Baby auf einem Schlachtfeld!«

Mitka rieb sich die Wange an Paddys Ärmel. »Nein«, sagte er, »du hast nicht völlig recht. Ich werde dir erklären, wie es sich mit mir verhält, Paddy. Mein ganzes Leben, so lange ich denken kann, Paddy, habe ich das gehabt, was du ›Panzer‹ nennst: es war die Einsamkeit. Manche Dinge haben mich verletzt und entzückt, das stimmt, doch nie wirklich sehr stark, weil ich ihnen nicht zu nahe kam. Ich habe mich ganz für mich gehalten, Paddy – und war einsam. Denn begreifst du, das Leben, das ich gewählt habe – zur See zu gehen –, habe ich deshalb gewählt, weil es meine einsamen Gefühle besser als alles andre ausdrückte. Nicht etwa, daß ich das Ding, das mich abkapselte, nicht gehaßt und verabscheut hätte – auf gewisse Weise tat ich es. Aber auf eine andere Weise war es, wenn du mir folgen kannst, das Kostbarste, das ich besaß. Denn weißt du, obwohl ich so sehr viele Leute kannte, habe ich nie Freunde gehabt, weil ich – abgesehen vom Lachen und Scherzen und dem allgemeinen Umgang mit ihnen – die Menschen nie richtig verstehen kann. Die Menschen sind mir zu kompliziert, und ich selbst bin gar

nicht kompliziert. Ich empfinde einfach so oder so, wie ich es als kleiner Junge tat, und das ist alles.«
»Und jetzt«, sagte Paddy, »bist du nicht mehr einsam, ja?«
»Irgendwie – ja, ich nehm's an.«
»Und du haßt die Person, die dir das angetan hat?«
»O mein Gott, nein!« rief Mitka rasch. »Wie könnte ich wohl? Nein, nein, das ist es nicht!«
»O Mitka«, lachte Paddy, »wenn ich hier noch länger bei dir sitze, wird mir ein weißer Bart über die Brust wallen. Bei dir fühle ich mich ein paar hundert Jahre alt! Ich glaube, ich sollte dich lieber in eine Kiste sperren und auf dein Schiff zurückbringen.«

V.

Und dann kam der Sonntag. Mitka erinnerte sich der Sonntage am Wyndham Square – ein schlampiger, fauler Vormittag, und dann das große Mittagessen um halb zwei, wo jeder bei Tisch erschien, und danach die schläfrige Stille, die sich bis zur Teezeit auf das Haus senkte. Er pflegte den Sonntag für einen sehr ergötzlichen Tag zu halten. Aber heute war es aus irgendeinem Grunde kein solcher Sonntag. Das Mittagessen war dasselbe, von halb zwei bis halb drei: sie saßen an der langen, sauberen Tafel, während der deutsche Diener weiß und schwitzend die dampfenden Gerichte herumreichte. Die alte Mrs. Farmer in einer hohen weißen Haube – mit einem buntseidenen Schmetterling darauf – naschte von ihrem Essen, wie es immer ihre Gewohnheit gewesen war. Die zitterigen Hände des Colonels, das Getuschel der jungen Südamerikaner und Mildreds helles, schallendes Lachen zerrten an seinen Nerven. Was ist mit mir los, dachte er. Warum ist alles so häßlich? Und Valerie saß stolz und spöttisch neben Evershed. Mildred konnte Mitka nicht in Ruhe lassen.
»O Mitka, du bringst mich heute so zum Lachen! Ich kann einfach nicht ernst bleiben, wenn ich dich anschaue. Was ist mit dir? Paddy, hast du ihn ausgescholten?«
Paddy unterbrach sie nicht.

»Mitka, dein Gesicht ist so lang wie—eine Baßgeige. Stimmt's nicht, Evershed?«
»Er ist verliebt«, gackerte die alte Mrs. Farmer und beklekkerte ihre schwarzseidene Taille mit Custardpudding. »Das ist der einzige Grund, weshalb junge Leute schlechte Laune bekommen!«
»Kluge Mutter!« spottete Mildred. »Sieh auch mal, was für ein Ferkel du aus dir selber gemacht hast!«
»Wartet nur!« Es war ihre ständige Erwiderung. »Wartet's nur ab!« Es war ihre einzige Verteidigung, und sie schien sie als einen Triumph zu empfinden. Schmatzend wiederholte es ihr alter Mund, wieder und wieder. »Warte nur! Wartet's nur ab, junge Frau – mehr sage ich nicht.«
Soll das ewig so weitergehen? dachte Mitka verzweifelt. Doch endlich war es vorbei, und allmählich wurde es still im Haus, genau wie an den einstigen ergötzlichen Sonntagen. Was soll ich jetzt tun? Er ging zu Paddy hinauf – aber dort war Mildred. Er spähte in den Salon – die alten Leute waren am Einnicken, und auf dem Balkon lasen Evershed und die jungen Südamerikaner Bruchstücke aus den Sonntagszeitungen vor. Kein Platz für mich, dachte Mitka. Sein Herz sagte: ›Wo ist sie? Wo ist Valerie?‹ Ja, er war unglücklich und obendrein müde. Er wollte sich auflehnen gegen alles. Ich würde mich gern auf die Treppe setzen, mit meinem Kopf an der Wand, dachte er. Dann wäre ich sicher, daß . . .
Er hörte, daß ihre Tür aufging, und dann das leise Rascheln ihrer seidenen Röcke. Mit einem roten Sonnenschirm und einem Buch in der Hand kam sie die Treppe herunter.
»Was tust du?« fragte sie.
»Ich weiß nicht recht.«
»Ich gehe auf den Square, um zu lesen. Würdest du gern mitkommen?« Und sie gingen aus dem Haus und in die heiße Nachmittagssonne auf dem Square. Valerie setzte sich auf eine kleine grüne Bank, wo ihr roter Sonnenschirm Schatten spendete. »Du hast keinen Hut«, sagte sie. »Ist es nicht zu heiß?«
»O nein, nicht für mich«, sagte Mitka und blickte blinzelnd zur Sonne auf. »Ich habe einen sehr dicken Schädel!«

Sie lächelte ihm zu.
»Du sagst wirklich sehr komische Dinge.«
»Ja?« fragte er besorgt. »Du meinst – törichte Dinge?«
»Nein, nein, nein – ich meine komische und bezaubernde Dinge. Ich hätte es nicht gern, wenn du irgendwie anders sprechen wolltest... Was war heute nachmittag mit dir los?«
»Oh«, begann Mitka, »da muß ich mich erst besinnen. Es ist so lange her, ich hab's ganz vergessen... Ja, ich erinnere mich. Ich weiß es nicht. Ich fühlte mich einfach elend.«
»Aber warum?« fuhr sie hartnäckig fort. »Warum?«
»Ich glaube, daß ein kleiner Brocken deines Hasses auf dieses Haus in mein Herz gefallen ist. Und gleichzeitig – war es noch etwas anderes.«
»Was?« fragte ihre leise freundliche Stimme. »Sag's mir, Mitka!«
»Ich bin ein so widerlicher Zweifler«, sagte er. »Seit wir in jenem Park waren, wollte ich dich die ganze Zeit wieder fragen: ›Bist du noch meine Freundin? Bist du nicht verändert?‹ Ich weiß, du bist es nicht. Ich verabscheue mich, weil ich es hören will, und doch, wenn ich dich mit andern Leuten zusammen sehe – und obwohl ich verstehe, daß du anders sein mußt –, überfällt mich trotzdem eine Art Angst, und ich denke: sie hat dich vergessen! Es war alles ein Traum! Und dann ist mir so, als müßte ich zu dir laufen und dich fragen und bitten, es wieder und immer wieder zu sagen: ›Nein, nicht verändert – noch ganz dieselbe – ich bin deine Freundin, Mitka‹, und dir versichern, daß ich nicht ewig so dumm sein werde«, schloß Mitka. – »Aber vielleicht ist es das Neue, wodurch es gleichzeitig so furchtbar süß und schrecklich wird. Bitte sei mir nicht böse!«
»Das bin ich nicht«, sagte sie. »Aber, Mitka« (was für einen himmlischen Namen ich habe, dachte er), »du bist doch zufrieden mit meiner Freundschaft, nicht wahr? Ich meine, wenn ich glaubte, daß ich dich traurig gemacht hätte...«
»O mein Gott, nein! O Valerie – wenn ich dir nur sagen könnte, wie das ganze Leben für immer anders geworden ist!« Mit dieser Antwort schien sie nicht ganz zufrieden zu sein. Sie zog die Brauen ein wenig zusammen und machte die

Augen halb zu, als wäre sie ein bißchen verwirrt. Ohne es zu bemerken, sagte er: »Aber dann ist da noch etwas anderes. Ich stehe Ängste aus, wenn ich an die Briefe denke, die ich dir schreiben möchte – du schreibst mir doch – oft und oft?«
»Oft«, versprach sie einsilbig.
»Und du erzählst mir wirklich etwas?«
»Natürlich.«
Seine Bewegungen wurden unruhig. »Ich gehe am Dienstag weg – am Dienstag früh«, sagte Mitka.
»Für wie lange?« fragte sie zerstreut und drehte ihre Ringe herum.
»Für ... Oh, du hast gelogen!« rief Mitka, als er ihre zusammengezogenen Brauen bemerkte. »Du bist müde, Valerie!«
»Ja, ich glaube auch. Es kommt von der Sonne.« Und Mitka sah sich plötzlich als einen unermeßlichen Riesen, der die Sonne vom Himmel holte und zerschmetterte, weil sie zu heiß auf Valerie niederprallte.
Der Abend jenes Tages war wie der erste Abend. Sie waren alle im Salon – ausgenommen Evershed –, und Valerie war wieder am Flügel. Mitka aber saß allein in einer Ecke und gab acht – müde und glücklich. Manchmal sah sie während ihres Spiels zu ihm hinüber. ›Ich bin deine Freundin‹, sagten ihre grauen Augen – bis Evershed in den Salon trat und sich über den Flügel beugte und mit leiser Stimme mit ihr sprach. Sie hatte den Kopf gesenkt. Mitka hörte ihre Stimme, dann sah er sie aufblicken und Evershed zulächeln und mit der Achsel zucken. Mitka beobachtete die beiden von seiner Ecke aus. All das ist nichts, sagte er sich. Sie ist deine Freundin. Sie hat es dir heute gesagt. All das hat nichts zu bedeuten – wirklich überhaupt nichts. Es hat nichts mit dir und ihr zu tun. Du fährst am Dienstag weg, und dann brauchst du sie nie wieder mit andern Leuten zusammen zu sehen. Deine Gedanken können ganz allein mit ihr sein. Er schalt und tröstete sein Herz, aber es nützte alles nichts. Das Herz in seinem zitternden kleinen Körper begann zu jammern und zu weinen und dann in Verzweiflung zu geraten.

VI.

»Du willst uns also heute verlassen«, sagte Mildred. »Ich finde, daß du nicht sehr nett bist, Mitka! Was hast du gestern den ganzen Tag gemacht? Du mußt nach dem Frühstück weggegangen sein – und wann bist du zurückgekommen?«
»Ich bin *herumgelaufen*«, sagte Mitka. »Ich hatte früh am Morgen einen Entschluß gefaßt und bin durch ganz London gelaufen.«
»Warum denn bloß?«
»Um es mir anzuschauen. Es ist aber nichts dran. Altes Spinnweb ohne Spinnen«, sagte er und lächelte ihr zu.
»Also dann – meinen mütterlichen Segen«, sagte Mildred. »Dann mach dich auf den Weg. Ich muß mich anziehen. Ich sehe dich wohl nicht mehr, nicht wahr?« Sie hatte im Bett gefrühstückt und Mitka zu sich gerufen, um ihm Lebewohl zu sagen.
»Nein, wahrscheinlich nicht.«
»Dann geh und verabschiede dich von deinem kleinen Schatz!« sagte Mildred.
Er hatte seine Ledertasche schon gepackt. Er trug sie hinunter und stellte sie in die Halle, dann ging er in den Salon hinauf. Er wußte, daß Valerie dort sein würde. Sie saß auf dem Sofa und hatte die Hände im Schoß liegen. Die Stores waren heruntergezogen, und der Salon war sehr kühl und dunkel. Mitka schloß die Tür und ging zu ihr und stand wie ein kleiner Junge vor ihr, der seine Lektion aufsagen will.
»Du gehst also«, sagte Valerie.
»Willst du mich nicht fragen, was ich gestern den ganzen Tag gemacht habe?« sagte er mit heiserer Stimme. »Dann werde ich's dir erzählen. Ich entschloß mich, dir zu sagen: Bitte schreibe mir keine Briefe! Bitte nimm diese Freundschaft zurück! Ich will sie nicht. Es tut mir sehr leid.«
Valerie blickte ihn mit großen Augen an. »Warum?« flüsterte sie und beobachtete ihn scharf, während eine Art entzückten Staunens in ihrem Gesicht aufdämmerte.
»Weil –« Er zuckte die Achseln. »Ich habe keinen Grund«, sagte er mit leiser Stimme. »Ich habe überhaupt keinen Grund,

außer, daß ich nicht der bin, für den du mich gehalten hast, sondern ein Schwindler.«

»Mitka!« Er trat an den Flügel und lehnte sich dagegen, ihr den Rücken zukehrend.

»Mitka, wenn du dich anders besonnen hast und mich nicht mehr willst, wenn ich meinen Freund verlieren soll«, sagte sie und stieß ein kurzes, atemloses Lachen aus, »dann kann ich's nicht ändern, nicht wahr? Ich kann dich nicht anflehen, nicht wahr, Mitka? Aber ich finde doch, daß ich das Recht habe, zu erfahren, weshalb du unsre – heimliche Freundschaft aufgibst!«

Er schüttelte schnell den Kopf. »Nein, das kann ich dir nicht sagen. Es nützt nichts, mich zu fragen. Mir bleibt weiter nichts zu tun«, sagte er und sprach langsam, »als mich zu verabschieden und zu gehen. Lebwohl zu sagen, nur das. Ohne mich umzudrehen.« Er drehte sich um, und die Worte erstarben ihm auf den Lippen. Sie saß sehr ruhig da und hatte den Blick auf ihn gerichtet. Er konnte sehen, wie ihre kleine Brust sich hob und senkte, und er konnte ihre halb unter dem schwarzen Spitzenschal verborgenen Hände sehen. Während er sie ansah, schien sie langsam größer zu werden und die ganze Welt zu füllen. Was hätte alles übrige zu bedeuten? Was blieb? Nichts blieb als sie. »Es nützt nichts!« rief er heftig. »Ich kann's dir nicht sagen«, und er schwankte vorwärts und setzte sich neben sie und legte seinen Kopf in ihren Schoß. »Ich liebe dich, liebe dich, liebe ...«

»Oh!« hauchte sie. Sie lächelte dem strahlend lieblichen Gesicht im Spiegel ihr gegenüber zu, das sie anlächelte, und dann beugte sie sich über Mitka und legte ihre Hand ganz, ganz leicht auf seinen dunklen Kopf. »Mitka, bist du sicher?«

Er hob den Kopf und blickte furchtsam und verzweifelt zu ihr auf. Seine Augen standen voll Tränen, und seine Lippen waren zusammengepreßt. Er konnte nicht sprechen, nur mit dem Kopf nicken; sein Atem war ein zitterndes Schluchzen.

»Nicht!« sagte sie zärtlich. Unendlich zart und liebevoll blickte sie auf Mitka. »Ich liebe dich auch«, flüsterte sie.

»Was hast du gesagt?« stammelte er. »Sag's noch einmal! Rasch! Rasch!«

»Ich liebe dich auch.«
Er ergriff ihre Hände und küßte sie wieder und wieder, ohne je seine Augen von ihrem Gesicht abzuwenden. Voller Furcht und Liebe sagte er: »Du liebst mich«, und noch einmal, indem er ihre Hand auf sein Herz drückte: Du *liebst* mich!«
Sie nickte. Ein Lächeln nach dem andern flog über ihre Lippen. Wie sie strahlte, und doch war eine müde Bangigkeit in ihren Gesten und in ihrer Stimme. »Oh, schon seit langem! Hast du es – wirklich nicht gewußt?«
»Wenn Gott mir erschienen wäre und es mir gesagt hätte, würde ich es nicht geglaubt haben. Wie hätte ich glauben können, daß die Welt einen solchen Himmel birgt?« Er stieß ein komisches Spitzbubenlachen aus. »Ich träume doch nicht, oder? Das bin ich, der Mitka, und du bist Valerie – und du hast gesagt, daß du mich liebst!« Plötzlich warf er die Arme um sie. Sie lehnte sich an ihn, und sie küßten sich. Mit diesem langen Kuß übergab Mitka sich und sein mutiges Herz und seine Hoffnungen und sein ganzes Wesen in ihre Obhut. »Verzeih mir«, sagte er, »verzeih mir!«
»Weshalb?« flüsterte sie und blickte ihn hingerissen an – und doch war sie ruhig, und er zitterte heftig.
»Ich bin so unwert, und ich bin so schwach. Ich kann meine Freude kaum ertragen. Was habe ich getan, um dieser Glückspilz zu sein? Oh«, rief er, »wie schön du bist, meine Liebste, wie wunderbar schön – ein Leuchten geht von jedem deiner Finger aus, wie das Licht von einer Heiligen. Valerie! Valerie!« Sie lag zwischen den Kissen und lächelte ihn an. Er beugte sich über sie. »Und du willst meine Frau werden?« Eine winzige Pause trat ein – gerade lange genug für ein überraschtes Pochen in Valeries Brust. Dann sagte sie: »Ja, deine Frau, Mitka.«
Er schickte sich an, sie wieder zu küssen, und dann wich er zurück und umklammerte seine Hände. »Nein, nein!« rief er mit verkrampfter Stimme. »Laß mich's nicht tun, Valerie! Hilf mir, Valerie! Laß es nicht zu, daß ich dich zuviel küsse! Wenn ich's tue, werde ich wahnsinnig und kann dich nicht verlassen – und wir müssen uns jetzt trennen! Ja, ja, wir

müssen, wenn auch nur, um uns wiederzusehen, Liebste! Ich muß dich bald verlassen!«

»So bald schon?« flüsterte sie, und sie legte die Arme um ihn und zog ihn näher und drückte seinen Kopf an ihre Brust. »Vergiß alles«, flüsterte sie, »alles, nur nicht, daß wir uns lieben, mein Liebster, mein Liebster!«

Er riß sich aus der Umarmung. »Gerade das kann ich nicht tun«, stammelte er. »Begreifst du's nicht?« Und er stand auf und schritt rasch im Zimmer auf und ab. »Wenn ich das tue, bin ich verloren. Versteh doch, die unerwartete Freude, und du, so süß zu mir, und meine Gedanken in Aufruhr, und die ganze Zukunft in genau diesem Atemzug zu regeln – plötzlich, verstehst du? Mein Engel«, sagte Mitka, »mein geliebtes Herz, ich muß dich verlassen, und auf unsre Zärtlichkeiten und unser Glück müssen wir warten, bis ich wiederkomme, schnell, so schnell ich kann, und dich wegführe und wir verheiratet sind. Jetzt«, sagte er, »müssen wir alles entscheiden und Pläne machen!« Er blieb vor ihr stehen und nahm ihre Hände, die er wieder zu küssen begann. »Mein Kopf ist schon voller Pläne, Valerie! Ich kann sogar schon unser Haus sehen und unser Kind.« Unbeweglich und mit gesenktem Kopf saß sie da. »Hör mir zu, mein Liebling« – und er begann zu sprechen und diese wunderbaren Ereignisse zu ordnen und zu planen und festzulegen. Er würde jetzt nach Alexandria gehen, um Geld zu besorgen. Dann würde er nach Marseille gehen. Dort hatte er Freunde. Er konnte sich Arbeit in Marseille beschaffen. Unterdessen könnte er sich genügend Geld für sie beide leihen, und sie könnte zu ihm kommen. Das war das beste. Gemeinsam würden sie ein neues Leben beginnen, weit weg von jedermann und allem. Evershed und seine Bedrohung hatten jetzt nichts zu bedeuten. Nichts und niemand konnte ihnen schaden oder ihnen Leid zufügen.

Während er sprach, entfaltete sich das Leben wie eine liebliche Blüte. Er roch ihren Duft, er beugte sich darüber, und das überwältigende Wunder ihrer Schönheit und Farbe berauschten ihn. Er redete immer weiter – jahrelang, wie es der zuhörenden Valerie vorkam, die sich nie regte oder aufblickte und deren Hände ohne Wärme und Gegendruck in seinen Händen lagen. Nur ein einzigesmal, als er neben ihr kniete und sagte: »Ach, Valerie, unser gemeinsames Leben, unsre Kinder!«, verzerrte ein kleines Lächeln ihre Lippen, und sie zog die Brauen leicht in die Höhe. Im übrigen rührte sie sich nicht.

VII.

Ein paar Wochen später trat Mildred eines Morgens in Valeries Zimmer. Das junge Mädchen lag im Bett und schlief. Mildred stand da und blickte auf sie nieder, und halb unbewußt fragte sie sich, wie oder warum Valerie ihr kindliches Aussehen bewahrte. Sie lag auf dem Rücken. Die Ärmel ihres Nachthemds waren hinaufgerutscht, so daß ihre Arme bis zu den Schultern entblößt waren. Lange schwarze Haarlocken lagen zu beiden Seiten ihrer Wangen; ihre Augenwimpern warfen einen feinen Schatten, und die Lippen öffneten sich unter ihren sanften Atemzügen. ›Ja, sie ist schön!‹ dachte Mildred. ›Lieber Himmel, wie unschuldig sie aussieht! Vermutlich ist sie das leidenschaftlichste Teufelchen, das es nur geben kann.‹ Mildred schob die Vorhänge von den Fenstern fort, aber Valerie rührte sich nicht. Auf dem Frisiertisch lagen ihre langen weißen Handschuhe, ein Fächer und ein großer Strauß verwelkter gelber Rosen. Das Zimmer war nordentlich und ganz übersät mit ihren Kleidungsstücken und Toilettensachen, aber Mildred sah, daß die Unordnung als etwas Sorgloses und Bezauberndes zu Valeries Wesen gehörte. ›Ja, wenn ich ein Mann wäre, würde ich mich auch in diese kleine Hexe verlieben! Sie ist so selbstsicher und so gänzlich unbekümmert, und doch hütet sie ihr Geheimnis. Ja, sie ist kalt und leidenschaftlich.‹ Mildred schnippte mit Daumen und Zeigefinger gegen den Briefumschlag, den sie in der Hand hielt, blickte auf die Schrift und die Briefmarke und verzog das Gesicht. Valerie seufzte, reckte die Arme, rollte sich halb herum und setzte sich kopfschüttelnd hoch. »Ich bin noch gar nicht wach«, sagte sie mit heller, unwirklicher Stimme (bei Kindern, die im Schlaf sprechen, klingt es ebenso).

»Na, es ist höchste Zeit!« sagte Mildred. »Es ist schon nach elf! Hier ist ein Brief für dich«, und sie gab Valerie den Brief.
»Du bist ein Engel«, sagte Valerie und warf nur einen flüchtigen Blick auf den Brief. »Wir sind erst um vier nach Hause gekommen. Waren in einem dieser blöden Klubs.« Sie lächelte. »Ach komm, setz dich eine winzig kleine Minute zu mir!« schmeichelte sie. Mildred setzte sich, und Valerie schlang die Arme um sie.
»Es ist also immer noch im Gange?« fragte Mildred und fuhr mit dem Finger durch eine von Valeries Locken.
»Was? Meinst du diese rührenden Ergüsse?« sagte Valerie.
»Hm. Ich war neulich in deinem Zimmer, als das Mädchen gründlich putzte, und sie holte Dutzende der gleichen Art unter der weißen Kaminrüsche hervor. Ich wußte, daß sie von demselben waren – das arme Kind benutzt so komisches Briefpapier. Liest du sie?«
Aber Valerie antwortete nicht darauf. Statt dessen sagte sie: »Was soll ich denn tun? Ich kann ihn nicht daran hindern. Ich habe ihm unzähligemal geschrieben und ihm gesagt, daß es hoffnungslos ist. Du hast gut lachen – aber es ist so langweilig – und so dumm! Es ist so etwas Demütigendes in den Briefen des Jungen. Ungeschick kann ziemlich reizvoll sein, wenn man mit dem Betreffenden zusammen ist: bezaubernde Augen, ein Babymund und seidiges Haar machen es wett. Aber im Brief – meine Güte, nein! Worüber lachst du?«
»Über dich! Ich lache, weil du dich bemühst, mir etwas vorzumachen. Ich weiß ganz genau, daß du mit Mitka etwas im Schilde führst. Ich wüßte gar zu gern, was es ist! Er ist ein seltsames kleines Menschenkind. Ich bin überzeugt, daß er nicht mehr schreiben würde, wenn du ihm gesagt hättest, damit aufzuhören. Er ist zu stolz und zu empfindlich, um es nicht zu beachten. Ich glaube daher nicht, daß du's ihm gesagt hast. Aber du bist doch nicht in ihn verliebt, weshalb hältst du ihn also an der Angel?«
Valerie legte sich wieder hin, warf den Brief in die Luft und fing ihn auf. »Plag mich nicht«, sagte sie leichthin, *»ich* weiß

es nicht. Aber wenn ich mal etwas in der Hand gehabt habe, kann ich's nicht aufgeben, bis ich versucht habe, es zu zerbrechen oder zu sehen, ob ich's zerbrechen kann. Das ist mein einziger Grundsatz – einer langweiligen Welt abgeluchst.« Sie setzte sich hoch und riß den Brief auf. Der Umschlag glitt vom Laken auf den Fußboden. Es waren zahllose, mit einer feinen Handschrift bedeckte Seiten. »Willst du's lesen?« fragte sie Mildred und verzog das Gesicht. Aber Mildred wich zurück.

»Nein, nein! Mir ist es gräßlich zu hören, wie etwas umgebracht wird, und Babies schreien schlimmer als Ferkel. *Bon appétit*, du kleines Scheusal!« Sie schwebte aus dem Zimmer.

Herzallerliebste!

Sei nicht erschrocken: ich schreibe im Bett. Ich habe außer einer Brustfellentzündung noch eine Art Fieber erwischt und fühle mich deshalb nicht wohl. Entschuldige mein Ungeschick! Was für ein Dummkopf ich bin! Ich glaube, meine Unruhe war schuld. Es ist so lange her, seit ich einen Brief von dir bekommen habe, und seit dem ersten hat mich das Warten und Denken ein bißchen müde gemacht. Es gibt so vieles zu erledigen, und ich bin nicht ein Geschäftsmann, wie Paddy es ist. Aber die Leute sind reizend zu mir gewesen. Das kommt daher, weil ich dich liebe. Wohin ich auch ging, habe ich dich in meinem Herzen getragen, und ich glaube, kein Mensch hat *mich* gesehen, sondern in meinem Äußeren haben sie *dich* gesehen, und um deinetwillen sind sie nett zu mir gewesen. Wie ich dir vorige Woche schrieb, hat mir mein Vater das Geld geschickt. Alles ist bereit und wartet auf dich. Ich bleibe hier, bis du kommst und wir gemeinsam etwas suchen, wo du wohnen möchtest. Wo ich jetzt wohne, ist es natürlich nicht gut genug für dich, doch für mich geht es, und ich spare Geld dabei. Außerdem ist – mit dir im Herzen – für mich überall der Himmel. In den ersten Tagen meiner Krankheit war das Zimmer so voll von dir, daß ich dem Zimmer meine Arme entgegenstreckte, wie ein Kind einem Garten. Ich weiß, daß es einen guten Grund gibt, weshalb du nicht schreibst. Ich weiß, ich darf dich nicht plagen –

und du bist weise –, und doch bin ich so dumm; jedesmal, wenn ich unten auf der Straße den Briefträger höre, stürze ich an die Treppe, und mein Herz klopft heftiger. Ich kenne seine Schritte jetzt, obwohl ich hier inmitten von lauter Schritten liege. Selbst wenn ich schlafe, hört mein Herz sie und weckt mich, und ich springe aus dem Bett. Komm her, mein Liebling! Alles wartet auf dich! Komm bald! Es wird nicht schwer sein. Ich weiß, daß du sehr zart und fein bist, aber fürchte dich nicht! Was für eine Dummheit, dir zu schreiben, aber mir glüht der Kopf. Valerie, Valerie! Ich küsse deine kleinen Füße. Ich flehe sie an, dich rasch zu mir zu tragen. Ich liebe dich heiß.

Ich werde ihn verbrennen, dachte sie. Sie stieg aus dem Bett und ließ auch diesen Brief hinter die weiße Papierrüsche des Kamins fallen. Ja, sie war wirklich neugierig, und der Gedanke an Marseille war bestimmt aufregend. Natürlich hatte sie nie beabsichtigt, hinzugehen; nicht richtig, sondern nur für kurze Zeit. Und sie sah sich in einem weißen Zimmer, das auf einen Garten mit roten, wächsernen Blumen blickte, der sich bis zum Meer hinabdehnte. Mitka war bei ihr, er lag auf dem Rücken, mit geschlossenen Augen, fiebrig heiß, und die Ohren und Lippen sehr rot. Ja, genauso würde er aussehen! ›Er würde ein ganz bezaubernder Liebhaber sein – nach meiner handeltreibenden Bulldogge! Aber du könntest es nicht durchhalten, mein Kind‹, sagte sie sich und betrachtete sich im Spiegel. ›Denn du weißt, meine Dame, wie es mit dir steht!‹ Ihre Lippen lächelten fröhlich, aber ihre Augen sagten: ›Ja, das ist wahr! Du bist zu klug, um dich ertappen zu lassen, doch du würdest ihn umbringen, du weißt, daß es dahin käme, und oh, was für Komplikationen! Aber Marseille! *Well* – und vielleicht kann ich von einem dunkelhäutigen, nach Moschus riechenden Blumenhändler weiße Nelken kaufen, von einem Mann, der seine Augen nicht abwenden kann von ihrem Weiß.‹

VIII.

Wieder hörte er die vertrauten Schritte. Wieder stürzte er an die Tür, öffnete sie und hängte sich über das eiserne Treppengeländer. Sie kamen die Treppe herauf – jetzt waren sie ganz nah. Wieder wagte er die ungeheure Anstrengung, trotz seines wild pochenden Herzens zu sprechen: »Etwas für mich?« O mein Gott, was war geschehen? Der Briefträger blickte zu ihm empor, grinste, kam weiter herauf, langte in seine Posttasche – Mitka beugte sich vor und griff zwischen den Geländerstäben nach dem Brief.

»*V'là M'sieu'*« sagte der Briefträger und legte den Brief in die zitternden Hände, als wäre es Brot, das er austeilte.

Aber Mitka antwortete nicht. Er richtete sich auf, hielt sich am Geländer fest und kehrte langsam, langsam in sein Zimmer zurück. Er schloß die Tür, lehnte sich dagegen und drückte den Brief an sein Herz. An der Wand, der Tür gegenüber, hing ein Spiegel. Als er die Augen hob, sah er dort sein Spiegelbild – so verwandelt, so geheimnisvoll glücklich. Mitka ist tot, dachte er. Mitka ist ein Heiliger. Lange Zeit stand er dort, und Seltsames geschah. Den Brief, der auf seinem Herz lag, vergaß er völlig. Mit staunenden Augen blickte er auf sein kleines Zimmer. Ein komisches kleines Zimmer unter dem Dach eines riesigen Gebäudes. In einer Ecke stand ein Bett mit einer roten Steppdecke mit gelbem Blumenmuster. In einer andern Ecke ein eiserner Waschständer. Ein Tisch stand in der Mitte des Zimmers, und ein Stuhl war davorgeschoben. Sein Gepäck war an der Wand aufgestapelt. Auf einem Bord neben dem Bett waren Flaschen – Flaschen in allen Farben. Ein bleistiftdünner Sonnenstrahl fiel auf die Flaschen und machte sie wunderbar schön. Vor dem Fenster hing eine zerschlissene Markise, aber sie sperrte die Sonne nicht aus. Die Sonne tanzte in Bahnen und großen, sanften Flächen goldenen Lichts über den Fußboden und die Wände. Zärtlich lächelte er dem Zimmer zu und trat an den Tisch und setzte sich davor. Ja, hier habe ich gewohnt, sagte Mitka. Er klopfte mit dem Brief auf den staubigen Tisch. Es ist recht hübsch, sagte er träumerisch. Ein Lüftchen hob die Markise und klapperte mit ihr. Durchs Fenster drang das Geräusch weit hinhallender Rufe und schleppender Schreie. AAAAI, näselte eine Stimme, und dann IIIIIie! Genau derselbe Laut, den ihr alter Gärtner machte, wenn er einen Schwarm Bienen scheuchte. AAAAI, erklangen die schleppenden Rufe, und dann antwortete der alte Gärtner zornig und geschäftig. Mitka wollte sich sehr gern vom Stuhl erheben und aus dem Fenster schauen, aber nein, sein Körper rührte sich nicht. Alles Versuchen nützte nichts. Er saß still. Ihm war sehr friedlich zumute, fast, als wäre er wieder auf See. Ja, sein kleines Zimmer mit den Sonnenflecken und den schönen Flaschen schwamm im Meer, und was er hörte, waren die Stimmen der Matrosen. Warum fühle ich mich so schwach? Ach, ich weiß. Es kommt daher, weil ich so lange nicht geschlafen habe – und bei diesem Gedanken begann er langsam zu atmen, jedoch nicht zu tief, weil durch einen tiefen Atemzug ein Messer bewegt wurde, das auf den Grund seiner Lunge gefallen war. Doch es tat wohl, auch so zu atmen. Wie lange war es her, seit er geschlafen hatte? Oh, er konnte sich nicht entsinnen. Vielleicht hatte er seit Jahren nicht mehr geschlafen. Jetzt konnte er sich bewegen. Er stand vom Tisch auf und hob die Arme über den Kopf, und behutsam gehend, um nicht auf die zitternden Flecke des schönen Sonnenlichts zu treten, das über den Fußboden tanzte, erreichte er das Bett, legte sich nieder und drückte seinen Kopf ins Kissen. Auf und davon schwebte Mitka mit seinem Zimmer unter dem Dach. Auf und davon schwebte er. AAAA-iiii, klang es jetzt leiser und leiser, und die Sonne tanzte über Valeries Brief.

Und so fand sie ihn. Eine afrikanische Dienerin mit einem Schmutzeimer war ihr am Fuß der Treppe begegnet und hatte sich vor ihr die fünf Treppen hinaufgemüht, den stinkenden Eimer in der Hand. Valerie öffnete die Tür und trat sehr leise ein. Doch als sie Mitka auf dem Bett liegen sah, lief sie zu ihm und war einen Augenblick furchtbar erschrocken. Nein – *nichts dergleichen* war passiert! Er lag nur in tiefem Schlaf, das Gesicht mit Schweißperlen bedeckt – so lag er auf dem Rücken, und seine Lippen und Ohren waren sehr rot. Hatte sie das geträumt? Jedoch nicht dieses ekelhafte

Zimmer, nicht das abscheuliche Haus, nicht die gräßliche Afrikanerin und der Gestank. Das war es also: hierherzukommen hatte er ihr zugemutet – in dieses Zimmer! Sie blickte auf die Blumen, die sie trug – weiße Nelken, bei einem nach Moschus riechenden Blumenhändler gekauft. Sie hielt sie an ihr Gesicht. Sie sah die roten und blauen Flaschen, die häßlichen Sonnenflecke, die durch die zerschlissene Markise fielen – und dann sah sie auf dem staubigen Tisch ihren Brief an ihn liegen – ungeöffnet. Ihre Geistesgegenwart verließ sie nicht einen Augenblick. Entschlossen und ohne einen Versuch, ihre Schritte zu dämpfen, ging sie zum Tisch und hob ihren Brief auf. Sie nahm sich sogar Zeit, um nachzusehen, ob Blütenblätter von ihren Blumen abgefallen waren. Ich verabscheue die billigen Requisiten der Tragödie, dachte Valerie und zog die Tür hinter sich ins Schloß.

IX.

Evershed wartete im Hotelzimmer und ging mit dunkelrotem Gesicht und weit geöffneten, glasigen Augen hin und her. Als sie die Tür öffnete, fuhr er heftig zusammen. »Wo zum Teufel bist du gewesen?« fragte Evershed. »Du hast mir einen schlimmen Streich gespielt! Ich gehe für eine Sekunde weg, um Zigaretten zu besorgen, und als ich wiederkomme, finde ich das hier – das verdammte Zettelchen *In einer Stunde wieder da.* Hör mal, Valerie, so etwas darfst du einfach nicht tun, hörst du? Es ist – es ist unfair! Einem Mann so einen verdammten Streich zu spielen!« Er zitterte am ganzen Leibe und wischte sich mit einem zusammengefalteten Taschentuch über die Augenlider und den Schnurrbart. Warum hast du das getan? Warum hast du's mir nicht gesagt? Wolltest du etwas kaufen? Was war es?«
Sie blickte ihn erstaunt an, ein kindliches Lächeln auf den Lippen. »Du armer alter Junge, ich hab's mir nicht träumen lassen, daß dir so zumute ist. Ich habe nur gedacht, solange du weg wärst, würde ich nach der Bahnfahrt gerne spazierengehen. Ich hatte Kopfschmerzen. Und ich war schlechter Laune. Ich wollte an die Luft, und ich wollte meinen Ärger

durch den Spaziergang vertreiben. Habe ich dir wirklich bange gemacht?« Sie hob die Hände, um ihren Schleier aufzuknoten. »Du machst Spaß!«
»Schöner Spaß!« Er stieß einen Seufzer großer Erleichterung aus und ließ sich aufs Bett fallen. »Ich hätte nie geglaubt, daß sich ein Mann wegen einer Frau so dumm anstellen könnte! Ich hätte fast geheult! Ich war halb wahnsinnig, Valerie! Alles, was man sich nur ausdenken kann, sauste mir durch den Kopf. Ich habe sogar gedacht, du hättest es absichtlich getan. Hättest mich hergelockt und wärst dann abgehauen – nein, nicht ganz so schlimm, aber immerhin – ach, nützt ja nichts, es noch mal durchzukauen! War das wirklich alles: Du warst nicht wütend auf mich oder sonstwas? In der Bahn kamst du mir ein bißchen still vor, fand ich. Donnerwetter«, sagte Evershed, »das war ein übler Schreck!«
»Im Gegenteil«, sagte Valerie. Sie hatte ihren Hut abgenommen. Sie strich sich das Haar aus dem Gesicht und ging zu ihm, setzte sich ihm aufs Knie und blickte mit einem seltsam nachdenklichen Lächeln zu ihm auf. Sie legte ihre Hände auf seine heißen Wangen. »Ich glaube, daß ich mich tatsächlich in dich verliebe«, flüsterte sie.
»Valerie, meine Königin«, sagte Evershed. »Ich wußte ja, daß du nachgeben würdest, kleines Mädchen!«

Jean Giono

Jean Giono wurde 1895 in Manosque geboren und starb 1970 in seinem Geburtsort in der Provence. Er war ein scharfer Gegner der modernen Zivilisation und Technisierung und pries in seinen Romanen die Einheit von Menschlichem und Kreatürlichem, das erdverbundene Leben der Hirten, Bauern und Handwerker in seiner Heimat. Wegen seiner konsequent pazifistischen Haltung während der deutschen Besatzung wurde Giono der Kollaboration verdächtigt und hatte von 1944 bis 1947 Publikationsverbot, wurde jedoch später rehabilitiert und 1954 in die Académie Goncourt gewählt.

Der Berg der Stummen
Roman. Band 5393

Die Geburt der Odyssee
Roman. Band 5376

In Italien um glücklich zu sein
Ein Reisebuch. Band 5493

Das Lied der Welt
Roman. Band 5315

Vom wahren Reichtum
Roman. Band 5974

Fischer Taschenbuch Verlag

fi 166 / 4